警察官Ⅰ類・A　最新時事情報‼

　警察官Ⅰ類・A試験では、最新の時事情報に関する問題が出題されることがあります。ここでは、令和7年度試験に出題される可能性のある5つを厳選して紹介します。

●離婚後の共同親権を導入　―改正民法成立―

2024年5月、離婚後も父母双方が子どもの親権を持つ「共同親権」の導入を柱とした改正民法が成立した。現在の単独親権に加え、父母の協議によって共同親権を選ぶことができるようになる。父母が合意できない場合は家庭裁判所が判断しDV等が認められた場合は単独親権となる。改正法の付則には、共同親権を選ぶ場合、父母双方の真意によるものか確認する措置を検討することなどが盛り込まれた。2年後の2026年までに施行される。

●日本の名目GDP、ドイツに抜かれ世界4位に

内閣府が2024年2月に発表した2023年の名目国内総生産(GDP)は、591兆4,820億円であった。ドル換算すると約4.2兆ドルであり、4.5兆ドルのドイツに抜かれ、世界4位となった。1位は米国（27.4兆ドル）、2位は中国（17.7兆ドル）、5位はインド（3.6兆ドル）。円安が進んだことでドル換算では目減りしたといえる。高度経済成長期の1968年にGNPで旧西ドイツを抜いて世界2位となったが、2010年にはGDPで中国に抜かれ3位となっていた。

●合計特殊出生率が過去最低に

厚生労働省が2024年6月に公表した2023年の人口動態統計の概数によると、2023年の合計特殊出生率が1.20となり、1947年に統計を取り始めて以降、最低となった。都道府県別に見てもすべての都道府県で前年を下回っており、最も低かったのは東京都で、0.99と初めて1を下回った。次いで北海道の1.06、宮城県が1.07だった。最も高かったのは沖縄県で1.60、次いで宮崎・長崎が1.49、鹿児島県が1.48だった。政府は6月に少子化対策関連法案を成立させるなど、必要な取り組みを加速させたいとしている。

●世界の難民・避難民数が日本の人口規模に匹敵

6月20日の世界難民の日を前に、UNHCR（国連難民高等弁務官事務所）は世界各地で紛争や迫害などによって住まいを追われた人は2023年末の時点で1億1,730万人となり、過去最多であったと報告した。このうち2023年10月からイスラエル軍とイスラム組織ハマスの戦闘が続くパレスチナのガザ地区では、人口の75%にあたる170万人が避難民となった。国連はこの報告に強い懸念を示し、国際社会の支援を訴えている。

●子ども・子育て支援金の創設

2024年6月、子ども・子育て支援法の一部を改正する〔　〕療保険者が被保険者等から徴収する保険料に子ども・子育〔　〕盛り込まれ、令和8年度施行、令和10年度までに段階的〔　〕月に閣議決定されたこども未来戦略の「加速化プラン」を〔　〕〔　　　　　　　　　　　　　　〕施策であり、子育て世帯の経済的支援の強化を目的としている。

本書の使い方

☆が多いほど
重要！

●重要ポイント
必ず覚えておきたい重要
ポイントです。

●ワン・ポイント
ここも覚えておくと試験
に役立つポイントです。
必ず読んでおきましょう。

●赤シート対応！
本文、重要ポイントなど、覚えておきた
い部分を赤字にしていますので付属の赤
シートを活用して確認・暗記できます。

●用語
本文中に出てきた用語や、覚えて
おきたい用語を解説しています。

社会科学：政治

重要度
★★

レッスン 03 主要国の政治制度

主要国の政治制度は、権力（三権）分立制と社会主義諸国が採用する民主集中制に大きく分かれている。権力（三権）分立制の類型と民主集中制のそれぞれの特色について学習する。

◆権力分立制
　権力の分立制には、大統領制、議院内閣制、民主集中制がある。大統領制は、アメリカ合衆国のような完全分離型と、フランスのような半大統領制に分類できる。

🚗 重要ポイント　権力（三権）分立制
・主要国の大部分は〇〇立制を採用している。
・◆◆分けて〇〇内閣制分けられる。

　アメリカ合衆国の大統領制は、立法府〇〇が完全に分離した大統領制をとる

　大統領の任期は〇期〇年であり、〇期を超えて選出されることは認められない。〇〇選挙は大統領選挙は形式的には〜選挙であり　国民が〇〇人を選ぶ　その選挙人が大統領及び大統領をペアで選出する選挙制度となっている　大統領は連邦議会を解散する権限を持つ　議会からの不信任決議を受けることはない

　議会が大統領を罷免できるのは、大統領〇〇〇〇　などの弾劾決議だけで

る法案拒否権を持っているが、大統領が拒否権を使っても、両院が出席議員の3分の2以上の多数で再議決すれば、法律は成立する。
　同様の政治制度は、ブラジルやメキシコなどの中南米諸国、大韓民国、フィリピンなどが採用している。

🐎 ワン・ポイント　合衆国の議会

合衆国の連邦議会は、上院と下院の二院制であり、予算や法案の審議については、両院の権限は対等である。どちらも解散はない。

	上　院	下　院
選出方法	各州から2人選出	各州から人口に比例して選出選挙制度は小選挙区制をとる
任期	6年	2年
権限	下院にはない権限としては、大統領に対する条約締結承認権、高官任命についての同意権、下院の弾劾の訴追を受けての弾劾裁判権がある	上院にはない権限としては、予算の先議権と連邦官吏弾劾発議権がある

◉半大統領制
フランスの大統領は、議院内閣制が

●+アルファ
余裕があればここも覚え
ておきましょう。

●出題パターン
その単元の代表的な出題
パターンを紹介します。

●その他
各章の終わりには学習内容を確認でき
る練習問題があります。付属の赤シー
トを活用して知識を確認しましょう。

政府提出法案と委任立法の増加
（行政国家化）

↓

行政裁量と行政指導による行政権限
の肥大化と官僚政治の弊害
（国民の監視が及ばない）

↓

国政調査権の活用、
パブリックコメント制度（意見公募手続）、
行政監察官（オンブズマン）制度、
情報公開制度の導入

用語　パブリックコメント制度：国の
行政機関が規制の設定や改廃をするにあ
たり、広く国民から意見や情報提供を募
集することを義務付け、それを参考に政
策などを最終決定しなければならないと
する制度である。

用語　行政監察官（オンブズマン）：
スウェーデンで生まれた制度で、第三者
機関が行政活動に関する国民の苦情を聴
取し、行政の監視・調査を行う。民間で
オンブズマンを名乗る団体もあるが、本
来は公職である。現在、EUやニュージー
ランドなどで採用されている。日本では
総務省の行政相談が国レベルのオンブズ
マン的機能を果たしている。

◆行政改革
　行政機能が肥大化した行政は財政的負
担が重くなるが、必要とされなくなった
行政需要に対しても、官僚組織はその維
持を図る。そのため、政治主導の下に、
行政の効率化・簡素化を図る行政改革が
必要とされるのである。当然、官僚の抵

制緩和の推進）、民営化などを行い、行
政組織を再編成していくことになる。

+アルファ　過去に行われた主な行政改革
としては、1961年から1964
年にかけて設けられた第一次臨時行政調
査会（佐藤臨調）、1981年から1983年
まで活動した第二次臨時行政調査会（土
光臨調）、1996年から1998年にかけて
設置された行政改革会議が挙げられる。
特に第二次臨時行政調査会は、国鉄・電
電公社・専売公社の民営化を答申し、中
曽根内閣によって実現された。

📝 出題パターン

我が国の政党政治の歴史に関する記述
として、最も妥当なのはどれか。
(1) 明治憲法下では本格的な政党政治が
行われる情勢になく、戦後の片山
内閣が我が国で実現した最初の政党
内閣である。
(2) 1955年の革新政党の合同によって
日本社会党が結成され、自由民主党
と議席数において伯仲し、本格的な
二大政党制が成立した。
(3) 55年体制と呼ばれる政権交代のない
自由民主党の一党優位体制が終わっ
たのは、非自民連立の細川内閣が成
立したときである。
(4) 自由民主党は、1990年代から公明党、
自由党、保守党等と連立政権を形成
したが、日本社会党と連立を組んだ
ことはない。
(5) 2009年の総選挙において「聖域な
き構造改革」を掲げる民主党が政権
を獲得したが、次の総選挙では再び
自由民主党に政権が移った。

答　(3)

※本書は原則として2024年8
月現在の情報に基づいて編
集されています。

27

2

警察官Ⅰ類・A合格テキスト

CONTENTS

CONTENTS

　警察官は地域の安全を守る地方公務員です。警察官になるためには、各自治体の警察官採用試験に合格しなければなりません。**受験資格、受験申し込みの手続きなどについては、各自治体や警察署の HP などでご確認ください。**

　共同試験が行われる自治体もありますので、**必ず確認しましょう。**

■警察官採用試験について

　試験は年に複数回実施される自治体が多くあります。学力のみならず、体力等の身体能力も求められます。

◉第 1 次試験

- 教養試験：五肢択一の問題を 50 問程度。120 〜 150 分程度。
- 論文試験：与えられたテーマに対して 800 〜 1200 字程度で論文を書きます。60 〜 120 分程度。
- 国語試験：自治体によっては漢字の読み書き試験が行われます。
  ※その他、第 1 次身体検査、第 1 次適性検査が行われる場合があります。

◉第 2 次試験

- 面接試験：受験者の人物をみるための面接が行われます。多くは個別面接です。
- 身体検査：身長・体重測定、視力、聴力、色覚、運動機能などの検査。
- 適性検査：各種の検査方法で警察官としての適性をみます。
- 体力検査：腕立て伏せ、バーピーテスト、上体起こし、反復横跳び、握力、肺活量などの検査。
  ※身長、体重、胸囲等の身体基準や、体力試験の一部項目を廃止した自治体もあります。

■試験日程と受験手続き

　第 1 次試験は、4 月から 7 月頃に 1 回目、9 月から 11 月頃に 2 回目が行われることが多いようです（警視庁の場合は 1 月に 3 回目があります）。

　受験申し込みは HP から申込書をダウンロードして行うことができる自治体も増えています。

　※受験資格、申し込み受付期間などについては、**必ずご自身でご確認ください。**

警察官 I 類・A 合格テキスト

1章

社会科学

社会科学：政治

レッスン 01 国家と民主政治の原理

①国家の三要素と社会契約説、権力の正当性、②民主政治の基本原理である法の支配、国民主権、三権分立制、③地方自治とその沿革について学習する。

◆国家の三要素

　政治とは、異なる社会集団や個人間の対立を権力によって調整し、秩序を形成することである。つまり、秩序にしたがって社会生活を運営する営みが政治であり、そのための組織が国家である。国家には、①主権、②領域（領土・領空・領海）、③国民の三要素がある。

　主権には、国内を統治する最高決定権や統治権という対内的な意味と、他国からの侵害や干渉を許さない（独立性）という対外的な意味がある。この主権が確立されている国家を主権国家という。

＋アルファ 近代国家の基本的構成要素としての主権という概念は、フランスの法学者ボーダンがその著書『国家論』（1576 年刊）において最初に用いたとされている。

◆社会契約説

　近代の政治思想において重要な社会契約説とは、個人が権利（自然権）を守るために契約を結んで社会を形成し、成員間の契約により国家を形成したとする国家観である。

　絶対王政による支配を正当化する王権神授説に代わり、商工業者層を中心とする市民階級によって支持され、市民革命の理論的根拠となった。

用 語 **自然権：**自然状態において（政府や法律などの社会の仕組みなしに）人間が生まれながらに持つ権利のこと。生命権、自由権、財産権などが含まれる。

◆権力の正当性

　権力が維持されるためには、人々がそ

◎社会契約説

思想家	ホッブズ 主著『リヴァイアサン』	ロック 主著『統治（市民政府）二論』	ルソー 主著『社会契約論』
思　想	自然状態にある人間の「万人の万人に対する闘争」を回避し、生命の保障を得るために、個人は統治者に対し、自己の自然権を全面的に放棄する。その結果、専制政治を認める	個人は相互に自然権の保護をするという契約を結んで、社会を形成する。その社会が統治者との間で自然権を信託し、自然権の保障を期待する。もし、統治者がその信託を怠れば、抵抗権（革命権）が認められる	個人は自然権を社会全体に譲渡する。そして、人民全体の共通利益を目指す一般意思が、立法者の立案した法に同意を与えることによって、権利は守られる

の支配を正当なものと承認し、許容する根拠が必要である。それを権力の正当性という。マックス・ヴェーバーは、権力の正当性の根拠には、3つの類型があると分析した。

◎権力の正当性の3類型

類　型	内　容
伝統的支配	支配者の権力が歴史的伝統を持ち、信頼感によって正当性が与えられる支配形態。例として、天皇制や君主制が挙げられる
カリスマ的支配	非凡な個人の資質に対する畏敬の念に基礎をおく支配形態。例として、アレクサンドロス大王やカエサルが挙げられる
合法的支配	法の規定する権限に基づき、法に従うことが被支配者の国家に対する服従の根拠となっている支配形態。官僚制的支配がその典型であり、ヴェーバーはこの合法的支配が、最も正当性を持つと評価した

 ワン・ポイント 権力による支配には、正当性が必要になる。

◆**民主政治の基本原理**

　民主政治の基本原理は、法の支配・国民主権・三権分立制で成り立っている。

◆**法の支配**

　民主政治の大原則は、「法の支配」という言葉で表現されている。この意味するところが、単に支配する側が支配される側を定められた法によって治めるというだけなら、特別な意味は与えられない。特別な意味が与えられるのは、国民の人権を守るために、権力者の意思の上に法が置かれるからである。

 ワン・ポイント　法の支配と法治主義

法の支配はイギリスを中心として発展した原理で、17世紀のイギリスの法学者クック（コーク）によって、13世紀の法学者ブラクトンの「国王といえども神と法の下に立つ」という著述が、王権との抗争の際に引用された。これに対し法治主義は、ドイツなどを中心に発展した原理であり、議会法によって統治が行われるとする原理である。法の内容が適正であるか否かを問わないため、「悪法も法なり」ということがいえる。

◆**国民主権**

　国民の権利が実現されるためには、法律の制定など国政を決定する力が、支配される側である国民の手になければならない。つまり、国民主権の原理が要請される。この原理を実現するために、わが国を含め大部分の国々が間接民主制（議会制民主主義・代議制）を採用している（民主主義の原理）。

ワン・ポイント　間接民主制と直接民主制

現代国家は代表による間接民主制を採用しているのが通常であるが、国民が直接的に政治に参加する直接民主制もリコールやレファレンダムなどで補完的に採用されている。

◆**三権分立制**

　日本国憲法をはじめ、多くの国々で民主政治の基本原理として、三権分立制を採用している。わが国でも国家権力を立法権・行政権・司法権に分けて、それぞれ国会・内閣・裁判所に担当させている。

　権力分立の狙いは、国家機関を分離・独立させることによって互いの抑制・均衡を図り、国民の基本的人権を権力の濫用から守ることにある（自由主義の原理）。

◆地方自治

都道府県や市町村などの地方公共団体が国からの干渉などを受けず、自主的に政治を運営することを地方自治という。

ブライスが指摘したように、「地方自治は民主主義の学校」である。

地方自治には、下記の2つの要素がある。

- 住民自治…住民が地域の問題を処理・運営する
- 団体自治…地域の問題を国とは別個の組織に自立性を持って処理・運営させる

戦前の明治憲法下においても、公選の地方議会はあったが、知事は中央政府から派遣された官選知事であり、地方自治と呼ぶのには不十分であった。そこで、日本国憲法では新たに地方自治の章（第8章：第92〜95条）を設け、地方自治を制度的に保障した。日本国憲法で規定している「地方自治の本旨」も、このような住民自治と団体自治を制度的に保障したものであると考えられている。

⦿住民の直接請求

地方自治は住民が地域の問題を処理・運営するものであるから、首長や議員を代表者として選出していても、住民による直接参加の道を認めることが、自治の精神に適う。そこで、地方自治法は住民の直接請求を、以下のとおり規定している。

◎地方自治法による住民の直接請求

請求内容	地方自治法の規定
条例の制定改廃請求（イニシアティブ）	有権者の50分の1以上の署名をもって首長に請求し、首長は20日以内に議会に付議し、その結果を代表者に通知公表する
事務の監査請求	有権者の50分の1以上の署名をもって監査委員に請求し、監査委員は監査後、その結果を公表する
議会の解散請求（リコール）	原則として有権者の3分の1以上の署名をもって選挙管理委員会に請求し、住民投票にかけて過半数の賛成が得られたときに解散が決定する
議員と首長の解職請求（リコール）	原則として有権者の3分の1以上の署名をもって選挙管理委員会に請求し、住民投票にかけて過半数の賛成が得られたときに解職が決定する

役員の解職請求 （リコール）	役員とは副知事、副市町村長、選挙管理委員、監査委員及び公安委員会の委員である。原則として有権者の3分の1以上の署名をもって首長に請求し、議会の議員の3分の2以上の者が出席し、その4分の3以上の賛成が得られたときに解職が決定する

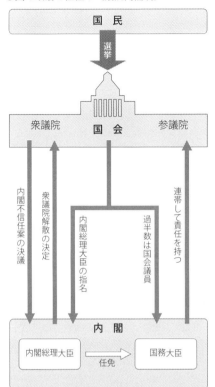

◎国の政治の仕組み（議院内閣制）

ワン・ポイント 住民投票条例

地方公共団体が定める住民投票に関する条例は、地域の重要な課題についての住民の意思を問い、投票結果を政策決定に反映させようとする制度である。しかし、議会や首長に対する法的拘束力を持たないことなどから、たんなる住民の意思表明にすぎないとする見方もある。

◉首長と議会の関係

　地方公共団体の機関には、執行機関としての首長と、議決機関としての議会がある。どちらも住民によって直接選挙される二元代表制を採用している。首長公選制と条例・予算についての長の拒否権は、大統領制に見られる特徴である。しかし、機関相互の関係は、議会には首長に対する不信任決議権があり、首長には議会の解散権があるというように抑制・均衡の関係にあって、両者が共働して自治体を運営できるようにしている。

◎地方政治の仕組み（二元代表制）

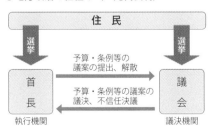

🔔 出題パターン

　主権に関する記述として、最も妥当なのはどれか。
(1) 主権は、ルソーによって初めて提唱された国家統治の理念である。
(2) 主権は、国民及び一定の領域とともに、国家の三要素を構成する。
(3) 主権は、その所在によって国家主権と人民主権とに分かれる。
(4) 主権は、国家意思を決定する権力であり、具体的には立法権のみをいう。
(5) 主権は、分割できず、その一部でも他に委ねれば国家は消滅する。

答（2）

01 国家と民主政治の原理

11

社会科学：政治

レッスン 02 人権保障の歴史と憲法の特質

近代以降、欧米諸国は市民革命の嵐にみまわれる。その中で、国民国家が成立して憲法が制定され、権力分立の統治機構と人権保障のシステムが確立されていくことを学習していく。

◆人権保障の歴史

人権保障の歴史は、国内における人権保障から人権の国際化へと進展してきた。

◎イギリスの歴史

年	出来事	内　容
1215 年	マグナ・カルタ	貴族が国王ジョンに逮捕拘禁権・課税権の制限などを承認させた
1628 年	権利請願	議会が国王チャールズ 1 世に人民の権利と自由を承認させた
1642 年	清教徒革命（〜 1649 年）	クロムウェルが指導した革命
1688 年	名誉革命	議会が専制政治を行う国王を追放
1689 年	権利の章典	王権に対する議会の優越が確立した

◎人権に関する主な革命・宣言、憲法

年	出来事	内　容
1775 年	アメリカ独立革命㊇（〜 1783 年）	イギリスの植民地支配に対する独立革命
1776 年	バージニア権利章典㊇	世界初の人権宣言とされる
1776 年	アメリカ独立宣言㊇	圧政に対する人民の革命権を宣言した文書
1787 年	アメリカ合衆国憲法㊇	国家レベルでは世界初の近代的成文憲法。人権条項は後に追加された
1789 年	フランス革命㊏（〜 1799 年）	国王ルイ 16 世の専制政治に対する革命
1789 年	フランス人権宣言㊏	国民主権・権力分立・人権保障の理念を掲げた代表的な宣言文書
1919 年	ワイマール憲法㊅	所有権を制限し、生存権を保障した世界初の憲法

◎国際連合における人権保障

（　　）内は日本の批准年

採択年	出来事	内　容
1948 年	世界人権宣言	人権に関する世界共通の基準を規定した宣言文書
1948 年（一）	ジェノサイド条約	ジェノサイド（集団殺害）を国際法上の犯罪とし、防止と処罰を定めた条約
1951 年（1981年）	難民条約	難民の取り扱いに関する最小限の人道的基準を定めた条約
1965 年（1995年）	人種差別撤廃条約	人種差別の撤廃を目指す条約
1966 年（1979年）	国際人権規約	世界人権宣言を法制化し、批准国に実施義務を負わせた

1979 年 (1985年)	女子差別撤廃条約	真の意味で男女平等の実現を目指す条約
1989 年 (一)	死刑廃止条約	締約国に死刑の廃止を義務付けた条約
1989 年 (1994年)	児童の権利条約	18 歳未満の子どもの権利を定めた条約
1990 年 (一)	移住労働者権利条約	季節労働者や移民を含む移住労働者とその家族の尊厳と権利を保障するための国際人権条約
2006 年 (2014年)	障害者権利条約	障害者の尊厳と権利を保障するための条約

 ＋アルファ　主要な国際人権条約の中で、日本は死刑廃止条約とジェノサイド条約を 2023 年末現在、未批准である。その理由として、前者は国内世論が死刑存置に傾いていること、後者はジェノサイド防止のためには、最終的に武力行使が必要になるが、日本は日本国憲法第 9 条で武力行使が禁止されているから、としている。

◆憲法の分類

重要ポイント　近代憲法の本質は、基本的人権の保障にあり、国家権力の行使を拘束・制限し、国民の権利・自由の保障を図ることを目的としている（立憲主義）。そのため、自由の基礎法・制限規範性・最高法規性の 3 つの特質が認められる。

憲法の分類については、以下のとおり。

(1) 形式的意味による分類

- 成文憲法…憲法典として制定された憲法。今日、世界の大多数の国々が憲法典を制定している。
- 不文憲法…憲法典として制定されていない憲法。イギリスでは、歴史的に承認されてきた多くの基本法や慣習・規

範などが憲法と考えられていて、いわゆる政治制度の根本を規定した成文の憲法典はない。

(2) 改正手続による分類

- 硬性憲法…憲法改正手続に普通の法律改正以上に厳格な手続を要求する憲法。
- 軟性憲法…憲法改正が普通の法律改正と同様の手続で行うことができる憲法。

(3) 制定主体による分類

- 欽定（君定）憲法…君主によって制定された憲法（プロイセン憲法や大日本帝国憲法など）。
- 民定（民約）憲法…国民によって制定された憲法（日本国憲法など世界の大多数の憲法）。
- 協定（協約）憲法…君主と国民との間の合意の形式をとって制定された憲法（1830 年のフランス憲章など）。

 ワン・ポイント　**イギリスと憲法**

イギリスには「イギリス憲法」という 1 つにまとめられた憲法はない（不文憲法）が、マグナ・カルタや権利章典などの歴史的なもの、重要な法律、判例、政治的慣習などがそれに代わる。慣習を変更する法律を制定したり、新たに重要な法律を制定したりすれば憲法が改正されたことになるため、改正しやすい「軟性憲法」である。

 出題パターン

2023 年末現在、我が国が批准又は加入していない人権条約として、最も妥当なのはどれか。
(1) 人種差別撤廃条約
(2) 国際人権規約
(3) 児童の権利条約
(4) 難民条約
(5) 移住労働者権利条約

答（5）

主要国の政治制度

主要国の政治制度は、権力（三権）分立制と社会主義諸国が採用する民主集中制に大きく分かれている。権力（三権）分立制の類型と民主集中制のそれぞれの特色について学習する。

◆権力分立制

権力の分立制には、大統領制、議院内閣制、民主集中制がある。大統領制は、アメリカ合衆国のような完全分離型と、フランスのような半大統領制に分類できる。

重要ポイント 権力（三権）分立制

- 主要国の大部分は、権力分立制を採用している。
- 大きく分けて大統領制と議院内閣制に分かれる。

◆大統領制（完全分離型）

アメリカ合衆国の大統領制は、立法府と行政府が完全に分離した大統領制をとる。

大統領の任期は1期4年であり、2期を超えて選出されることは認められていない（3選禁止）。大統領選挙は形式的には間接選挙であり、国民が大統領選挙人を選出し、その選挙人が大統領及び副大統領をペアで選出する選挙制度となっている。大統領は連邦議会を解散する権限を持たず、議会から不信任決議を受けることもない。

議会が大統領を罷免できるのは、大統領に非行があった場合の弾劾決議だけである。

議案の提出権は議員のみが持ち、大統領は教書を通じて立法の勧告を行うだけである。大統領は、議会が可決した法律案への署名を拒否して、議会に送り返せ

る法案拒否権を持っているが、大統領が拒否権を使っても、両院が出席議員の3分の2以上の多数で再議決すれば、法律は成立する。

同様の政治制度は、ブラジルやメキシコなどの中南米諸国、大韓民国、フィリピンなどが採用している。

ワン・ポイント 合衆国の議会

合衆国の連邦議会は、上院と下院の二院制であり、予算や法案の審議については、両院の権限は対等である。どちらも解散はない。

上 院		下 院
各州から2人選出	選出方法	各州から人口に比例して選出 選挙制度は小選挙区制をとる
6年	任期	2年
下院にはない権限としては、大統領に対する条約締結承認権、高官任命についての同意権、下院の弾劾の訴追を受けての弾劾裁判権がある	権限	上院にはない権限としては、予算の先議権と連邦官吏弾劾発議権がある

⊙半大統領制

フランスの大統領制は、議院内閣制が混在した形態であるが、大統領が強大な権力を持つ。大統領から任命された首相が内閣を構成し、元首である大統領に対して責任を負う。

大統領は議会（国民議会）を解散できる権限を有するが、議会は内閣に対して不信任決議権を持つにすぎない。同様の政治制度は、アフリカ諸国やロシア、東欧諸国などが採用している。

ワン・ポイント　フランスの議会

フランスの議会は、元老院（上院）と国民議会（下院）で構成され、国民議会（下院）の優越が確立されている。国民議会（下院）のみ解散がある。

◆議院内閣制

　内閣の成立と存続が、議会の信任に基づくものである。内閣が専ら議会にのみ責任を負い、国家元首（君主や大統領）には責任を負わないのが共通の特徴である。立法府と行政府の関係は密接であり、内閣が法案を提出できる。また、議会（下院）には内閣不信任決議権があり、内閣は議会（下院）の解散権がある。

　イギリスや日本をはじめ、世界の多くの国で採用されている。なお、ドイツ・イタリア・インドにおいても大統領は存在するが、日本の天皇に近い儀礼的な存在である。これらの国々も、実質的には議院内閣制をとる。

ワン・ポイント　イギリスの議会は、上院（貴族院）・下院（庶民院）の二院制をとるが、上院は貴族と聖職者の非民選議員で構成され、任期は終身である。イギリスの下院議員は全員、小選挙区から選出される。
　下院の優越が確立しており、予算などの重要法案は下院を通過すれば、国王の裁可を得て成立する。なお、日本のように総選挙後の首班指名選挙は行われず、総選挙で相対的多数を占めた政党の党首が、国王によって首相に任命されることが慣例になっている。

◆民主集中制

　社会主義を実現するために、プロレタリアート（労働者階級）独裁の考えに基づき、民主集中制をとっている。社会主義国の憲法には、共産党による国家や社会への指導が明記されている。

　冷戦中は、旧ソ連や東欧諸国、モンゴル等で採用されてきたが、現在はキューバ、ベトナム、ラオス等で採用されているにすぎない。

⊙中華人民共和国の民主集中制

　国家の最高権力機関は全国人民代表大会（全人代）で、議事機関であると同時に、中国における最高の国家権力機関である。地方人民代表大会の間接選挙により選出された代表と、在外中国人から選ばれた代表とで構成され、任期は5年。会期は2週間ほどで毎年1回開催される。政治活動報告、憲法改正、法律制定、国家元首である国家主席及び国務院総理（首相）の選出、予算や経済計画の審議等を職務とする。常設機関として、全国人民代表大会常務委員会が設けられ、全人代閉会中は、全人代の権限を代行する。

出題パターン

　アメリカ合衆国の大統領制に関する記述として、最も妥当なのはどれか。
(1) 大統領は、議会に対して法案及び予算案を提出する権限を有する。
(2) 議会が可決した法案に対し、大統領は拒否権を発動することができる。
(3) 行政府の主要人事は、大統領の専管事項に属し、議会はこれに関与できない。
(4) 条約を批准する権限は、国家元首としての大統領に属する。
(5) 大統領に仮に非行があっても、議会がこれを解任することはできない。

答（2）

レッスン 04 日本国憲法の構造 I

近代的憲法としての大日本帝国憲法と、日本国憲法の成立とその3大原則、基本的人権の保障について学習する。

※このレッスンで特に断りがない場合、条文番号は日本国憲法のものである。

◆大日本帝国憲法から日本国憲法へ

1889年に制定された大日本帝国憲法（以下、明治憲法）は、①自由民権運動による憲法の制定と国会の開設を求める国民の声に応える、②不平等条約の改正に向け近代的法治国家として国家の威信を高める、という2つの狙いがあった。

しかし、明治憲法は藩閥政府が近代的立憲国家の体裁を装いながら、専制的権力の保持を図ろうとしたことから、君主権の強いプロイセン憲法を模範としたものだった。その基本的性格は、①天皇が統治権を総攬する形式的な三権分立制であり、②人権が法律により制限される「法律の留保」を認めるものだった。

◆日本国憲法制定の背景

1945年8月、日本は連合国の、①軍国主義の排除、②民主主義の復活と強化、③基本的人権の尊重、④平和的・民主的政府の樹立などを求めたポツダム宣言を受諾し、降伏した。

その後、日本に進駐した連合国軍総司令部（GHQ）最高司令官マッカーサーが憲法の改正を示唆し、日本政府も改正作業に着手した。しかし、その内容は依然として明治憲法に近い性質のものだった（松本案）ため、連合国軍総司令部はこの案を拒否して新草案を日本側に提示した。これをもとに、明治憲法の改正手続を経て、日本国憲法が制定された。

したがって、その基本的性格はポツダム宣言を反映して、①国民主権、②基本的人権の尊重、③徹底的な平和主義の実現を目指すものであり、これが日本国憲法の3大原則である。この日本国憲法は1946年11月3日に公布され、1947年5月3日に施行された。

◎明治憲法と日本国憲法の相違点

明治憲法		日本国憲法
天皇	主権者	国民（天皇は日本国の象徴）
「法律の範囲内」で国民の権利・自由が保障されているにすぎなかった（法律の留保）	国民の権利保障	永久不可侵の基本的人権に対する「法律の留保」を認めない（法の支配の徹底）
納税の義務、兵役の義務。子どもに教育を受けさせる義務はない（勅令にあり）	国民の義務	納税の義務、子どもに普通教育を受けさせる義務、勤労の義務。兵役の義務は、平和主義の見地からなし

重要ポイント 大日本帝国憲法はプロイセン憲法を模範に、日本国憲法はGHQ案に基づき制定された。

◆日本国憲法の三大原則

憲法全体の精神である個人の尊重を根源的価値に置くことから、三大原則が生じる。

個人の尊重（第13条）
→
- 国民主権（前文・第1条）
- 基本的人権の尊重（第3章全体・第97条）
- 平和主義（前文・第9条）

⊙国民主権と天皇制

国民主権とは、国民が国政に関する最終的な決定権を持つことを意味する。天皇は、象徴としての地位であり、国事に関する行為を行うが、内閣の助言と承認を要し、政治的な責任を一切負わない（第1章全体）。

⊙基本的人権の保障と制約

基本的人権は、個人の尊厳の中核になるものであり、国の最高法規である憲法で保障している（第10章）。これは、社会生活を営むにあたって、各個人がその権利を無制限に行使できるという意味ではない。他者との衝突が生じることから、社会生活を送る上での制約がある。それが「公共の福祉」である（第12条）。この「公共の福祉」によって、法律による規制が可能になるのである。つまり、人権衝突の調整原理として働く。これには、人権自体に内在する制約と社会権を実現するためになされる制約がある。前者は必要最小限の規制として、後者は社会権を実現するために経済的自由権を必要な限度で規制できる。どちらの基準も、人権衝突の調整原理として働く。

用語　二重の基準： 人権規制の基準が異なるのは、精神的自由権が経済的自由権に優越するという考え方に立脚している。民主主義は表現の自由等の精神的自由権が保障されていなければ、十分に機能することはできないからである。これにより、裁判所が法令の違憲審査を行う際に、精神的自由権の規制と経済的自由権の規制とでは、違憲審査基準の厳格度が異なることになる。前者の場合には、違憲性が推定されて厳格な審査基準が適用されるべきであるのに対して、後者の場合には、合憲性が推定されて緩やかな審査基準が適用されることになる。

⊙基本的人権の享有（きょうゆう）主体

基本的人権は国家以前に存在するものであるから、仮に、この憲法の規定がなくても個人である以上誰でも享有している。しかし、天皇（皇族も含む）と外国人については、各々の制約から権利の性質に応じて制約を受ける。前者は象徴であり世襲であることから、一般国民とは差異がある扱いを受ける。後者については、国民主権を前提にした参政権や、その者の属する国が第一次的に負う社会権には限界があるとされている。

判例

マクリーン事件

外国人に対して、憲法が保障する人権がどこまで保障されるのか、という指導的な判例とされている。最高裁判所は、外国人の政治活動の自由はわが国の政治的意思決定またはその実施に影響を及ぼす活動等を除き保障されるとしたが、外国人の入国の自由を保障するものではないと判断した（最高裁大法廷判決1978年10月4日）。

⊙基本的人権の私人間（しじんかん）効力

人権は原則として、国家権力による侵害から守られるべきものである。では、私人の行う人権侵害はどうなるのであろうか。それが犯罪行為にあたれば、国家が処罰することになる。だが、他人の権利を侵害する行為が、すべて犯罪として処罰されるわけではない。

そこで、憲法の人権保障規定が、私人に対してどのような効力を持つかということが問題になる。本来憲法の規定は、国家と個人の間を規律するものである。

私人間の問題は、私人間の利害を調整する私法により解決されることを想定している。公権力がむやみに、私人間の紛争に介入するべきではないからである。

だが、憲法が私人間の人権侵害に対して、何ら影響力を持たないということも、憲法の最高法規性から考えて妥当ではない。そこで、憲法の人権保障の精神にそぐわない私人の人権侵害行為に対しては、公序良俗違反（民法第90条）等の私法の一般条項に取り込んで、解釈適用するべきものと考えられている（通説・判例・間接適用説）。

[判例]
三菱樹脂事件
　憲法における基本的人権に関する規定は、私人相互の間にも適用されるのか否か、という問題に関して示された指導的な判例とされている（最高裁判所大法廷判決1973年12月12日）。

◆**基本的人権の分類**
　基本的人権は、一般的に、自由権・平等権・社会権・参政権・請求権の5つに分類される。
（1）自由権
　国民が国家に対し、自由への干渉をやめるべきこと（不作為）を要求しうる権利。内心の自由や表現活動の自由等の精神的自由権、法定手続の保障等の身体的自由権、財産権の保障等の経済的自由権の3つに分類される。
①**精神的自由権**…思想及び良心の自由（第19条）、信教の自由（第20条）、表現の自由及び集会・結社の自由（第21条）、学問の自由（第23条）など。

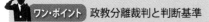 **ワン・ポイント　政教分離裁判と判断基準**
信教の自由は、国家と宗教を分離することで保障される（政教分離）。政教分離原則違反が問題になった裁判において、

最高裁判所は、当該事件が政教分離原則違反か否かの判断基準に、目的効果基準を用いている。この目的効果基準とは、問題となっている公権力の行為の目的とその効果が宗教的か否かというものである。最高裁判所は津地鎮祭（じちんさい）事件では合憲、愛媛玉串料（たまぐしりょう）訴訟事件では違憲と判断した。

②**身体的自由権**…奴隷的拘束や苦役（くえき）の禁止（第18条）、法定手続の保障（第31条）など。

ワン・ポイント　憲法第31条の保障の意味
ただ手続が法律によって定めてあればよいということではなく、手続の内容が人権を守るにあたって適正な内容であることを要求する。その趣旨は、刑罰を科す前提となる刑罰の内容自体にも及ぶと考えられている（罪刑法定主義）。

③**経済的自由権**…職業選択の自由、居住・移転の自由、海外移住及び国籍離脱の自由（第22条1項・2項）、個々の財産権を保障する私有財産制度の確立（第29条1項）など。

[判例]
営業の自由に関する判例
　営業の自由（職業選択の自由）に関する裁判で、最高裁判所は小売市場距離制限事件では、過当競争を防止することを理由に合憲と判断し、薬事法距離制限事件では、国民の安全を守る観点から違憲と判断した（最高裁大法廷判決1975年4月30日）。

（2）平等権
　個人の人格価値が等しいことから生じる権利。人格価値は個性そのものであるから、国家が保障する平等権の意味は、相対的な価値の平等であり、合理的差別を許容するものと考えられている。また、法の適用に関するものだけではなく、法の内容そのものにも及ぶと考えられている。

法の下での平等（第14条）、家庭生活における個人の尊厳と両性の本質的平等（第24条）、教育の機会均等（第26条1項）、選挙における平等原則（第44条）など。

> **判例**
>
> **憲法第14条と違憲判決**
> 　最高裁判所は刑法の尊属殺人重罰規定を皮切りに、公職選挙法の衆議院議員定数配分規定、国籍法の非嫡出子の国籍取得制限規定、民法の非嫡出子の法定相続分規定、女性の再婚禁止期間の規定、国民審査（p.23参照）に在外国民が参加できなかった国民審査法の規定について、違憲判断を下している。

（3）社会権

　国民が国家に対して人間に値する生活を要求しうる権利。生存権（第25条）、教育を受ける権利（第26条1項）、勤労の権利（第27条1項）、労働基本権（第28条）など。

> **判例**
>
> **生存権に関する裁判**
> 　最高裁判所は、生活保護費を争った朝日訴訟と障害福祉年金と児童扶養手当の併給禁止規定を争った堀木訴訟を通して、第25条の規定は直接個々の国民に対して具体的権利を賦与したものではないと判断している。

（4）参政権

　国民が政治に参加することを国家に対して要求しうる権利（第15条）。他に、最高裁判所裁判官の国民審査（第79条2項・3項）、地方特別法の制定における住民投票（第95条）、憲法改正手続における国民投票（第96条）など。

（5）請求権

　国民が国家に対して何らかの作為を要求し、他の基本的人権を守ることに資する権利。公務員の不法行為による損害を填補する国家賠償請求権（第17条）、

国家の適法行為による財産的損失を填補する損失補償請求権（第29条3項）、裁判を受ける権利（第32条）、無罪の裁判を受けたときの刑事補償請求権（第40条）など。

ワン・ポイント　新しい人権

　その他、憲法に明確に規定されていなくても、科学技術の発達とともに社会が変貌していくとき新たな権利を認めていく意義は大きいと考えられる。日々新たに生成していく人権を保障していく必要がある。現在、判例によって認められている人権としては、プライバシーの権利（第13条を根拠）があるが、その他にも、知る権利（第21条を根拠）や環境権（第13条と第25条を根拠）、自己決定権（第13条を根拠）等が挙げられている。

出題パターン

　法の下の平等に関する記述として、最も妥当なのはどれか。
(1) 国家機関が法を執行し適用するだけではなく、法そのものの内容も平等の原則に沿って定立されなければならないと考えられている。
(2) 最高裁は、会社の就業規則で一律に男性より女性に低い年齢で定年制を定めることは、性別のみによる不合理な差別とはいえないと判示した。
(3) 最高裁は、前科のある者が前科のない者よりも刑を加重されることは、平等権の原則に照らして、合理的差別とはいえないと判示した。
(4) 法の下の平等は憲法の基本理念の一つであることから、私人間相互の関係においても全面的に適用されると考えられている。
(5) 最高裁は社会保障給付を重複して受ける資格がある者について、社会全体の公平性を図るために給付調整をすることは違憲であると判示した。

> 答（1）

レッスン 05 日本国憲法の構造Ⅱ

統治機構について、憲法をもとに、①国会の地位と構成、権限、内閣と国会との関係を中心に、②内閣の地位と構成、権限、③司法権の独立と裁判制度についてそれぞれ学習する。

※このレッスンで特に断りがない場合、条文番号は日本国憲法のものである。

◆国会の地位と構成

「国会は、国権の最高機関であつて、国の唯一の立法機関である」(第41条)。国権とは国家の統治権という意味だが最高機関であるとは、国会が主権者である国民の意思を直接反映する機関であることに由来する。また、「唯一の立法機関」であるとは、国会以外の機関は法を制定できず(国会中心立法の原則)、議決に関与することもできない(国会単独立法の原則)ことをさす。

+アルファ
・**国会中心立法の例外**…議院の規則制定権に基づく議院規則(第58条2項)、最高裁判所の規則制定権に基づく裁判所規則(第77条)など。
・**国会単独立法の例外**…地方自治特別法制定についての住民投票(第95条)など。

◆国会

国会の種類には、下記「国会の種類」のように常会(通常国会)、臨時会(臨時国会)、特別会(特別国会)、参議院の緊急集会の4種類がある。

◎国会議員の構成

	衆議院	参議院
議員定数	465人 小選挙区289人、比例代表176人	248人 選挙区148人、比例代表100人
任期	4年	6年(3年ごとに半数を改選)
解散	有	無
選挙権	両議院とも満18歳以上の日本国民	
被選挙権	満25歳以上の日本国民	満30歳以上の日本国民

◎国会の種類

種類	召集	会期	主な議題
常会 (通常国会)	年に1回 1月中に召集されるのが常例	150日間 1回のみ延長有	予算案と関連法案の審議
臨時会 (臨時国会)	内閣またはどちらかの議院の総議員の4分の1以上の要求 衆議院議員の任期満了による総選挙、参議院の通常選挙から30日以内	両議院の議決の一致 2回まで延長有	補正予算など臨時の議案審議
特別会 (特別国会)	衆議院の解散後、総選挙から30日以内	両議院の議決の一致 2回まで延長有	内閣総理大臣の指名など
参議院の緊急集会	衆議院が解散中に緊急の必要が生じた場合内閣が求める	延長なし	国政上緊急の議題

◆**二院（両院）制**

　国会の議決は、原則として両議院で可決したときに成立する。二院制の意義は、一院の暴走を抑え、審議を慎重ならしめることにある。このように、国会内においても、権力の均衡・抑制が働くようになっている。

◆**衆議院の優越**

　国会の議決は両議院で可決したときに成立するという原則を貫くと、政治情勢によっては、国政の停滞と混乱を引き起こす場合がある。そこで、緊急かつ重要な事項について、憲法は衆議院の優越を認める。なぜ衆議院の優越を認めるのかというと、衆議院には解散があるため、より民意を反映していると考えられるからである。

◉**衆議院の優越が認められる事項**
• 法律案の再議決（第59条2項・4項）
• 予算の議決（第60条2項）
• 条約の承認（第61条）
• 内閣総理大臣の指名（第67条2項）

 ワン・ポイント　両院協議会

両議院の議決が一致しない場合、両院協議会が開催される。①予算、条約または内閣総理大臣の指名について一致しないときは必ず開催され、②法律案については衆議院が求めれば開かれる。両院協議会は各議院で選ばれた各10名の委員により構成され、協議案は出席議員の3分の2以上の多数決で成案となる。①の場合は、両院協議会を開いても意見が一致しないときは、衆議院の議決が国会の議決となる。②の場合は、衆議院で可決したものが参議院で否決された場合に、衆議院が出席議員の3分の2以上の多数で再可決すれば法律となる。

◉**衆議院のみに認められる事項**
• 予算の先議権（第60条1項）
• 内閣不信任決議権（第69条）

◉**国会議員の特権**

　代表民主制から議院内における議員活動の自由を保障するのが目的である。
• 不逮捕特権（第50条）
• 議員の発言・表決の免責（第51条）

◉**議院の自律権**

　議院における人事権、規則制定権、秩序維持の権限に関する自主性を定めたものである。
• 議院の規則制定権（第58条2項）
• 議員に対する懲罰権（第58条2項）

◉**議院の国政調査権（第62条）**

　国政調査権とは、各議院が国会に属する権能（立法・財政・行政の監督など）を有効・適切に行使するため、自ら必要とする資料を収集し、広く国政を調査する権能である。

◆**内閣の地位と構成**
• 「行政権は、内閣に属する」（第65条）
• 「内閣は、行政権の行使について、国会に対し連帯して責任を負ふ」（第66条3項）

　このように、内閣を国会の強い民主的なコントロールの下に置いた理由は、国民の意思（民意）が議会の多数派に反映されて、その主導の下に内閣が構成され、行政権が行使されるという代表民主制の実現にある（民主的責任行政）。

　また、内閣総理大臣が国務大臣を任命して、合議体である内閣を構成する。

◆**内閣の権限**

　内閣は、一般行政事務のほか、次の仕事を行うこととされている（第73条）。
• 法律の誠実な執行と国務の総理
• 外交関係の処理
• 条約の締結
• 官吏に関する事務の掌理
• 予算の作成と国会への提出
• 政令の制定
• 恩赦、刑の執行の免除、復権の決定

また、天皇の国事行為に対する助言と承認、最高裁判所長官の指名、臨時国会の召集の決定なども行う。

◆内閣の意思決定と一体性の確保

内閣の意思決定は、原則として非公開の閣議で行われ、全員一致でなされる。これは、内閣の一体性と表裏の関係にある。内閣は行政権の行使につき、国会に対し連帯責任を負うため、内閣の一体性が確保される必要がある。そこで、憲法は内閣総理大臣を内閣の首長と定め（第66条1項）、一体性確保のために国務大臣の任免権（第68条）と訴追同意権（第75条）を付与したのである。

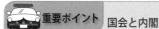

重要ポイント　国会と内閣

- 国会は国民の代表機関であり、国の立法機関である。
- 内閣は行政権の最高機関である。

◆司法権の役割

司法には、法を適用して事件や紛争の解決を図る役割がある。司法権は最高裁判所と、法律で定められている下級裁判所（高等裁判所・地方裁判所・家庭裁判所・簡易裁判所）で構成されている（第76条1項）。

ワン・ポイント　統治行為論

国家統治の基本にかかわる高度に政治的な行為、いわゆる統治行為は民主主義の根幹にかかわる行為であるから、裁判所による判断が可能であっても、裁判所の審査権は及ばない（統治行為論）。最高裁判所は、衆議院の解散に関する苫米地事件、日米安全保障条約に関する砂川事件で統治行為論を採用した。

◆司法権の独立と裁判官の身分保障

裁判官は他の国家機関や裁判所内部

の職制による干渉を受けない（第76条3項）。それを実質的に担保するのが裁判官の身分保障である（第78条・第79条6項）。裁判所の自律権として、規則制定権が認められる（第77条1項・3項）。

◆違憲法令審査権

法律は立法府において多数決によって制定される。しかし多数であることは、必ずしも法が正義であることを保障するものではなく、少数者の人権が侵害される危険が常につきまとう。そこで、法の支配を貫徹させるために司法権に認められたのが違憲法令（立法）審査権（第81条）である。

ワン・ポイント　違憲審査制の類型

裁判所における違憲審査制としては、大きく分けて、抽象的違憲審査制と付随的違憲審査制がある。

- 抽象的違憲審査制…通常の司法裁判所とは異なる違憲審査を専門に行う憲法裁判所が、具体的事件とは関係がなく、法令そのものを審査する。ドイツやイタリアに見られる制度。
- 付随的違憲審査制…具体的な事件について司法裁判所が付随的に審査する。アメリカや日本に見られる制度。なお、アメリカにおける違憲審査権は、判例により確立されたものである。

＋アルファ　司法権の独立に関する事件として、裁判に対する政府の干渉に大審院長・児島惟謙が、司法権の独立を守ったとされる大津事件が名高い。戦後は、国政調査権を行使して殺人事件に関する量刑が軽いと結論付けた参議院法務委員会の報告書に対して、最高裁判所が抗議を申し入れた浦和事件がある。裁判所内部で問題となったものとして、長沼ナイキ訴訟に関して札幌地裁所長が事件担当の裁判官に私信を送り、一定の方向を示唆した平賀書簡問題がある。

◆裁判官の弾劾と国民審査

裁判官としてその職務の公正さが疑われる場合には、国会が弾劾裁判所を設置して裁判官を罷免できる（第64条）。また、最高裁判所の裁判官については、国民審査によって適性を欠く者を罷免できる（第79条2項・3項）が、現在までに罷免された裁判官はいない。

◆裁判制度と裁判の種類

裁判には、刑事裁判と民事裁判の2種類がある。場合によっては、同じ事件を2つの裁判で審議することもある。また、公正な裁判を受ける権利を保障するために、3回まで裁判を行うことを認める三審制と、確定した裁判においても再度の裁判を求めることができる再審の制度がある。

用語 **三審制：**最初に行われる裁判を第一審と呼び、第一審の判決に不服がある場合に、上級の裁判所に裁判を求めることを控訴という。第二審の判決にも不服がある場合、さらに第三審を求めることを上告と呼ぶ。簡易裁判所が第一審の場合には、民事事件と刑事事件では控訴する裁判所が異なる。民事事件では地方裁判所であるが、刑事事件では高等裁判所が第二審になる。

⦿刑事裁判

犯罪が発生したときに、公益を代表する検察官が被疑者を裁判所に起訴し、その処罰を求める裁判。起訴されると、被疑者から裁判の当事者である被告人になる。

⦿民事裁判

私人間での財産上・身分上の生活関係に関する紛争を法的に解決する裁判。民事裁判は、裁判所に自分の権利を主張して訴えた者を原告と呼び、その相手方を被告と呼ぶ。

行政機関と私人間の紛争である行政裁判も、この民事裁判の一つとしてとらえられている。ただし、適用される法律は民事訴訟法ではなく、行政事件訴訟法である。

用語 **検察審査会制度と裁判員制度：**どちらも国民の良識や常識を刑事司法に反映させることが狙いの制度である。

- **検察審査会制度**…選挙権を有する、18歳以上の国民の中からくじで選ばれた11人の検察審査員が、検察官の不起訴処分の当否を審査する制度。
- **裁判員制度**…18歳以上の衆議院議員選挙人名簿の中から無作為に選ばれた裁判員が、死刑または無期懲役・禁錮にあたる重大な犯罪の刑事裁判に参加し、第一審の地方裁判所で審理する。裁判官とともに無罪・有罪を決め、有罪の場合には量刑まで行う。原則として事件ごとに6名の裁判員が選任され、3名の裁判官とともに公判を担当する。
* 2025年6月より、懲役と禁錮を一本化して、「拘禁刑」が創設される。

🎵出題パターン

議案について両議院の議決が一致しないとき、両院協議会を開かなければならない場合の組合せとして、最も妥当なのはどれか。
A　条約の承認
B　内閣総理大臣の指名
C　予算の議決
D　国会の会期延長
E　法律案の議決
(1)　A、B、C
(2)　A、C、D
(3)　B、E
(4)　B、D、E
(5)　C、D

答（1）

レッスン06 日本の政治

日本の政治について、①二大政党制・多党制・一党制のそれぞれの特徴、②戦後の55年体制とその後の経緯、③現行の選挙制度と制度改正の流れ、④現代行政の課題である行政国家化に伴う弊害とその克服について学習する。

◆政党政治とその特徴

政党は、国民の意見を集約し、政策として国政に反映する役割を担う。政党が中心となって政治が行われていくことを、政党政治という。

	二大政党制 （アメリカ、イギリスなど）	多党（小党分立）制 （西欧諸国）	一党制 （中国、ベトナムなど）
長所	世論の変化による政権交代が容易	国民各層の意見を反映	政権の安定・長期化
短所	国民の政策選択の余地が限定的	政治責任の所在が不明確で、少数党の離反による政治的不安定	人権や世論無視の政治

◆戦後の日本政治史

戦後の日本政治は、55年体制の確立期を経て、その後、55年体制の崩壊とそれに伴う政界再編と政権交代が行われてきた。

⦿ 55年体制の確立

戦後間もない時期は、政党政治が息を吹き返して間もない時期でもあり、保守勢力・革新勢力とも、離合集散を繰り返す状態が続いていたが、1955年、分裂していた社会党が統一されて日本社会党（以下社会党）が誕生すると、それとほぼ同時期に、保守合同によって自由民主党（以下自民党）が成立した。戦後の日本の政党政治は、「資本主義と社会主義」、「憲法改正と護憲」というように、価値観を異にする自民党と社会党とを基本的な対抗軸として展開されてきた。これは世界の冷戦構造を反映したものとなっていた。この保守・革新の自社二大政党制を、戦後の大きな枠組みとして55年体

制と呼んでいる。しかし実態は、自民党が高度経済成長期の60年代から70年代にかけて衆参両院の議席数で安定多数を占め、長く一党優位体制が続いた。

⦿ 55年体制の終焉から連立政権へ

1989年の参議院選挙は、リクルート事件や消費税導入など、国民の批判が高まった結果、自民党が大敗し、非改選議席と合わせても過半数に及ばなかった。55年体制の成立以来、与野党の議席数が初めて逆転した。

さらに、1993年の衆議院総選挙は、政治改革関連法案をめぐり、与党内から離脱者が相次ぎ、空前の新党ブームの中で行われた。自民党の議席数が、衆議院においても過半数に達しない事態に陥り、55年体制の一方の当事者であった社会党も、同様に議席数を大きく減らし、55年体制は名実ともに終焉した。この結果、新党と社会党の連立で非自民の細川護熙政権が誕生し、総辞職後も羽田内

閣の非自民政権が続いた。

⦿**連立政権下での政界再編の流れ**

1995年、社会党と新党さきがけが非自民政権を離脱、自民党との連立政権（村山内閣と橋本内閣）を組織した。こうした動きに対し、新生党をはじめとする野党は結集し、新進党を発足した。1996年の衆議院総選挙では、民主党が自民党、新進党に次ぐ第3の勢力に躍り出た。

その後、新進党が党内対立により分裂（1997年）するなど、離合集散が繰り返されてきたが、そのような状況下でも、自民党は自由党や公明党などと連立を組んで政権を維持し続けた。また、民主党も政権を狙える勢力まで成長したため、二大政党制への大きな流れが見えかけていた。

しかし、2001年に国民の支持が高い小泉純一郎が首相の座に就くと、「聖域なき構造改革」を掲げた自民党に再び流れが戻った。さらに、2005年、郵政民営化法案をめぐる自民党内の対立から衆議院が解散されると、自民党が圧勝し、衆議院で単独過半数を占めるまで議席を回復するに至った。

⦿**小泉内閣後の政界の流れ**

小泉内閣後、第1次安倍晋三（しんぞう）内閣の下で行われた2007年の参議院選挙で、連立を組んでいた自民・公明の両党の議席が参議院で過半数を割り込む衆参ねじれ国会が生じ、政権運営に支障をきたした。

その後、2009年の衆議院総選挙で自民党と公明党が多数の議席を失って、民主党を中心とする連立政権が誕生した。

この民主党を中心とした政権下、沖縄基地問題と政治資金をめぐる問題から鳩山内閣が総辞職すると、次の菅（かん）内閣の下で行われた2010年の参議院選挙で、再び与党（民主党）が過半数を割り込むねじれ国会が生じた。政権運営は困難をき

わめ、東日本大震災（2011年）での不手際も重なり菅（かん）内閣は総辞職、その後発足した野田内閣も、支持率が低下する中での政権運営の困難さから2012年に衆議院を解散したが、民主党は大敗した。その後、長期政権となる自民党政権の第2次安倍内閣が発足し、7年8か月続くが、2020年に菅（すが）内閣へ引き継がれ、2021年発足の岸田内閣に至っている。

◆**選挙制度**

選挙の原則（普通選挙・平等選挙・直接選挙・秘密選挙）が確立されていても、特定の政党や候補者に有利なように選挙が設定されていたのでは、国民世論を正確に議会に反映することはできない。国民世論が正確に議会に反映されなければ、代議制は機能しない。そのため、代表者選出方法（選挙制度）について、様々な工夫がなされてきた。

主要国の選挙制度を見ていくと、一選挙区1人を選出する小選挙区制または得票数に応じて政党に議席を配分する比例代表制との組み合わせが大勢を占める。前者は組織力のある大政党に有利な選挙制度であり、後者は多様な国民の声を反映する少数党にも配慮した選挙制度である。

◎**選挙制度**

小選挙区制	1つの選挙区から1人の議員を選出する
大選挙区制	1つの選挙区から2人以上の議員を選出する
比例代表制	政党の得票数に比例して議席を配分する

＋アルファ　2016年7月3日の福岡県うきは市長選から、選挙権年齢が満18歳以上に引き下げられた。同年7月10日に行われた参議院選挙の総務省発表による投票率は、18歳は51.17%、19歳は39.66%だった。

◎日本の選挙制度と特徴

衆議院 小選挙区比例代表並立制	参議院 選挙区制と比例代表制
小選挙区と比例代表の重複立候補が認められ、小選挙区で落選しても、比例代表での復活当選の可能性がある。比例代表は全国を11のブロックに分けた拘束名簿式であり、名簿の登載順位で当落が決まる	比例代表は名簿の登載順位にしばられない非拘束名簿式*であり、全国を一区とする。選挙区と比例代表の重複立候補は認められない

* 2019年の参議院選挙より「特定枠」が採用され、一部拘束名簿式が採用可能となった

ワン・ポイント 中選挙区から小選挙区比例代表並立制へ

中選挙区制とは、一選挙区の議員定数を3～5人程度とする選挙区制で、大選挙区制の一種だが、日本特有の呼称である。衆議院議員選挙に採用されてきたが、1994年の公職選挙法改正により廃止され、1996年の総選挙から小選挙区比例代表並立制になった。

判例

議員定数不均衡訴訟では、最高裁判所は衆議院選挙で違憲判決を下しているが、国政の混乱を考慮して選挙自体は無効としていない。

また、参議院選挙においても違憲状態にあることが指摘され、下級審段階では選挙自体を無効とする判決も出ていた。しかし、最高裁判所は、2017年9月、憲法違反とまではいえないという合憲判決を下し、選挙無効請求を棄却している。2020年11月にも同様に合憲判決が下っている。その後、2023年10月にも最高裁大法廷は、合憲とする判断を示した。

ワン・ポイント 衆参両院の選挙制度改革

衆議院では、2013年の公職選挙法の改正で、5つの選挙区で定数3を2に削減して議員定数を5削減し、減少分の議席は増やさないことにより格差の縮小を図った（0増5減）。1票の格差を2倍未満に抑えるため、2016年、国勢調査をもとに小選挙区を6、比例代表を4減らす改正公職選挙法が施行された。

参議院では、2016年より、隣接選挙区の合区（鳥取と島根、徳島と高知）で選挙区定数が「10増10減」され、都道府県を単位とする従来の選挙区選挙制度は崩れた。また、2018年の法改正により、参議院の定数が6増となり、比例代表には拘束名簿式の「特定枠」が新設された。

◆**行政国家化と民主的統制**

福祉国家の出現は、社会的弱者を守るために、行政機能を拡大させてきた。機能の拡大は、行政全般にわたり高度な専門化をもたらし、高度な専門知識を持った高級官僚の手に委ねられることになる。それが政府提出法案の増加と立法府が行政府に具体的な立法を委ねる委任立法の増加をもたらした。さらに、許認可における行政裁量と法律の根拠に基づかない行政指導によって、規制の網が国民生活の隅々までかかっていくようになる。現代国家の持つこのような特徴は、行政国家の名で呼ばれている。

そうなると、立法府の機能は形骸化（けいがい）し、国民の目が届かない官僚政治の横行をもたらし、民主政治そのものが機能不全に陥るおそれがある。そこで、行政の意思決定に至る過程を透明化し、国民の監視が行き届く手段を講じていくことが、日本をはじめ先進諸国共通の課題である。

重要ポイント 行政国家の課題

福祉国家の出現とともに誕生した行政国家が、肥大化のもたらす弊害にどう取り組んでいくかが課題となっている。

◎行政国家化と民主的統制

> 福祉国家理念に基づく運営の要請
>
> ↓
>
> 行政機能の拡大
>
> ↓
>
> 政府提出法案と委任立法の増加
> （行政国家化）
>
> ↓
>
> 行政裁量と行政指導による行政権限
> の肥大化と官僚政治の弊害
> （国民の監視が及ばない）
>
> ↓
>
> 国政調査権の活用、
> パブリックコメント制度（意見公募手続）、
> 行政監察官（オンブズマン）制度、
> 情報公開制度の導入

用語　パブリックコメント制度：国の行政機関が規制の設定や改廃をするにあたり、広く国民から意見や情報提供を募集することを義務付け、それを参考に政策などを最終決定しなければならないとする制度である。

用語　行政監察官（オンブズマン）：スウェーデンで生まれた制度で、第三者機関が行政活動に関する国民の苦情を聴取し、行政の監視・調査を行う。民間でオンブズマンを名乗る団体もあるが、本来は公職である。現在、EU やニュージーランドなどで採用されている。日本では総務省の行政相談が国レベルのオンブズマン的機能を果たしている。

◆行政改革

　行政機能が肥大化した行政は財政的負担が重くなるが、必要とされなくなった行政需要に対しても、官僚組織はその維持を図る。そのため、政治主導の下に、行政の効率化・簡素化を図る行政改革が必要とされるのである。当然、官僚の抵抗は激しくなり、困難を極めるが、行政改革は、同時に財政改革である。肥大化した負担を国民に回すこと（増税）は、国民が納得しない。具体的には、行政裁量の大部分を占める許認可を整理し（規制緩和の推進）、民営化などを行い、行政組織を再編成していくことになる。

＋アルファ　過去に行われた主な行政改革としては、1961 年から 1964 年にかけて設けられた第一次臨時行政調査会（佐藤臨調）、1981 年から 1983 年まで活動した第二次臨時行政調査会（土光臨調）、1996 年から 1998 年にかけて設置された行政改革会議が挙げられる。特に第二次臨時行政調査会は、国鉄・電電公社・専売公社の民営化を答申し、中曽根内閣によって実現された。

🔔出題パターン

　我が国の政党政治の歴史に関する記述として、最も妥当なのはどれか。
(1) 明治憲法下では本格的な政党政治が行われる情勢にはなく、戦後の片山内閣が我が国で実現した最初の政党内閣である。
(2) 1955 年の革新政党の合同によって日本社会党が結成され、自由民主党と議席数において伯仲し、本格的な二大政党制が成立した。
(3) 55 年体制と呼ばれる政権交代のない自由民主党の一党優位体制が終わったのは、非自民連立の細川内閣が成立したときである。
(4) 自由民主党は、1990 年代から公明党、自由党、保守党等と連立政権を形成したが、日本社会党と連立を組んだことはない。
(5) 2009 年の総選挙において「聖域なき構造改革」を掲げる民主党が政権を獲得したが、次の総選挙では再び自由民主党に政権が移った。

答（3）

社会科学：政治

レッスン 07 国際法と国際平和機構

国際社会が成立した背景と、国際社会の秩序形成のために成立した国際法、集団安全保障体制の構築を目的とした、国際連盟と国際連合について学習する。

◆国際社会と国際法

国際社会は、1648年に三十年戦争を終結するために締結されたウェストファリア条約を契機に成立したが、国家間の紛争を防止し、解決する決定的な手段がなかった。そこで、オランダの法学者グロティウスは国際法を提唱し、国際法の体系化に努めた。

用語 国際法の父：グロティウスは「国際法の父」と称されている。主著『戦争と平和の法』
- **条約** 国家間で合意し、明文化したもの。この種のものには、条約のほか、協定・協約・議定書などがある。
- **国際慣習法** 明文化されていないが、国際社会で承認済み（内政不干渉など）のもの。

◆国際平和機構の成立

帝国主義の時代においては、平和と安全を維持するために、国力・軍事力を均衡させることが有効な手段であると考えられていた（勢力均衡政策）が、この方式は無用な軍備拡張政策を呼び起こし、第一次世界大戦を引き起こす原因となった。そこで、関係国が相互に不可侵を約束し、侵略行為に対し集団で対処することによって、平和と安全を維持しようということになったのである（集団安全保障方式）。

その最初の試みとしての本格的な国際平和機構が国際連盟である。

◎国際連盟から国際連合への歩み（年表）

年	出来事
1914年	第一次世界大戦開戦（～1918年）
1918年	米大統領ウィルソンの14か条の平和原則
1919年	パリ講和会議、ヴェルサイユ条約
1920年	国際連盟の成立
1929年	世界恐慌、ファシズムの台頭
1939年	第二次世界大戦開戦（～1945年）
1941年	大西洋憲章（米英の首脳が会談）
1945年	ヤルタ会談 サンフランシスコ会議（国際連合憲章採択） 国際連合の成立

◆国際連合の目的

第二次世界大戦後、国際連盟に代わる形で設立された国際平和機構が国際連合である。

その目的は、集団的安全保障方式による国際協調と人権の保障である。国際連盟が第二次世界大戦を防止できなかった反省に立って、組織と運営に関し、変化が見られる。

重要ポイント 国際平和機構の設立は、国際連盟によって実現し、その後、国際連合へと引き継がれていった。

◎国際連盟と国際連合の比較

国際連盟		国際連合
1920 年	成立	1945 年
ジュネーヴ	本部	ニューヨーク
全会一致制	議決	多数決制 五大国（米・英・仏・露・中）に拒否権
無（経済的制裁のみ）	軍事的制裁手段	有（ただし、憲章の予定している国連軍は創設されていない）

◆国際連合の組織

　国際連合（以下国連）の組織は、国連憲章により組織化されており、6 つの主要機関と委員会、専門機関を持つ。

◉安全保障理事会（安保理<ruby>安保理<rt>あんぽり</rt></ruby>）

構成	常任理事国（米・英・仏・露・中の五大国）と非常任理事国（任期 2 年の 10 か国）の計 15 か国
表決方法	手続事項は 15 理事国のうちの 9 か国で決定する。実質事項は 5 常任理事国を含めた 9 理事国で決定する。常任理事国のうち 1 か国でも反対すれば、その議案は否決される（拒否権・大国一致の原則）

用　語　**手続事項と実質事項：**当該議題に関して安保理が議論するべきかどうかとして扱われるのが手続事項、それ以外が実質事項とされている。常任理事国は手続事項とは異なり、実質事項には拒否権を行使できる。

◉総会

- 構成…全加盟国（一国一票の原則）
- 表決方法…一般事項は出席投票国の過半数、重要事項は 3 分の 2 以上で決定する。

用　語　**一般事項と重要事項：**安保理の手続事項に当たるのが一般事項。これに対し、新規加盟国承認、加盟国の権利停止の勧告などが重要事項。

◉国際司法裁判所

　国際紛争の平和的解決のために、オランダのハーグに設置されている。裁判の当事者は当事国のみ。

- 構成…異なった国籍の 15 名の裁判官
- 判決…裁判官 15 名のうち 9 名以上が出席し、その過半数で決定する。

◉経済社会理事会

- 構成…54 か国で構成され、任期は 3 年、毎年 3 分の 1 ずつ改選される。
- 表決…出席理事国の過半数で決定する。

◉事務局

　事務総長が事務局の最高責任者である。事務総長は安保理の推薦を受けて、総会によって任命される。

◉信託統治理事会（1994 年以降作業停止中）

- 構成…1975 年以降は常任理事国

出題パターン

　国際法に関する記述として、最も妥当なのはどれか。
(1) 国際法には、国際慣習法と不文国際法の 2 種類がある。
(2) 国際慣習法の例としては、条約や宣言、議定書などがある。
(3) バークは、オランダの法学者であり国際法の父と呼ばれている。
(4) 国際法に基づくと、国家の主権は領土にのみ及ぶため、海洋に国家の主権は及ばない。
(5) 条約や協定などの国際法は、これに参加しない国に対しては拘束力を持たない。

答（5）

国際政治と日本の安全保障政策

レッスン08

第二次世界大戦後の国際政治と、戦後日本の安全保障政策について学習する。

◆第二次世界大戦後の国際政治

1945年2月、米英ソの3国で結ばれた秘密協定（ヤルタ協定）によって、大戦後の世界秩序作りが行われた。その後の展開は、「資本主義」対「社会主義」という「二つの世界」の対立構造となっていく。両陣営とも同盟国を引き込んで、北大西洋条約機構（NATO）対ワルシャワ条約機構（WTO）という軍事ブロックが形成される。ヨーロッパをはさんだ二大陣営の対立、いわゆる東西冷戦構造が国際政治の潮流となっていった。

その後、中ソ対立や60年代のフランスのNATOの軍事機構からの脱退（現在は復帰）、米ソどちらの陣営にも属さない第三世界の台頭などもあったが、基本的に冷戦構造が維持されてきた。

◆冷戦終結後の国際社会

1989年のマルタ会談（ブッシュとゴルバチョフ）により、ヤルタ体制（冷戦構造）を終結させた。その後、1991年にはソ連が崩壊して、冷戦構造の下で覆い隠されてきた民族間の対立による地域紛争が一気に噴出し、世界は新たな秩序作りへと動き出した。

重要ポイント 東西冷戦は、米英ソによるヤルタ協定により始まり、米ソ大統領によるマルタ会談で終結した。冷戦後の世界は新たな秩序を模索している。

◎第二次世界大戦後の国際政治

年	出来事
1945年	ヤルタ会議、第二次世界大戦終結
1948年	ベルリン封鎖
1949年	北大西洋条約機構（NATO）結成
1950年	朝鮮戦争が始まる（〜1953年）
1955年	ワルシャワ条約機構（WTO）結成 バンドン会議にて平和十原則採択
1961年	ベルリンの壁構築 第1回 非同盟諸国首脳会議開催
1962年	キューバ危機
1979年	ソ連、アフガニスタン侵攻（〜1989年）
1989年	東欧革命が始まる（〜1990年） ベルリンの壁崩壊、マルタ会談
1990年	イラクのクウェート侵攻 東西ドイツ統一
1991年	湾岸戦争、イラク軍対多国籍軍 ワルシャワ条約機構解体、ソ連崩壊
1992年	ボスニア紛争（〜1995年）
1993年	オスロ合意
1998年	コソボ紛争（〜1999年）
2001年	9・11アメリカ同時多発テロ アフガニスタン戦争（〜2021年）
2003年	イラク戦争（〜2011年）
2022年	ロシアのウクライナ侵攻
2023年	イスラム組織ハマスによるイスラエル攻撃、ガザ戦闘

◆戦後日本の安全保障政策

⊙平和主義

　第二次世界大戦の反省から、日本は日本国憲法において徹底した平和主義を定めた。第9条では、戦争の放棄、戦力の不保持、交戦権の否認を定め、国家による戦争の発動に対して徹底した歯止めをかけた。

⊙憲法第9条と自衛隊

　しかし、憲法の平和主義の解釈は、アメリカの対日政策の転換と現実の国際社会への対応から、連合国軍総司令部（GHQ）の指令で1950年に設けられた警察予備隊が1952年に保安隊、1954年には自衛隊へと発展していく過程の中で、変化していかざるをえなかった。

　さらに、冷戦終結後は、頻発する地域紛争に対する日本の国際貢献の姿勢が世界から問われることになった。日本の国連平和維持活動（PKO）への参加も、以上の観点からなされたものである。

◎自衛隊の発足とその後の歩み

年	出来事
1950年	朝鮮戦争勃発、警察予備隊が発足
1951年	サンフランシスコ平和条約と日米安全保障条約の締結
1952年	保安隊に改組・増強
1954年	自衛隊の発足
1960年	日米安全保障条約の改定
1991年	湾岸戦争→自衛隊ペルシア湾派遣（初の海外派遣）
1992年	国連平和維持活動（PKO）協力法に基づく自衛隊の海外派遣
2001年	旧テロ特措法による活動（〜2007年）
2003年	イラク特措法による活動（〜2009年）
2015年	安全保障関連法成立

 **重要ポイント**　GHQの対日占領政策が、朝鮮戦争を契機に転換し、自衛隊の創設につながった。

◆防衛政策

　わが国を取り巻く安全環境の変化にそぐわないとして、武器の輸出を原則として禁じた「武器輸出三原則」に代わり、防衛装備（武器及び武器技術）の移転について定めた「防衛装備移転三原則」が2014年に閣議決定された。また、集団的自衛権についても、限定的に行使が容認された。

出題パターン

　日米安全保障条約と自衛隊に関する記述として、最も妥当なのはどれか。
(1) 日本は1951年に連合国とサンフランシスコ平和条約を結び、翌年、アメリカ合衆国と日米安全保障条約（旧条約）を締結した。
(2) 日米安全保障条約（旧条約）の締結によって米軍は駐留を継続し、米軍の日本防衛義務が明記され、日本は米軍に基地を提供することが決められた。
(3) 1950年に連合国軍最高司令官総司令部（GHQ）の指令によってつくられた保安隊は、1954年の自衛隊法の制定により自衛隊となった。
(4) 日米安全保障条約（旧条約）は1960年に改定され、アメリカ合衆国は日本の領域内で日本との共同防衛義務を負うことになった。
(5) 日米安全保障条約（新条約）の締結により、アメリカ合衆国は、日本と世界の平和と安全を維持するために日本国内の基地を使用して軍事行動ができるようになった。

答（4）

重要度 ★★☆

レッスン
01
経済思想と市場機構

経済思想が時代ごとの歴史的事象から生み出され、理論が構築されてきたことと、市場とそのメカニズムや限界について学習する。

◆近代経済学以前の経済思想

◉重商主義

国家の富の源泉を貨幣の量であると考え、貨幣の獲得を経済政策の主眼とする絶対王政の下での経済理論・経済政策を重商主義という。代表的学者に、トーマス・マン（主著『外国貿易によるイングランドの財宝』）がいる。

◉重農主義

国家の富の源泉を土地から生まれる農業生産と考え、重商主義によって荒廃した農村の再建を図る経済理論・経済政策を重農主義という。代表的学者にケネー（主著『経済表』）がいる。

◉古典派経済学（イギリス古典学派）

産業革命期、アダム・スミス（主著『国富論（諸国民の富の性質と原因に関する研究）』）は、富の源泉を人間の労働と考え（労働価値説）、商品の価値をその生産に費やされた労働量に置き換え、そこから市場におけるプライス・メカニズム（価格機構）を想定した。個人の経済活動を自然のまま、自由に放任しておくこと（自由放任主義：レッセ・フェール）が、富を拡大すると説いた。市場における競争が経済秩序を破壊するおそれがあるという批判に対しては、「市場の自動調節機能」という「見えざる手」によって、価格はおのずと調整されると考えた。

◉マルクス経済学

産業資本から独占資本への移行期、マルクス（主著『資本論』）は労働価値説を基礎に剰余価値の概念を導入して、資本主義経済の諸法則を体系的に解明した。そして、失業や恐慌などの矛盾を解決できない資本主義社会が崩壊し、社会主義へ移行せざるをえない必然性を主張した。それまでの社会主義思想と対比して、自ら「科学的社会主義」と名づけた。その他の代表的な学者としては、レーニン（主著『帝国主義論』）が挙げられる。

＋アルファ その他の古典派経済学の代表的学者には、リカード（主著『経済学および課税の原理』）、マルサス（主著『人口論』）、J. S. ミル（主著『経済学原理』）などが挙げられる。

◆近代経済学

◉新古典派経済学

古典派経済学の理論を継承し、発展させた経済理論体系の総称を新古典派経済学という。この学派の特徴は、主に経済主体の行動決定を研究対象とするので、後にミクロ経済学と呼ばれることになる。

＋アルファ 新古典派経済学の代表的学者には、ワルラス（主著『純粋経済学要論』）、マーシャル（主著『経済学原理』）が挙げられる。

◉ケインズ経済学

ケインズ（主著『雇用・利子および貨幣の一般理論』）と、それまでの主流だった古典派経済学との違いは、非自発的失

業が含まれたままでも、市場の均衡が成立することを明らかにしたことである。これが有効需要の原理（国民所得＝消費＋投資）であり、完全雇用を実現するためには、政府が有効需要（投資または消費）を創出して、完全雇用を実現する水準まで国民所得を増大させる必要がある。その意味で、有効需要の原理は、世界恐慌後の世界に、政府が行う財政支出の役割を支持する理論的な根拠を提示した。

このように、国全体の失業率・経済成長・物価などを研究対象とする経済学を、後にマクロ経済学と呼ぶことになる。

＋アルファ　ケインズ経済学のその他の代表的学者には、サミュエルソン（主著『経済分析の基礎』）が挙げられる。また、独自の経済学体系を築き上げた学者として、企業家の行う不断のイノベーション（技術革新）が経済を変動させるという理論を構築したシュンペーター（主著『経済発展の理論』）が挙げられる。

◉新自由主義（マネタリズム）

経済は市場を通じて調整されるため、政策当局が裁量的な政策介入を行うことは意味がなく、貨幣供給はルールに基づいて行うべきだと主張した。貨幣供給量の変動が、短期における実質経済成長と長期におけるインフレーションに対して、決定的に重要な影響を与えることを指摘し、オイルショック後の巨額の財政赤字とスタグフレーションの克服策を示した。この理論が米国のレーガン政権や英国のサッチャー政権の経済政策に取り込まれ、大幅な減税と福祉・公共サービスの縮小、大幅な規制緩和が実施された。

新自由主義の代表的学者として、フリードマン（主著『資本主義と自由』）が挙げられる。

 重要ポイント　必ず押さえる経済思想
- アダム・スミス…市場の自動調節機能「見えざる手」
- ケインズ…有効需要の原理、完全雇用を目指す経済理論

◆市場価格の決定

自由競争市場では、価格は需要と供給の関係で決まる（需要供給の法則）。これを均衡価格といい、市場価格はこれに近づき一致する。各経済主体間では、市場価格を目安に取引が行われる。

具体的には、ある財やサービスに対する需要が供給を上回ると、価格が上昇する。価格の上昇は需要を減らす一方、供給を増やすので、価格は下落する。この動きは、需要と供給が一致するまで続く。逆に、需要が供給を下回ると、価格が下落する。価格の下落は需要を増やす一方、供給を減らすので、価格は上昇する。この動きも、需要と供給が一致するまで続く。そして、その需要と供給が一致して均衡しているときの価格を均衡価格、取引量を均衡取引量という。

このメカニズムにより、社会的に必要とされる企業や産業が発展し、不要な企業や産業は整理されて退場する。これによって、社会全体の資源が最も効率的に配分されることになる（資源の最適配分）。

用語　**市場：**売り手と買い手が集まり、財やサービスを取引する場。商品市場、金融市場、労働市場、証券市場、外国為替市場などの市場を形成している。

 重要ポイント　市場メカニズムにより資源の最適配分が実現されるが、実現されない場合もある。それを市場の失敗と呼ぶ。

◎需要・供給と均衡価格の関係

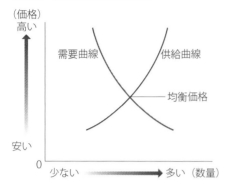

（価格）

高い

需要曲線　供給曲線

均衡価格

安い

0　　少ない　　　　　　　多い（数量）

ワン・ポイント　市場の失敗

市場における自由な経済活動ばかりでは、望ましい資源の配分ができない場合がある。経済活動の費用や便益が取引当事者以外に及ぶ「外部性」が存在する場合がそれにあたり、具体的には、公害のような外部不経済や養蜂業の果樹園に与える外部経済などが挙げられる。

また、道路・橋・警察・消防など、社会で必要とされる公共財の供給が困難であること、独占や寡占により売買する市場が不完全であること、買い手の知りえない商品情報を売り手が持っているという情報の非対称性の存在、新規参入が困難な電力会社などの費用逓減産業の存在などが例として挙げられる。

このような市場の失敗を是正するためには、政府の役割が重要であり、不足する公共財の供給や、独占禁止法の制定、環境保護立法、消費者保護立法などの措置が必要となる。

◆**寡占市場の弊害**

競争が激化して企業が規模の拡大を図ると、一部の大企業に生産が集中し、少数の大企業が市場の大部分を支配する状態となり、市場における価格の自動調節機能は十分に機能しなくなる。このような市場を寡占市場という。

寡占市場においては、有力企業がプラ

イス・リーダー（価格先導者）として一定の利潤が出る価格を設定する管理価格が形成されやすい。価格競争が弱まると、価格以外での競争（広告・宣伝、デザインなどの非価格競争）が激しくなり、その費用が価格に上乗せされて、消費者に販売される。たとえ需要が減少して、生産コストが下がっても、価格が下がりにくくなる価格の下方硬直性がみられるようになる。

出題パターン

ケインズの経済思想に関する記述として、最も妥当なのはどれか。
(1) 各人が自由な経済活動を行えば、「見えざる手」によって社会の調和が生まれると説き、政府は国民の経済活動に干渉せず、国防・司法・公共事業といった必要最小限の活動に限るべきだと主張した。
(2) 失業者の増加や生産水準の低下がみられる場合には、政府が公共投資などによって有効需要を創出して景気を回復させ、完全雇用を実現するべきだと主張した。
(3) 経済は市場を通じて調整されるため、政策当局が裁量的な政策介入を行うことは意味がなく、貨幣供給はルールに基づいて行うべきだと主張した。
(4) 資本主義経済を批判的に分析し、社会主義経済への必然的移行を説き、自らの考え方を科学的社会主義と呼んで、それまでの観念的な社会主義思想と区別した。
(5) 企業家のイノベーション（技術革新）が経済発展の原動力であり、その発展を「創造的破壊」という言葉で表し、資本主義の経済過程を循環と発展の二段階に把握して、景気循環と経済成長の理論を構築した。

答（2）

重要度
★★★

経済主体と財政・金融

各経済主体の理解と、その役割について学習するとともに、財政と金融について理解を深め、経済全体に対する影響を学習する。

◆経済主体

経済活動は、企業、家計、政府の３つの経済主体によって行われている。生産の主体を企業、消費の主体を家計、財政の主体を政府が担っている。

◆企業

企業は、出資者によって、公企業・私企業・公私混合企業に分類される。私企業は利潤の追求を目的として、私人が出資・経営する企業で、農家や商店などの個人企業と、株式会社などの法人企業がある。法人企業の１つである会社企業には、会社法により、株式会社・合資会社・合名会社・合同会社の４種類の会社が定められている。

◎経済循環

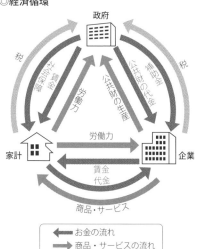

政府

税 ／ 税

社会保障・出資 / 公共財の代金

公共財の生産 / 補助金

労働力

家計 ← 労働力 → 企業

賃金
代金

商品・サービス

← お金の流れ
→ 商品・サービスの流れ

◎株式会社の特徴

株式会社においては、出資者である株主は出資をする義務を負うが、会社債権者には直接義務を負わない（間接有限責任）。従来は、会社債権者を保護するために、設立時の資本金の下限が定められていたが、現在は撤廃されている。また、株主総会における議決権の行使は、所有する株式数に応じて、行使することになる。

◎企業の社会的責任（CSR）

企業は、利潤を追求するのが目的であるが、組織活動が社会へ与える影響に責任を持ち、あらゆるステークホルダー（消費者や投資家などの利害関係者）からの要求に対して適切な意思決定をする責任を負う。そのためには、企業の不正行為の防止と競争力・収益力の向上を総合的にとらえ、長期的な企業価値の増大に向けた企業経営の仕組みであるコーポレートガバナンス（企業統治）の確立と、公正・適切な企業活動を通じ社会貢献を行うコンプライアンス（法令遵守）が強化される必要がある。

＋アルファ 企業の社会的貢献活動には、文化・芸術活動を支援するメセナや、企業による公益活動であるフィランソロピーが挙げられる。いずれも、企業の長期的なイメージアップやブランド力の向上に役立つ。

◎独占形態

カルテル （企業連合）	同一業種内の各企業が、競争を避けて利益を確保するため、価格・生産量・販路などについて協定を結んだ企業形態
トラスト （企業合同）	同一業種内の各企業が、独占的利益を得ることを目的に、1つの企業として合併した企業形態
コンツェルン （企業連携）	大企業が中心となり様々な産業分野を、株式所有・融資などの方法を通して、支配・結合している企業形態。金融機関かそれに相当する企業の持株会社が、株式保有・融資・人的結合などを通じて各種産業部門の独立企業を支配する企業形態

◎企業形態

コングロマリット （複合企業）	異業種部門の企業を次々と買収・合併し、多角的経営を営む企業形態
多国籍企業	2か国以上の国に生産・販売拠点を持ち、世界的規模で活動する企業形態。多国籍企業の中には、租税回避地（タックスヘイブン）を利用して利益を圧縮し、租税負担を軽減する企業もある

◆家計

　家計の支出は、税・社会保険料などの義務として支払う非消費支出と食料費、住居費（家賃）、教育費などの消費支出、銀行預金などの貯蓄に分けられる。家計の消費支出のうち、食料費の占める割合を示すエンゲル係数が低いほど、生活水準が高い傾向がある。

◆政府

　国や地方公共団体は、家計や企業から徴収した税や、公債などを発行した資金をもとに、公共サービスの提供などを通して、経済活動全体が円滑に進むようにする。

◆財政の3機能

　経済の安定化機能とは、景気変動の波を調整する機能である。政府が税の増減と財政支出の増減により景気を調整する補整的財政政策（フィスカル・ポリシー）と、あらかじめ組み込まれている財政制度により、自動的にその波を調整する財政の自動安定化装置（ビルト・イン・スタビライザー）がある。

　所得再分配の機能とは、市場機構を通じてなされる所得分配の格差を是正する機能である。累進課税制度・社会保障制度によって実現される。

　資源配分の機能とは、市場機構を通しては満足に配分されない道路・橋・警察・消防などの公共財を、政府が供給する機能である。

◆租税の種類

　税は、徴税主体の違いで国税と地方税、性質の違いで直接税と間接税に分かれる。特に重要なのは直接税と間接税の違いで、納税者と税負担者が同一であれば直接税で、別であれば間接税である。

直接税		間接税
所得税、法人税、相続税、贈与税など	国税	消費税、酒税、関税、印紙税など
住民税、事業税、自動車税(種別割)、固定資産税など	地方税	地方消費税、入湯税など

　間接税には、製品やサービスに課せられた税金分を他に転嫁できる特徴がある。また、広く浅く課税されることによって、誰もが負担することができる（水平的公平）。これに対し直接税は、累進課税制をとることにより、経済上の負担能力の大きい者ほど税負担が重くなる（垂直的公平）。問題点としては、間接税が生活必需品に課せられると、低所得者ほ

ど負担割合が大きく（逆進課税）なり、直接税は高い累進税率が勤労意欲を低下させることにつながる。

◆国債の発行

わが国においては、建設国債の発行が原則とされ、社会資本整備などの公共事業費の財源とされる。資産となって次世代に残るため、財政法でその発行が認められている。一方、特例国債（赤字国債）は一般会計予算の赤字を補うためのもので、次世代に負担のみを残す。特例国債の発行は、原則として財政法上では認められていないため、特別の立法（特例法）が必要とされる。1965年度の補正予算で特例国債が戦後初めて発行され、また1975年にはその発行を認める1年限りの特例公債法が制定されて以来、1990年度から1993年度を除き、毎年度発行されている状況にある。その結果、2024年3月末時点で、国の借金は約1,297兆円で過去最大となっている。

◆金融

◉日本銀行の役割

日本銀行（日銀）はわが国の中央銀行として、銀行券である紙幣の発行を行う日本で唯一の発券銀行であり、金融機関からの預金受け入れや手形の再割引、市中金融機関への貸し付けなどを行う銀行の銀行であり、国庫金の出納・保管や政府への貸付を行う政府の銀行である。

◉日銀の金融政策

日銀は市中銀行に対して債券の売買を通して市場の通貨量（マネーストック）を調整するために、公開市場操作（オペレーション）と呼ばれる金融政策を行うことがある。

◎企業の資金調達

内部(自己)金融	企業が資金を企業内部で調達する。内部留保と減価償却による資金を源泉とする
外部金融	企業が資金を外部から調達する。株式、社債の発行、金融機関からの借り入れなど。大きく直接金融と間接金融に分けられる
直接金融	企業が株式や社債を発行して、投資家から直接調達する
間接金融	企業が必要な資金を金融機関から調達する

重要ポイント　金融

金融は経済の3主体間の資金の貸借を行う。その金融を経済全体の観点から調整するのが、日本銀行である。

出題パターン

会社法に基づいて設立される会社の種類として、妥当でないのはどれか。
(1) 株式会社
(2) 有限会社
(3) 合同会社
(4) 合資会社
(5) 合名会社

答（2）

◎日銀の公開市場操作

	景気	政策	市中の通貨量	市場金利
売りオペレーション	過熱（インフレ）時に有効	金融引き締め・国債などを売却	減らす	上がる
買いオペレーション	不況（デフレ）時に有効	金融緩和・国債などを購入	増やす	下がる

レッスン 03 国民経済計算と経済指標

国民経済計算におけるフローとストックの概念を理解し、重要な経済指標である国民所得や経済成長率などについて学習する。

◆国民経済計算

国民経済計算とは、一国の経済の状況について、生産・消費・投資といったフロー面や、資産・負債といったストック面を体系的に記録したものである。

> **用語**
> **フロー：**一定期間（1年間）における生産量や消費量等の貨幣の流れを示す概念。
> **ストック：**一定時点（年末）における資産や負債の量（残高）を示す概念。毎年のフローの蓄積が、ストックを形成していく関係にある。

◆国民所得の諸概念

⊙ GDP（国内総生産）

GDP（国内総生産）は、国内の経済活動の規模を示し、経済成長測定の尺度としても利用されている。

> GDP（国内総生産）＝1年間の国内総産出額－中間生産物の総額

中間生産物を控除するのは二重計算を避けるためである。国内で1年間に新たに生産された財やサービスの付加価値の合計である。

> **＋アルファ** 日本のGDPの約50％は、個人消費（個々の家計の消費）で占められている。個人消費の動向は、経済全体に大きな影響を及ぼしている。

⊙ GNI（国民総所得）

GDPに海外からの純所得を加えたものが、GNI（国民総所得）である。

> GNI（国民総所得）
> ＝ GDP ＋海外からの純所得

> **用語** **国民所得の三面等価の原則：**国民に分配される所得GNI（国民総所得）は、生産面のGNP（国民総生産）と支出面のGNE（国民総支出）に等しい。

⊙ NNP（国民純生産）

NNP（国民純生産）はGNPから固定資本減耗を控除したものである。

> NNP（国民純生産）
> ＝ GNP －固定資本減耗

固定資本減耗を差し引くのは、機械や建物などの固定資本は、生産活動を行えば、擦り減っていくからである。

⊙ NI（国民所得）

狭義のNI（国民所得）は、要素費用表示となるので、生産者価格から間接税と補助金の影響を考慮することになる。

> NI（国民所得）
> ＝ NNP －間接税＋補助金

間接税を控除するのは、間接税が生産物の価格を押し上げているためであり、

補助金を加えるのは、補助金を使った生産物はそうでない生産物よりも、価格が安く抑えられているからである。ここでも、生産国民所得・分配国民所得・支出国民所得の三面等価が成立する。

◆経済成長率

経済成長率とは、国民経済の規模が、一定期間にどれだけ拡大したのかを表した割合。一般的に、GDP（国内総生産）の年間増加率で表している。

> 名目経済成長率（%）
> $$= \frac{\text{ある年のGDP} - \text{基準年のGDP}}{\text{基準年のGDP}} \times 100$$

用語　実質経済成長率：「実質」というときは、名目値に物価変動分を考慮に入れて算出している。物価上昇分が名目値を上回っていれば、目減りしていることになる。四半期ごとに集計される国民所得統計で明らかにされている、わが国の経済拡張の度合いを示すものであり、景気の動向を判断する基準の一つとして用いられている。

◆その他の重要な経済指標

既出の経済指標以外の最低限覚えておきたい経済指標を確認しよう。

- **完全失業率**…景気の動向と、企業がどの程度の人員を雇用するゆとりがあるかを示す。
- **消費者物価指数（CPI）**…消費者の段階での財・サービス価格の総合的な水準を示す。一般的に用いられるのは、天候などの影響を受けやすい生鮮品を除いたコアCPIである。
- **鉱工業生産指数**…ある月の鉱工業製品の生産量が、前年同月に比べてどれだけ増減したかで表されるのが一般的である。生産量の変動は、景気の動きを

示すバロメーターである。

- **日銀短観**…日本銀行が年に4回行う企業へのアンケート調査結果をまとめた、全国企業短期経済観測調査の通称。経営者の景況判断を知る上で、格好のデータとなっている。
- **ダウ平均株価**…ダウ・ジョーンズ社がアメリカの様々な業種の代表的な銘柄を選出し、平均株価をリアルタイムで公表する株価平均型株価指数を指す。
- **日経平均株価**…日本の株式市場の代表的な株価指標の一つ。ダウ式平均株価であり、東京証券取引所（東証）プライム市場に上場する約2,000銘柄の株式のうち225銘柄を対象にしている。
- **TOPIX（東証株価指数）**…東証上場株の時価総額の合計を終値ベースで評価し、基準日（1968年1月4日）の時価総額を100として、新規上場・上場廃止などにより修正され、指数化したもの。2025年1月にかけての構成銘柄の見直しが、2022年10月に始まっている。

出題パターン

国民経済の指標に関する記述として、最も妥当なのはどれか。
(1) 国民総生産は、1年間に国内で活動する経済主体が生産し、市場で取引された付加価値の合計である。
(2) 国内総生産は、国民総生産に政府の活動に係る補助金を加えたものである。
(3) 国民所得は、国民総生産から中間生産物を控除したものである。
(4) 生産国民所得は、分配国民所得及び支出国民所得のいずれとも一致する。
(5) 国民純生産は、国民総生産に余暇や住環境を経済評価して加減した国民福祉指標である。

答（4）

社会科学：経済

国際経済総合

国際収支統計の新基準について理解を深め、外国為替相場（かわせ）の変動と国内経済に与える影響や、国際通貨体制と貿易体制の推移、EU を中心とした地域的経済統合について学習する。

◆国際収支

国際収支とは、一定の期間における居住者と非居住者の間で行われたあらゆる対外経済取引を体系的に記録した統計である。国際収支は、経常収支・資本移転等収支・金融収支の、大きく 3 項目と誤差脱漏（だつろう）に分けられる。

◎国際収支の体系

経常収支 （税・サービスの収支など）	• 貿易・サービス収支（輸出入、運賃・保険・特許使用料など） • 第一次所得収支（雇用者報酬、投資収益など） • 第二次所得収支（外国への無償資金援助、国際機関の拠出金、外国人労働者の郷里送金など）
資本移転等収支 （インフラなどの大規模で不定期な海外援助など）	• 資本移転（資本形成のための無償資金援助など） • 非金融生産資産の取得処分（鉱業権取引など）
金融収支 （投資収支と外貨準備など）	• 直接投資・証券投資・その他投資 • 金融派生商品 • 外貨準備

◉誤差脱漏（統計上の不整合の処理）

誤差脱漏の値は、次の式の合計が 0 になるように決められる。

経常収支＋資本移転等収支－金融収支＋誤差脱漏＝ 0

＋アルファ　経常収支が黒字であれば、為替市場における円の価値が高くなり、円高基調となる。反面、経常収支が赤字になれば、円の価値は低くなって、円安基調となる。

◆外国為替相場（為替レート）

重要ポイント　為替相場

為替相場（為替レート）は、外国為替市場における通貨の交換比率。ある国の通貨に対する市場の需給で相場が決定する。

相場の決定に影響を与える大きな要因に、経済の基礎的条件（ファンダメンタルズ）がある。代表的なものとして、貿易収支、経常収支、インフレ率、生産性上昇率があるが、最近では金利水準、失業率、個人消費、鉱工業生産指数なども含むようになってきた。

日本の為替相場は、1949 年から 1971 年までは固定相場制で 1 ドル＝ 360 円が長く続き、その後 1 ドル＝ 308 円となり、1973 年以降は現在の変動相場制に移行した。

◉円高・円安が国内経済に与える影響

円高になると輸出企業は、為替差損が発生するが、2012 年頃までの日本の為替相場は、全体的に円高基調だったため、為替差損と国内のコスト高を回避するため、輸出関連企業は海外に生産拠点をシフトしてきた。そのために、国内における産業の空洞化が進行した。

⊙円高（1ドル＝200円⇒1ドル＝100円）の場合

100万円
（5000ドル）
円高
5000ドル＝50万円
受取
（△50万円）

5000ドル
（100万円）
円高
5000ドル＝50万円
支払
（＋50万円）

⊙円安（1ドル＝100円⇒1ドル＝200円）の場合

100万円
（1万ドル）
円安
1万ドル＝200万円
受取
（＋100万円）

5000ドル
（50万円）
円安
5000ドル＝100万円
支払
（△50万円）

> **用語　産業の空洞化**：国内企業の生産拠点が海外に移転することにより、国内産業が衰退していく現象。日本では急激な円高の進行による輸出の停滞に伴い、自動車・電機などの重要産業の海外シフトが進んだ。

◆国際通貨体制

（1）ブレトン・ウッズ体制の確立

　1944年、連合国44か国がアメリカのニューハンプシャー州ブレトン・ウッズに集まり、国際通貨体制等に関する会議を開き、IMF（国際通貨基金）とIBRD（国際復興開発銀行）を創設するブレトン・ウッズ協定を締結し、自由貿易の振興などを目指す国際協力体制を作った。このブレトン・ウッズ体制は、当初、1オンス＝35ドルで金と交換できるドルを基軸通貨として、各国の通貨との交換比率を設定し、維持する固定為替相場制をとった（金・ドル本位制）。

ワン・ポイント　IMFとIBRDの役割

> IBRDは、資本調達が困難な加盟国や民間企業などに長期的な融資を行う機関である。当初は戦災を受けた国々に対する復興資金の融資を行っていたが、現在は主に開発途上国を対象とした財政融資を行っている。これに対し、IMFの主要任務は、国際金融システムの監視役である。資金も融資するが、融資の目的は、通貨の信用回復のためにその国の通貨を買い上げて外貨を供与することにある。IMFの融資を受けるためには、IMFが策定する経済改革のパッケージを受け入れることが前提となる。

（2）ブレトン・ウッズ体制の崩壊

　1960年代からアメリカが対外経済援助や軍事費の増大による赤字貿易収支になると、ドルを金に交換する動きが強まり、アメリカから大量の金が流出した（ドル危機）。そのため1971年8月、アメリカは金の海外流失を防止するために、金とドルの交換を停止した（ニクソンショック）。これにより、ブレトン・ウッズ体制は実質的に崩壊した。

（3）スミソニアン体制〜変動為替相場制

　主要国は固定為替相場制の維持を図るために、1971年12月、金1オンス＝38ドルとドルを切り下げ、固定相場の変動幅を決めた（スミソニアン体制）が、その後もドル売りが続いた。そのため、固定為替相場制を維持することができず、1973年には日本を含む主要

国は変動為替相場制に移行することになった。1976年のキングストン合意は、IMFが変動為替相場制への移行を正式承認したものである。

(4) プラザ合意〜ルーブル合意

　為替レートの安定化を図るため、1985年、ニューヨークのプラザホテルでG5（先進5か国蔵相・中央銀行総裁会議）が開催され、ドル高是正についての合意が成立した（プラザ合意）。しかし、ドイツと日本がドルに対する急激な通貨高にみまわれたため、1987年、パリのルーブル宮殿で、G7（先進7か国蔵相・中央銀行総裁会議）によるドル安の歯止めを図った合意が成立した（ルーブル合意）。

◆自由貿易体制

　ブレトン・ウッズ体制は、貿易面でのGATT（関税及び貿易に関する一般協定）を定め、為替の安定・発展や途上国への援助、自由貿易の促進によって、貿易の拡大を図り、資本主義諸国の経済を発展させることを目的とした。

(1) 第1〜5回交渉（1947〜1961年）

　国別・品目別に関税引下げが交渉された。最恵国待遇の原則に基づいて進められたため、その規模も小さく、しだいに行き詰まった。

(2) ケネディラウンド（1964〜1967年）

　関税一括引き下げを実現。

(3) 東京ラウンド（1973〜1979年）

　関税一括引き下げに加え、非関税障壁の低減を合意。

(4) ウルグアイラウンド（1986〜1994年）

　農業・サービスの自由化、知的所有権分野のルール作成、WTO（世界貿易機関）の設立を合意。

(5) ドーハラウンド（2001年〜）

　農産品及び鉱工業品他の関税率削減の方式などの合意を目指している。

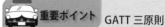

重要ポイント　GATT 三原則

GATTは自由貿易を推進するために、ラウンドと呼ばれる多国間貿易交渉を通じて、自由（貿易制限措置の関税化及び関税率の引下げ）・無差別（最恵国待遇、内国民待遇）・多角（多国間交渉）を原則とした（GATT三原則）。その原則は、WTO（世界貿易機関）にも引き継がれている。

ワン・ポイント　GATT から WTO へ

GATTは、1944年のブレトン・ウッズ会議で構想された貿易のための常設の国際機関ではなかった。そのことが、紛争処理など多くの問題を引き起こしていた。そこで、GATTの機能を強化するために、ウルグアイラウンドの最終合意であるマラケシュ宣言によって、WTO（世界貿易機関）として生まれ変わったのである。

＋アルファ　IMF – GATT 体制

- IMF（国際通貨基金）…第二次世界大戦後の通貨の安定を図るために設立された。自由貿易を円滑にするための安定的な為替レートを設定する。
- GATT（関税及び貿易に関する一般協定）…自由貿易の拡大を目指すために誕生した。各国の貿易障害を除去する働きをする。
  IMFとGATTという両輪により、自由貿易体制が推進されていった。ブレトン・ウッズ体制あるいはIMF – GATT体制とも呼ばれている。

◆地域的経済統合

⊙ヨーロッパ

- EU（欧州連合）…2024年8月現在の参加国は、イギリスが離脱（2020年1月）したため27か国。世界最大の共同市場。ロシアの侵攻を受けたウクライナと周辺国であるモルドバは、2022年6月に加盟候補国として認定。

◎ヨーロッパ経済統合の歩み

年	出来事
1948年	マーシャルプラン受け入れに際し、受け皿の機関としてOEEC（欧州経済協力機構）が発足
1952年	ECSC（欧州石炭鉄鋼共同体）がフランス外相ロベール・シューマンの提唱により発足
1958年	EEC（欧州経済共同体）、EURATOM（欧州原子力共同体）の発足
1967年	EC（欧州共同体）の発足
1968年	EC内で関税同盟が成立
1992年	マーストリヒト条約が調印され、EU（欧州連合）の発足を決定
1993年	EUの発足
1999年	統一通貨ユーロの導入
2002年	通貨をユーロに統合（イギリス・デンマーク・スウェーデンを除く）
2009年	リスボン条約の発効

◉アジア

• **AEC（アセアン経済共同体）**…2015年に発足したASEAN（東南アジア諸国連合）加盟10か国で構成する経済共同体。モノ・ヒト・サービスの自由化により、市場の統合・政策の共通化・グローバル経済への統合を目指す。

◉北アメリカ

• **USMCA（米国・メキシコ・カナダ協定）**…米国・メキシコ・カナダ間の自由貿易圏を形成するための協定。NAFTA（北米自由貿易協定）に代わる新協定。

◉南アメリカ

• **MERCOSUR（南米南部共同市場）**…1995年に発足した、域内の関税撤廃と貿易自由化を目指す関税同盟。

◉アジア太平洋地域

• **APEC（アジア太平洋経済協力）**…

1989年、オーストラリアの提唱により発足した政府間公式協議体。環太平洋地域の経済協力の推進、貿易・投資の自由化などを図る。

＋アルファ FTA（自由貿易協定）やEPA（経済連携協定）を通して地域的経済統合が進められているが、中でも注目されるのがTPP（環太平洋パートナーシップ協定）である。元々は、シンガポール・ブルネイ・チリ・ニュージーランドの4か国（P4）の経済連携協定として2006年に発効した。その後、日本をはじめ12か国による交渉が続けられたが、2017年アメリカが離脱した。2018年、11か国によるTPP11協定が発効した。2023年、イギリスが加入議定書に署名し、2024年中に発効する予定である。

🎺 出題パターン

第二次世界大戦後の国際通貨制度に関する記述として、最も妥当なのはどれか。

(1) 1944年のブレトン・ウッズ協定に基づいて、1947年にIMF（国際通貨基金）が設立され、各国はアメリカドルを基軸通貨として変動相場制を採用した。

(2) 1971年の国連貿易開発会議に基づいて、多国間で通貨調整が行われ、会議参加国は固定相場制に復帰したが、1973年に再び変動相場制に移行した。

(3) 1976年のキングストン合意では、IMF（国際通貨基金）が正式に変動相場制を承認した。

(4) 1985年のプラザ合意では、先進5か国（G5）が為替相場に協調介入してドル安是正を行うことで合意した。

(5) 1987年のルーブル合意では、先進8か国（G8）が急速なドル安を抑えて、為替相場を安定させることで合意した。

答（3）

社会科学：社会

レッスン 01 少子高齢社会と社会保障

少子高齢社会の現状及び社会保障制度について学び、それぞれの今後の課題について考える。

◆少子高齢化の現状と将来推計

　日本は、高齢化のスピードにおいて、世界一の少子高齢社会といえる。2023年10月時点の人口（総務省）における、65歳以上の人口は3,623万人で、総人口に占める割合は29.1%であり、実に4人に1人を超える人が高齢者である。このまま少子高齢化が進むと、2070年には、2.6人に1人が65歳以上、4人に1人が75歳以上になるとされている（出生中位・死亡中位仮定）。

◆少子高齢化の原因と課題

　日本の少子高齢化の原因は、出生数が減る一方で、平均寿命が延びて高齢者が増えているためである。どのように高齢者を支えていくかが課題となる。

　既に高齢者を支える現役世代の人口割合は低下しており、現状でもかなり負担が重い。さらに、このまま少子高齢化が進むと、現役世代の負担はますます重くなる。今までの働き方や社会保障のあり方などを変えていく必要に迫られている。

◎高齢化の推移と将来推計

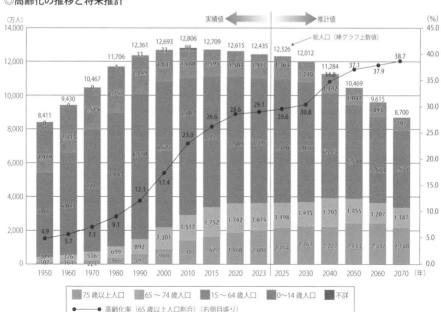

（内閣府「令和6年版高齢社会白書」より）

44

 **重要ポイント** **高齢化社会・高齢社会・超高齢社会**

世界保健機関（WHO）や国連の定義によると、高齢化率（総人口に占める65歳以上の人口割合）が7％を超えた社会を「高齢化社会」、14％を超えた社会を「高齢社会」、21％を超えた社会を「超高齢社会」としている。

 ワン・ポイント **高齢者の就業者数の増加**

少子高齢化が進むなか、高齢者の就業者数は年々増加傾向にある。2023年の労働人口に占める高齢者の割合は13.4％である。また、高齢者の就業率は男性34.0％、女性18.5％で、主要国の中でも高い水準にある。高齢者の就業者数・就業率が増加した背景には、公的年金だけで生活を維持することが困難であることが挙げられる。

◆社会保障

 **重要ポイント** **社会保障**

国民が老齢や疾病、事故、障害などで生活が困窮しても、国がその生活を保障する日本国憲法第25条の生存権に基づいて創設された社会制度。

◎日本の社会保障

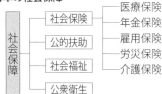

- **社会保険**…疾病、高齢、失業、労働災害、介護などのリスクに備え、事前に加入者が拠出することによって、保険による保障を受ける仕組み。現在、医療・年金・介護・雇用・労災（労働者災害補償保険）の5種類の保険がある。

- **公的扶助**…国家が、生活困窮者に対して、公費で行う生活保障制度。現在、生活保護法が、その一般法となっている。
- **社会福祉**…障害者、老人、母子家庭などの社会的弱者が支援を受ける仕組み。
- **公衆衛生**…人々の健康を守り、疾病を予防するために、病気の予防や清潔な環境を維持する国の事業。

◆社会保障の現状と今後の課題

国の一般会計（令和6年度当初予算）に占める社会保障関連費の割合は、30％を超えており、今後とも増えていくことが予測される。社会保障に必要な財源をどのように調達していくのか、税と社会保障の一体化改革が進められている。

 出題パターン

我が国の社会保障に関する記述として、最も妥当なのはどれか。
(1) 我が国の社会保障制度は、租税と社会保険料の両方を財源にしており、社会保険、公的扶助、社会福祉の3つの種類にわけられる。
(2) すべての国民が、何らかの健康保険と年金保険に加入していることを国民皆保険・皆年金というが、我が国では、いまだ実現できていない。
(3) 社会保険は、医療、年金、雇用、労災、介護の5種類からなり、費用は、被保険者と事業主のみが負担する。
(4) 公的扶助は、生活に困窮している国民に対し、国が責任をもって健康で文化的な最低限度の生活を保障するもので、費用は税金でまかなわれる。
(5) 社会福祉とは、国民の健康の維持・増進を図ることを目的に、感染症予防、母子保健、公害対策など幅広い範囲にわたり、保健所を中心に組織的な取組を行うものである。

答（4）

公害と地球環境問題

公害と四大公害病のほか、地球環境問題に対する国際的な取り組みについて学習する。

◆公害

企業活動による生活環境の破壊と人の健康被害に対して、まず地方自治体が条例で公害規制をかけ、後に国が公害対策基本法などの立法措置を講じてきた。

◉地方自治体の公害対策

公害問題は、日本が高度経済成長の繁栄にあるなか、地域社会でより深刻さを増してきた。そのため、国における施策よりも地域住民の生活に密着した問題として各地方自治体が率先して対策に取り組み、公害規制の条例を制定してきた。

◉国の公害対策

1967年に制定された公害対策基本法を皮切りに、大気汚染防止法や水質汚濁防止法などの環境汚染に対応した個別の立法がなされてきた。また、自然保護のための基本理念を明確にし、自然保護の政策を推進するために、1972年に自然環境保全法が制定された。

しかし、1992年に地球サミットが開催され、地球環境問題に対処する必要性が生じると、これまでの枠組みでは不十分だったため、1993年、環境政策の基本となる環境基本法が制定された。だが、この基本法は環境保全の新たな理念や試みは提示しているが、具体的な措置は示されておらず、環境破壊を未然に防ぐことを目的に、1997年に環境影響評価法（環境アセスメント法）が制定された。

◎主な公害対策関連法

年	制定された法律
1967年	公害対策基本法
1968年	大気汚染防止法
1970年	水質汚濁防止法
1972年	自然環境保全法
1993年	環境基本法
1997年	環境影響評価法（環境アセスメント法）

用 語

典型7公害：大気汚染・水質汚濁・土壌汚染・騒音・振動・地盤沈下・悪臭を典型7公害と呼ぶ。

四大公害裁判：1960年代後半に相次いで起こされた、四大公害病（水俣病・四日市ぜんそく・イタイイタイ病・新潟水俣病）に関する裁判。いずれの裁判も、住民側が勝訴した。

◎四大公害病

	被害地域	発生企業	原因物質
水俣病	熊本県水俣湾周辺	チッソ	有機水銀
四日市ぜんそく	三重県四日市市周辺	昭和四日市石油など6社	亜硫酸ガス
イタイイタイ病	富山県神通川流域	三井金属鉱業	カドミウム
新潟水俣病	新潟県阿賀野川流域	昭和電工	有機水銀

◆地球環境問題

公害は地域内で発生し、そこに留まるが、温暖化やオゾン層破壊などの環境問題は、発生源や被害地が一定地域限定でないため国際的な取り組みが必要になる。

◎国際的な環境問題への主な取り組み

年	出来事
1971年	ラムサール条約採択
1972年	「国連人間環境会議」（ストックホルムで開催） 人間環境宣言「かけがえのない地球」
1973年	ワシントン条約採択
1987年	モントリオール議定書採択 オゾン層を破壊する物質の段階的削減を目的とした規制措置を定める
1992年	国連環境開発会議（地球サミット）（リオデジャネイロで開催） 「持続可能な開発」を基本理念とし、「国連気候変動枠組条約」と「生物多様性条約」を調印 アジェンダ21で持続的発展が可能な開発を実現するために、各国の行動計画を具体的に規定
1997年	気候変動枠組条約第3回締約国会議（COP3） 温室効果ガスの排出削減を目的とする京都議定書を採択
2002年	持続可能な開発に関する世界首脳会議（環境開発サミット）（ヨハネスブルグで開催）
2015年	気候変動枠組条約第21回締約国会議（COP21）でパリ協定を採択（京都議定書に代わる新しい国際ルールとして高く評価） 「持続可能な開発のための2030アジェンダ」採択、SDGsを共有
2021年	気候変動枠組条約第26回締約国会議（COP26）でグラスゴー気候合意を採択
2022年	気候変動枠組条約第27回締約国会議（COP27）（シャルムエルシェイクで開催）
2023年	気候変動枠組条約第28回締約国会議（COP28）、パリ協定第5回締約国会合（CMA5）、京都議定書第18回締約国会合（CMP18）（ドバイで開催）

用語　京都メカニズム：1997年の京都議定書では、温室効果ガスの削減目標の達成を容易にするために、京都メカニズムと呼ばれるものを採用した。先進国間で行われる排出量取引、削減方法を共同開発した分を削減分に回せる共同実施、先進国が発展途上国で対策をとった削減分を自国分としてカウントできるクリーン開発メカニズムがそれである。

出題パターン

世界の環境問題に関する記述として、最も妥当なのはどれか。

(1) 地球温暖化に対し、温室効果ガス濃度の安定化をはかる気候変動枠組条約が結ばれ、1997年の締結国会議COP3では、先進国に排出削減を義務づけるモントリオール議定書が採択されたが、世界最大の排出国である中国など新興国は削減義務を負わなかった。

(2) 1990年代後半、オゾン層保護のための国際的枠組みを定めたパリ協定と京都議定書により、フロンの生産や消費、貿易が規制されるようになった。

(3) 大気汚染の主な原因は、工場や自動車から排出される硫黄酸化物や窒素酸化物である。汚染物質が降水や雲に取り込まれるとpH6.5以下の酸性雨となり、森林に被害をもたらしているが、建造物への被害は確認されていない。

(4) PM2.5は、空気中に浮遊する小さな粒子（エアロゾル）のうち粒径2.5μm以下の微粒子のことで、スギ花粉より大きいが、呼吸によって肺の奥にまで入り込む。

(5) 地球環境保全のための国際的協力の必要性から、1972年にストックホルムで国連人間環境会議が開かれ、「Only One Earth（かけがえのない地球）」がスローガンとなり、その後、国連環境計画（UNEP）が設立されて幅広い分野で活動が始まった。

答（5）

練習問題

No.1　次の近代政治思想に関する記述として、最も妥当なのはどれか。

(1) ホッブズは国家主権を社会契約によって形成される一般意思に基づくものと考え、かかる一般意思のもとでは直接民主制が行われるべきものとした。

(2) ルソーは自然状態では権利が侵害される危険があると考え、相互に自然権の保障をする社会契約を結び、その自然権の一部を統治者に信託するべきだとした。

(3) ロックは自然状態は各人が自足する理想的な状態だが、文明化により崩壊すると考え、失われた自由を回復するには各人が契約を結んで自然権を社会全体に譲渡するべきだとした。

(4) ホッブズは自然状態では各人が自分の権利を主張して相争う状態になると考え、各人の自然権のすべてを統治者に委譲する契約を結ぶべきだとした。

(5) ルソーは自然権を守るために、契約によって政府をつくるべきであると考え、政府が人民の信託を裏切ったときは、人民はそれに抵抗する権利を有するとした。

正答：(4)

(1)、(3) はルソー、(2)、(5) はロックの思想についての記述である。

(4) の記述は、ホッブズの「万人の万人に対する闘争」と結びつくので妥当である。

No.2　人権保障の歴史に関する記述として、最も妥当なのはどれか。

(1) マグナ・カルタは、17 世紀のイギリス市民革命期に出された宣言文書である。

(2) イギリスの権利章典は、清教徒革命が起きた翌年に、国王が制定したものである。

(3) アメリカ独立宣言は、独立革命の終結後、諸外国に向けて宣言した文書である。

(4) フランス人権宣言は、国民主権・権力分立・人権保障を盛り込んだ宣言文書である。

(5) 世界人権宣言は、人権に関する世界共通の基準を法制化し、各国に拘束力を持たせたものである。

正答：(4)

(1) ×　マグナ・カルタは 1215 年に、貴族が国王ジョンに逮捕拘禁権・課税権の制限などを承認させた宣言文書。

(2) ×　権利章典は、名誉革命の後に制定された。

(3) ×　独立宣言は、独立革命中に発せられている。

(4) ○　人権宣言は、国民主権・権力分立・人権保障を盛り込んでいる。

(5) ×　世界人権宣言には、国家に対する法的拘束力がない。法的拘束力を持たせたのは、1966 年に国連で採択された国際人権規約である。

No.3　アメリカ合衆国の政治体制に関する記述として、妥当でないのはどれか。

(1) 連邦議会は、各州の人口に比例して議席が割り当てられる下院と、各州から 2 名ずつ選出される議員で構成される上院で成り立っている。

(2) 大統領選挙は、有権者が大統領選挙人を選出し、この選挙人が大統領を選出する間接選挙制である。

(3) 大統領は、連邦議会に対し教書を送って立法の勧告を行うが、議会を解散する権限はない。

(4) 同じ大統領が 3 期以上務めることはあったが、現在は憲法で禁止されている。

(5) 大統領が連邦最高裁判所の判事を任命するため、司法の独立性は低く、裁判所には違憲法令審査権がない。

正答：(5)

(1) ○　連邦議会は上院と下院からなる。

(2) ○　大統領選挙は、間接選挙制である。

(3) ○　大統領は、議会を解散する権限はない。議会とは厳格に分立している。

(4) ○　フランクリン・ローズヴェルトが 3 期を超えて務めた（1933 〜 1945 年）唯一の大統領だが、現在では憲法で禁止されている。

(5) ×　連邦裁判所には違憲法令審査権がある。判例により認められている。

No.4　刑事事件に関する記述として、最も妥当なのはどれか。

(1) 唯一の証拠が、被告人本人の自白である場合には、有罪とされることはない。

(2) 最高裁は被告人の氏名についても、黙秘権を行使できると判示している。

(3) 逮捕・勾留または起訴されているときでなければ、弁護人を依頼することはできない。

(4) 検察官の発する令状がなければ、不当に逮捕・勾留されることはない。

(5) 過失運転致死傷罪による刑事罰を受け、さらに、免許取消の処分を受けることは、二重処罰に当たる。

正答：(1)

(1) ○　被告人本人の自白のみで有罪とされることはない（憲法第 38 条 3 項）。捜査機関に本人の自白以外の証拠収集を課したもの。

(2) ×　判例は被告人の氏名について、黙秘権の保障は及ばないとしている（最大判 1957（昭和 32）年 2 月 20 日）。氏名の供述自体は、犯罪事実の認定に影響を与えないため。

(3) ×　弁護人依頼権は、身柄の拘束の有無、起訴の有無を問わない（憲法第 34 条、第 37 条 3 項）。

(4) ×　令状は、検察官ではなく、裁判官が発する。

(5) ×　免許取消は行政処分なので、二重処罰に当たらない。

No.5　わが国の国会に関する記述として、最も妥当なのはどれか。

(1) 常会（通常国会）は、毎年2回召集される。

(2) 衆議院の解散総選挙後に召集される国会は、特別会である。

(3) 条約の承認については、予算と同様に衆議院に先議権がある。

(4) 国会での法律案の審議にあたっては、一般市民の代表者や学識経験者の意見を聴取する公聴会を必ず開くことになっている。

(5) 内閣不信任決議案が参議院で可決され、衆議院で否決された場合には、両院協議会が開かれる。

正答：(2)

(1) ×　常会は毎年1回召集される（憲法第52条）。

(2) ○　憲法第54条1項の規定により妥当な記述である。

(3) ×　予算については衆議院に先議権があるが（憲法第60条1項）、条約の承認については、衆議院に先議権はない（憲法第61条）。

(4) ×　総予算及び重要な歳入法案については、公聴会の開催義務があると規定している（国会法第51条2項）が、すべての法律案について、公聴会の開催を義務付けているわけではない。

(5) ×　内閣不信任決議権を持つのは、衆議院のみである（憲法第69条）。参議院で内閣不信任案を可決したとしても、それには法的効力がなく、内閣の政治責任を追及したものにすぎない。したがって、両院協議会が開催されることはない。

No.6　日本国憲法における精神的自由権に関する記述として、最も妥当なのはどれか。

(1) 思想・良心の自由の保障に関し、最高裁判所は私企業の雇用に対する契約の自由を認めるが、私企業が労働者の思想を理由に本採用を拒否することは違憲無効であると判示した。

(2) 日本国憲法では信教の自由を保障し、政治と宗教を分離する政教分離の原則を定めており、国家の宗教活動を禁じている。

(3) 学問の自由を担保するために大学の自治が保障されており、この大学の自治には人事の自治や大学の施設管理の自治が含まれるが、学生の管理の自治は含まれないと解されている。

(4) 表現の自由にも一定の制約があるが、特定の表現内容につき刑罰を設けて禁止することは一切許されない。

(5) 地方公共団体が集団行進や集団示威運動について公安委員会の許可を要すると定めることは、表現の自由の保障に反し許されない。

正答：(2)

(1) ×　企業者が雇用の自由を有し、思想、信条を理由として雇入れを拒んでも違憲とすることができないのであるから採用に当たり労働者の思想信条を調査しても違法ではないと判示した（最大判1973年12月12日 三菱樹脂事件）。

(2) ○　憲法第20条第3項で規定されている。

(3) ×　学問の自由を担保する大学の自治には、学生の管理についても含まれると解されている。

(4) ×　表現の自由といえども無制限に保障されているものではなく、公共の福祉により制限を受けることがある（刑法第 230 条名誉毀損罪等）。

(5) ×　地方公共団体の定める公安条例は、公共の安全に危険を及ぼす等明確な基準の下での規制であれば違憲ではないと解されている。

No.7　国際平和機構に関する記述として、最も妥当なのはどれか。

(1) 国際平和機構の構想は、国際法の父グロティウスによって提唱された。

(2) アメリカ大統領セオドア・ローズヴェルトの 14 か条の平和原則の中で、国際平和機構の設立を提唱した。

(3) 国際連盟の、総会と理事会における議決は、原則として多数決制をとった。

(4) 国際連盟の平和維持方式は、国際連合とは異なり、勢力均衡方式であった。

(5) 国際連合において中心的役割を担うのは、安全保障理事会であり、武力制裁を決定できる権限がある。

正答：(5)

(1) ×　国際平和機構の構想を提唱したのは、ドイツの哲学者カントとされている。

(2) ×　14 か条の平和原則を発表したのは、セオドア・ローズヴェルトではなく、ウィルソンである。

(3) ×　多数決制ではなく、全会一致制をとった。

(4) ×　国際連盟も国際連合と同じく、集団安全保障方式であった。

(5) ○　安全保障理事会には、武力制裁を決定できる権限がある。

No.8　わが国の外交・防衛政策に関する記述として、最も妥当なのはどれか。

(1) 防衛費の GNP（国民総生産）1％枠は、防衛費増大の歯止めとして、中曽根内閣の時に、閣議決定されたものである。

(2) 国連平和維持活動協力法（PKO 協力法）は、湾岸戦争終了後に成立し、この法律に基づき PKO として初めて自衛隊をペルシア湾に海外派遣した。

(3) 非核三原則は、衆議院本会議で決議されたことをきっかけに、わが国の核政策の中心となった理念である。

(4) 日米安全保障条約（新安保）は、日米の日本の領域内での共同防衛義務があることを定めているが、日本は米国領域内での共同防衛義務を負わない。

(5) 日本国憲法が、個別的自衛権の行使のみならず、集団的自衛権の行使も否定していないという政府解釈から自衛隊が発足した。

正答：(4)

(1) ×　GNP1％枠の設定は、1976 年の三木内閣の時の閣議決定である。

(2) ×　PKO として初めて自衛隊を派遣したのは、1992 年の自衛隊カンボジア派遣。1991 年の自衛隊ペルシア湾派遣は、自衛隊法に基づくもの。

(3) ×　非核三原則は、1967 年の佐藤栄作首相の国会答弁の中で初めて表明された。

(4) ○　日本は米国領域内での共同防衛義務を負わない（同条約第 5 条）。

(5) ×　自衛隊発足時の政府解釈では、個別的自衛権行使の範囲内であるとしている（1954 年 6 月 3 日衆議院外務委員会　外務省条約局長答弁）。

No.9　独占または寡占市場に関する記述として、最も妥当なのはどれか。

(1) 寡占市場における企業間競争は、商品の価格面で激しくなる傾向があり、値下がり競争となる。

(2) 寡占市場において、商品のデザインは固定化し、消費者の商品選択の範囲は狭まるようになる。

(3) 寡占市場においては、競争相手が少ないので、広告・宣伝費用も少なくてすみ、その分価格が安くなる傾向がある。

(4) 寡占市場においては、価格の自動調節機能が失われ、価格の下方硬直性が見られる。

(5) 独占企業は、超過供給が消滅するように価格を引き下げる行動をとる傾向がある。

正答：(4)

(1) ×　価格面の競争よりも、商品のデザインや広告などの非価格競争に重点が置かれるようになる。

(2) ×　非価格競争に重点が移るため、商品のデザインは多様化する傾向がある。

(3) ×　非価格競争に重点が移るため、一般的に他社製品と差別化を図るための広告・宣伝活動などは活発になる。

(4) ○　寡占市場においては、価格の下方硬直性が見られる。

(5) ×　生産量を減らして超過供給を消滅するようにすれば、価格は下げずにすむため、そのような傾向はない。

No.10　株式会社に関する記述ア～ウのそれぞれの正誤についての正しい組合せとして、最も妥当なのはどれか。

ア　株主は原則として株式数に応じた議決権を行使できる。

イ　株式会社が倒産した場合、株主は出資した金額の責任だけを負う。

ウ　大規模な株式会社では、大株主が企業経営のトップに立つのが一般的である。

```
      ア　イ　ウ
(1)  正　正　正
(2)  正　正　誤
(3)  正　誤　正
(4)  誤　誤　正
(5)  誤　正　正
```

正答：(2)

ア ○　議決権制限株式を除いて、株主は所有する株式数に応じて議決権を有する（会社法第308条1項）。

イ ○　株主は出資した金額の責任だけを負う（会社法第104条）。

ウ ×　大規模な株式会社では、一般的に所有と経営の分離が見られ、大株主が企業経営のトップに立つ企業は少ない。

No.11　国民経済の指標に関する記述として、妥当でないのはどれか。
(1) 国内総生産は、国内で1年間に新たに生産された財やサービスの付加価値の合計である。
(2) 国民総所得は、国内総生産に海外からの純所得を加えたものである。
(3) 国民純生産は、国民総生産から固定資本減耗を控除したものである。
(4) 狭義の国民所得は、国民純生産に間接税を加え、補助金を控除したものである。
(5) 生産面・分配面・支出面のいずれの国民所得も名目上一致する。
正答：(4)
　狭義の国民所得は、要素費用表示となるので、国民純生産から間接税分と補助金分の影響を考慮することになる。間接税が課せられると、生産物の価格を押し上げることになるので、その分を控除し、一方、補助金は、その分価格が押し下げられることになるので、その分を加えて算出する。

No.12　国際通貨体制とWTO（世界貿易機関）に関する記述として、最も妥当なのはどれか。
(1) ブレトン・ウッズ体制は金ドル本位制による固定相場制を採用してきたが、ニクソンショックにより実質的に崩壊した。
(2) ニクソンショック後、キングストン合意に基づいて機能してきた固定相場制が崩壊して変動相場制になり、スミソニアン体制が成立した。
(3) ニクソンショック後の混乱を収めるため、スミソニアン体制により変動相場制に移行することが決定された。
(4) WTOは暫定的な国際協定であったGATT（関税及び貿易に関する一般協定）が発展的に解消して誕生した国際機関であり、東京ラウンドの最終合意を受けて設立された。
(5) WTOは基本原則の一つとして、GATTにおいて明確でなかった特定の加盟国に差別的待遇を行わないという無差別原則を新たに加えている。
正答：(1)
(1) ○　ニクソンショック後、1971年末にスミソニアン体制に基づいて固定相場制に復帰したが、1973年には主要国が変動相場制に移行した。
(2) ×　スミソニアン体制に基づいて機能してきた固定相場制が崩壊し、キングストン合意が成立した。
(3) ×　スミソニアン体制は、固定相場制に復帰することを目的とした体制である。
(4) ×　WTOは、ウルグアイラウンドの最終合意を受けて設立された。
(5) ×　WTOはGATTの機能を常設化することを目的として、GATTの三原則であった「自由・無差別・多角」の原則を引き継いでいる。

No.13 次の記述に当てはまる語句として、最も妥当なのはどれか。

　各地方自治体が独自にシステムを開発・運用、管理してきた住民情報をインターネットを通じて共通利用できるようにする国・地方自治体共通の情報システム基盤の呼称。住民基本台帳や国民年金など20分野の業務を対象に、国や地方自治体の基幹業務システムを標準化する取組が進められ、地方自治体のシステムを原則、2025年度までに移行することを目指している。

(1) デジタルアーカイブ　　　　　(2) ガバメントクラウド
(3) データポータビリティ　　　　(4) データセンター
(5) インフラストラクチャー

正答：(2)

(1) ×　デジタルアーカイブとは、デジタル技術を用いて作成された記録文書類、映像資料等のことである。
(2) ○　ガバメントクラウドは、デジタル庁主導で整備が進められている共通クラウドサービス利用環境である。
(3) ×　データポータビリティとは、政府や企業に提供した個人データを他のサービスに再利用（持ち運び）できることである。
(4) ×　データセンターとは、分散するIT機器を設置・運用することに特化した専用施設のことである。
(5) ×　インフラストラクチャーとは、産業や生活の基盤を成す施設の総称で、道路、鉄道、上下水道、空港などを指す。

No.14 次の地図において矢印で示すア〜オの地域と四大公害病の原因物質の組合せとして、最も適当なものはどれか。

(1) アーカドミウム
(2) イー有機水銀
(3) ウーヒ素
(4) エー亜硫酸ガス
(5) オーカドミウム

正答：(4)

(1) ×　阿賀野川流域で発生した新潟水俣病の原因物質は有機水銀。
(2) ×　神通川流域で発生したイタイイタイ病の原因物質はカドミウム。
(3) ×　公害運動の原点となった足尾鉱毒事件の原因物質は銅。
(4) ○　四日市市周辺で発生した四日市ぜんそくの原因物質は亜硫酸ガス。
(5) ×　水俣湾周辺で発生した水俣病の原因物質は有機水銀。

警察官 I 類・A 合格テキスト

2章

人文科学

レッスン 01 日本史　原始～古代

重要度 ★★★

原始時代（旧石器・縄文・弥生）から古代（古墳・飛鳥・奈良・平安）までの時代ごとの特徴を学習する。

◆原始の日本（旧石器時代～弥生時代）

移動が主な狩猟・採集生活から、一定期間定住生活を送るようになり、大陸から稲作が伝わると、本格的な定住生活に入っていく。

(1) 旧石器時代（先土器時代）

1万年以上前の日本列島は氷河期にあり、人々はナウマン象やマンモスを追って、大陸を移動しながら、狩猟・採集生活を送っていたと考えられている。

ワン・ポイント　旧石器時代の遺跡

この時代の遺跡としては、打製石器が出土した群馬県の岩宿（いわじゅく）遺跡がある。

(2) 縄文時代

旧石器時代の後、弥生時代の始まる紀元前5～前3世紀頃まで続いた時代。この時代に氷河期が終わり、海面が上昇して、日本列島が形成された。人々は狩漁・採集によって食料が確保できる期間、定住生活を送り、ムラが形成されたが、身分の差はなく、貧富の差もなかったと考えられている。

ワン・ポイント　縄文時代の遺跡

縄文時代の遺跡としては、青森県の三内丸山遺跡、福井県の鳥浜貝塚、東京の大森貝塚などが挙げられる。出土品としては、土器、石器、骨角器、土偶、土・石の装身具、木器、ヒスイ、黒曜石などが発見されている。

(3) 弥生時代

紀元前5世紀頃から3世紀頃までの約800年間続いた時代（紀元前10世紀頃からとする説もある）。大陸から米づくりが伝わり、人々は本格的な定住生活に入り、それが地域的に広がって、ムラからクニへと発展していった。この頃から身分の差、貧富の差が生じ、力のあるムラの長が豪族となって、小さなクニを支配していたと考えられている。

ワン・ポイント　弥生時代の遺跡

弥生時代の遺跡としては、静岡県の登呂（とろ）遺跡、佐賀県の吉野ヶ里（よしのがり）遺跡、奈良県の唐古・鍵（からこ・かぎ）遺跡などが挙げられる。出土品としては、土器、石器、田下駄（たげた）、鉄器、銅鐸（どうたく）、銅矛（どうほこ）、銅鏡、高床倉庫跡などが発見されている。

◎原始の主な出来事

	年	出来事
B.C.	1万年以上前	旧石器時代の後、縄文文化が始まる
	5世紀頃	弥生文化が始まる
A.D.	57年	奴国王が、中国（後漢）の光武帝から「漢委奴国王（かんのわのなの）」の金印を授かる
	239年	三十余国を支配したとされる邪馬台国の女王卑弥呼が、中国（魏）の皇帝から「親魏倭王（しんぎわおう）」の称号を授かる

＋アルファ 当時の日本の様子は、中国の歴史書である、『漢書』地理志、『後漢書』東夷伝、『魏志』倭人伝で推察することができる。

◆**古墳時代（3 世紀中頃〜 6 世紀末頃）**

日本は、ヤマト王権による国内統一から律令国家の完成期、そして荘園制度の登場に伴う律令国家の変質期へと時代が推移していく。

豪族連合であったヤマト王権は、大王を中心とした連合政権であった（氏姓制度）。この時代、各地に古墳（塚）がつくられた。中には、棺や副葬品（鉄製武器、工具、鏡、玉など）を納め、古墳の周りには、赤褐色をした素焼きの土製品である埴輪が並べられている。大阪府の堺市にある大山（大仙陵）古墳は、ヤマト王権の強大さを象徴する古墳である。

また、この頃ヤマト王権の軍が朝鮮で高句麗と戦い、朝鮮半島には任那日本府があったとされる。朝鮮からの渡来人が多く、百済から織物・彫刻・陶芸などの技術と仏教が伝わった。

しかし、6 世紀末になると、新羅によって任那日本府が滅ぼされ、国内においては有力豪族の台頭や地方豪族の反乱などで、国内が動揺し、ヤマト王権の土台が揺らぎ始めた。

用語 **氏姓制度：**同族的集団である氏を構成する豪族に、ヤマト王権内での地位や職業に応じて姓を与えて秩序づけたヤマト王権の支配制度。

＋アルファ 倭の五王が南朝の宋と交渉をもっていたことが、『宋書』倭国伝に記されている。倭王武は雄略天皇だとされている。

◆**飛鳥時代（6 世紀末から 8 世紀初め）**

593 年、推古天皇の摂政となった厩戸王（聖徳太子）は、冠位十二階・憲法十七条を定め、天皇を中心とした政治の刷新を図った。しかし、厩戸王の死後、蘇我氏の専横によって王権の権威は失われつつあった。

このような状況の下で、中大兄皇子が中臣鎌足と協力して、蘇我氏を滅ぼし、公地公民制、班田収授の法、租・調・庸の税制、国郡里制度などの政治改革を行ったのが、改新の詔（646 年）であった。その目的は、701 年に定められた大宝律令によって完成された。

この時代の文化は、厩戸王（聖徳太子）の頃を中心にした国際色豊かな日本で最初の仏教文化とされる飛鳥文化と、大化の改新から平城京遷都までの、初唐文化の影響を受けた清新な仏教文化とされる白鳳文化に大きく分けられる。

◎飛鳥文化

寺院	法隆寺（斑鳩寺）、広隆寺、四天王寺、中宮寺、飛鳥寺
彫刻	釈迦三尊像（法隆寺金堂）、百済観音像（法隆寺）、釈迦如来像（飛鳥寺）
工芸	玉虫厨子（法隆寺）、天寿国繍帳（中宮寺）

◎白鳳文化

寺院	薬師寺
彫刻	薬師三尊像（薬師寺金堂）
絵画	法隆寺金堂壁画（焼損）、高松塚古墳壁画

◆**奈良時代（710 〜 794 年）**

710 年、元明天皇が、藤原京から現在の奈良市西部の平城京に都を遷した。聖武天皇は、光明皇后とともに仏教を信仰し、全国に国分寺・国分尼寺を設け、東大寺を建立して大仏を造立した。

しかし、過酷な徴税により口分田から逃亡する農民が後を絶たなかったため、

口分田不足に対処するために、三世一身の法（723年）を、次に墾田永年私財法（743年）を制定して、開墾を進める必要があった。しかし、これは私有地である荘園がつくられ、公地公民制が崩れるきっかけとなっていく。

◆天平文化

奈良時代の文化は、天平文化と称されている。遣唐使を通じて、中国・西アジアの文化の影響を受けた国際色豊かな仏教文化とされている。

◎天平文化

建造物	正倉院（校倉造）、東大寺法華堂（三月堂）、法隆寺伝法堂、唐招提寺金堂・講堂
文 学	万葉集、古事記、日本書紀、風土記
絵 画	正倉院鳥毛立女屏風、薬師寺吉祥天像
彫 刻	興福寺阿修羅像、唐招提寺鑑真像、東大寺日光・月光菩薩像、東大寺不空羂索観音像

◆平安時代（794～1185年）

794年、桓武天皇が、政治に干渉するようになった仏教勢力（南都六宗）から離れ、政治を刷新するため長岡京から平安京に都を遷した。天皇は最澄と空海を唐に留学させて、日本に天台宗と真言宗を伝えさせた。

この時代、権勢を極めたのは藤原氏である。彼らは荘園を基盤とした経済力を背景に、天皇の外戚となり、権勢をふるった（摂関政治）。だが、この藤原氏の権勢も、天皇の父方である上皇が院政を行うようになると、衰えが目立つようになった。

この間に、地方の政治は乱れていったが、その乱れを収めた武士勢力が力を蓄えて、中央に進出し、やがて彼ら自身の政権（平氏政権）をつくっていく。

平氏政権も経済的基盤を荘園に置いていたが、日宋貿易から得た利益も加え、一門は朝廷内で高位高官に上った。しかし、貴族政権化した平氏政権は貴族や武士などの支持を失い、平清盛の死後、東国で台頭してきた武士団によって、滅ぼされてしまった。

> **用語　承平・天慶の乱：** この時期の地方武士の反乱である平将門の乱（935～940年）と藤原純友の乱（939～941年）を指す。当初は武士同士の私戦であったが、国司襲撃以後は反乱とみなされた。

◆荘園制度

この時代の重要な経済基盤である荘園は、奈良時代から平安時代の初期までは貴族や寺院が開墾した初期荘園であったが、荘園領主が中央政府と関係を築き、田租の免除（不輸）を認めさせる官省符荘や国免荘があらわれ、やがて不輸権だけでなく、不入権（田地調査のため中央から派遣される検田使の立入りを認めない権利）を得る荘園も出現した。こうした荘園は、田堵と呼ばれる開発領主が中央の有力者や有力寺社へ田地を寄進したものである。寄進を受けた荘園領主は領家と呼ばれ、さらに領家から皇族や摂関家などのより有力な貴族へ寄進されることもあった。領家から寄進を受けた荘園領主を本家と呼んだ。このように、寄進により重層的な所有関係を伴う荘園を寄進地系荘園という。

> **＋アルファ** 増えすぎた荘園を整理する動きは醍醐天皇が出した延喜の荘園整理令（902年）以来、数次にわたって出されていたが、後三条天皇の延久の荘園整理令（1069年）で、荘園整理事務を中央で処理するために記録荘園券契所を設け、審査の対象を摂関家領や大寺社領まで拡大した。

◆平安文化

　平安文化は平安時代前半の弘仁・貞観文化と、後半の国風文化と院政期文化に分かれる。

　国風文化は、894 年に菅原道真の提案によって遣唐使が中止された後に栄えた文化、院政期文化は、院政の成立期（11世紀後半）から鎌倉幕府成立に至る 12世紀末にかけての文化である。

◎弘仁・貞観文化

寺　院	高野山金剛峯寺、比叡山延暦寺
建造物	室生寺金堂・五重塔
文　学	性霊集、類聚国史、日本霊異記
絵　画	園城寺不動明王像（黄不動）、東寺両界曼荼羅、神護寺両界曼荼羅
彫　刻	仏像は一木造で着衣が波打つ翻波式が特徴 元興寺薬師如来立像、観心寺如意輪観音坐像、室生寺弥勒堂釈迦如来坐像、法華寺十一面観音立像、薬師寺僧形八幡神像

◎国風文化

建造物	法成寺無量寿院、平等院鳳凰堂
文　学	古今和歌集、竹取物語、源氏物語、土佐日記、蜻蛉日記、紫式部日記、更級日記、枕草子
絵　画	高野山聖衆来迎図、平等院鳳凰堂扉絵
彫　刻	仏像は一木造から寄木造でつくられるようになった 平等院鳳凰堂阿弥陀如来像（定朝作）

◎院政期文化

建造物	中尊寺金色堂、浄瑠璃寺本堂
文　学	将門記、栄花（栄華）物語、狭衣物語、今昔物語集、大鏡、今鏡
絵　画	源氏物語絵巻、伴大納言絵詞、信貴山縁起絵巻、鳥獣人物戯画

◎古代の主な出来事

年	出来事
593 年	厩戸王（聖徳太子）が推古天皇の摂政となる
646 年	改新の詔
701 年	大宝律令の制定
710 年	平城京に遷都
743 年	墾田永年私財法の制定
752 年	東大寺大仏の開眼
794 年	平安京に遷都
894 年	遣唐使の中止
1016 年	藤原道長が摂政となる
1086 年	白河上皇の院政が始まる
1156 年	保元の乱
1159 年	平治の乱
1167 年	平清盛が太政大臣となる
1185 年	平氏の滅亡

出題パターン

　奈良時代に関する記述として、妥当なのはどれか。

(1) 藤原京から平城京へ都を遷したのは、元明天皇の時代である。
(2) 大宝律令が制定・施行され、律令政治の仕組みがほぼ整った。
(3) 藤原氏が天皇の権威と結びついて、政治的な勢力を確立した。
(4) 仏教では、末法思想とあいまって、浄土信仰が盛んになった。
(5) 唐の影響を受けた国際色豊かな文化は白鳳文化と呼ばれた。

答（1）

重要度
★★☆

日本史　中世

封建制社会の中の分権的封建制の時代である鎌倉時代から戦国時代までの時代ごとの特徴を学習する。

◆中世の日本

　北条氏の執権政治が行われた鎌倉時代から守護領国制が確立された室町時代を経て、将軍の権威が失墜した戦国時代へと時代が推移していく。

◆鎌倉時代（1185 ～ 1333 年）

　12 世紀後半、源平の争乱の中で、源頼朝は鎌倉を拠点に勢力を固めた。さらに、1185 年、平氏滅亡後、頼朝は、諸国に守護、荘園・公領に地頭を置く権利を後白河法皇に認めさせ、武家政権である鎌倉幕府を開いた。後に奥州 2 国を支配下に置いた頼朝は、1192 年に征夷大将軍に任じられた。鎌倉幕府は、これまでの武士の私的な荘園領有が、公的領有であることを院に認めさせた。ここに、将軍と御家人との間に、土地を介した御恩と奉公の関係が成立し、封建制度が確立した。源氏の滅亡後は、北条氏の執権政治が確立していく。

　その後、元寇が起きると、戦費の負担から御家人が窮乏し、幕府に対する不満が高まり、有力御家人も加わった倒幕勢力により滅ぼされた。

用 語 **元寇：**元寇とは、鎌倉時代に大陸を支配していた元（モンゴル）の軍及び、高麗軍が 2 度にわたって行った日本本土侵攻のことをいう。1274 年に行った 1 度目を文永の役、1281 年に行った 2 度目を弘安の役という。

◎鎌倉幕府の機構図

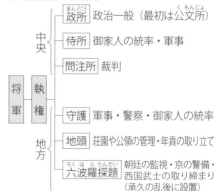

将軍	執権	中央	政所	政治一般（最初は公文所）
			侍所	御家人の統率・軍事
			問注所	裁判
		地方	守護	軍事・警察・御家人の統率
			地頭	荘園や公領の管理・年貢の取り立て
			六波羅探題	朝廷の監視・京の警備・西国武士の取り締まり（承久の乱後に設置）

◆鎌倉文化

　鎌倉時代には、加持祈禱や学問を中心とする従来の仏教に変化が起こり、庶民や武士に易行・専修を説いた新しい教えが広まった。それが「鎌倉六宗」と呼ばれるものである。

◎鎌倉六宗

浄土宗（法然）	阿弥陀仏を信じ、ひたすら念仏（南無阿弥陀仏）を唱えれば、平等に往生できると説いた（専修念仏）
浄土真宗（親鸞）	悪人こそ阿弥陀仏が救う対象であるとした悪人正機を説き、信心を重視した。阿弥陀仏を信じるだけで往生は約束され、念仏は仏恩報謝の行であると説いた
時宗（一遍）	阿弥陀仏への信・不信は問わず、念仏さえ唱えれば往生できると説いた
日蓮宗（法華宗）（日蓮）	法華経こそ釈迦の真の教えであるとし、題目「南無妙法蓮華経」を唱えるべきことを説いた

臨済宗 （栄西）	坐禅の他に公案を重視し、上級武士を中心に信仰された
曹洞宗 （道元）	ひたすら坐禅すること（只管打坐）を説いた

　この時代の文化の特徴は、武家政権の成立により、それまでの優雅な公家文化と素朴で力強い武家文化が共存した新しい文化であること、宋（南宋）から禅宗や朱子学が伝わり、日本の文化に多大な影響を与えたことにある。

　また、仏教建築様式においても、柱を細く、天井を低めにした穏やかな空間が特徴である和様から、東大寺再興の際に用いられた大仏様や円覚寺舎利殿に見られる禅宗様の建築様式が宋から入ってきた。

◎鎌倉文化

建造物	東大寺南大門（大仏様）、円覚寺舎利殿（禅宗様）、三十三間堂（和様）
文　学	新古今和歌集、金槐和歌集、平家物語、源平盛衰記、方丈記、徒然草、水鏡、吾妻鏡、愚管抄
彫　刻	東大寺南大門金剛力士像（運慶・快慶ら）、空也上人像（六波羅蜜寺）
絵　画	北野天神縁起絵巻（北野天満宮）、一遍上人絵伝（歓喜光寺・清浄光寺）、伝源頼朝像・伝平重盛像・伝藤原光能像（神護寺）

◆建武の新政と室町時代（1333〜1573年）

　後醍醐天皇は、鎌倉幕府滅亡後、天皇を中心とする新たな政治（建武の新政）に取り組んだが、公家中心の政治は武士の不満が大きかった。その不満の声に応える形で、足利尊氏が京都を制圧し、光明天皇を擁立した。

　京都から吉野に追われた後醍醐天皇は皇位の正統性を主張し、南朝（吉野）と北朝（京都）の争乱が始まった。その後、北朝方の内部争いもあって、争乱は複雑な経過をたどったが、1392年に足利義満が南北朝を統一し、室町幕府による支配を確立した。

　しかし、将軍の権威が弱まると、各地で反乱と土一揆が起きるようになり、それとともに、幕府の権威は失墜していった。

> ＋アルファ　室町幕府も鎌倉幕府と基本的な枠組みは同じだが、鎌倉幕府の執権にあたる役職はなく、管領は将軍を補佐するにとどまる。また、南北朝の争乱期に守護が地頭などの在地領主と主従関係を結んで、領国支配を強めていった（守護領国制）。軍事・警察権のみを保持した鎌倉幕府の守護と区別して、この時代の守護を守護大名と呼ぶ。

◎室町幕府の機構図

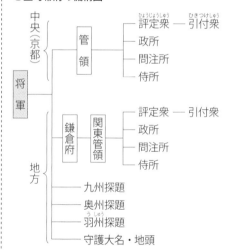

◆室町文化

　室町時代の文化は、足利義満の金閣を代表とする北山文化と足利義政の銀閣を代表とする東山文化とに分けられる。どちらも、禅宗の影響を受けた文化であり、茶道や華道の基礎が形成されたのもこの頃である。

北山文化		東山文化
鹿苑寺金閣	建造物	慈照寺銀閣
――	庭　園	龍安寺枯山水
太平記・風姿花伝	文　学	一寸法師や浦島太郎などの御伽草子
瓢鮎図（妙心寺退蔵院）、寒山拾得図	絵　画	四季山水図巻

◆戦国時代（1467 ～ 1573 年）

　応仁の乱（1467 ～ 1477 年）をきっかけに、各地で戦国大名の争いが起きた。彼らは、服属した地侍らを家臣に加えながら、領地を拡大していき、領国支配の基本法となる分国法（家法）を制定することもあった。

◎中世の主な出来事

年	出来事	
1185 年	源頼朝が鎌倉幕府を開く	
1221 年	承久の乱	
1232 年	御成敗式目（貞永式目）の制定	
1274 年	文永の役	元寇
1281 年	弘安の役	
1297 年	永仁の徳政令	
1333 年	鎌倉幕府の滅亡	
1334 年	建武の新政が始まる	
1336 年	南北朝の対立	
1392 年	南北朝の統一	
1404 年	勘合（日明）貿易が始まる	
1428 年	正長の土一揆	
1438 年	永享の乱	
1440 年	結城合戦	

1441 年	嘉吉の乱
1467 年	応仁の乱が始まる
1485 年	山城の国一揆が起きる
1488 年	加賀の一向一揆が起きる
1543 年	ポルトガル人が九州の種子島に鉄砲を伝える
1549 年	フランシスコ・ザビエルが鹿児島に上陸、キリスト教を伝える 南蛮貿易が始まる

用　語　**南蛮貿易：**ポルトガル人が種子島に漂着して以来、ポルトガルとの間に貿易が始まり、やがてスペインとも貿易が始まった。これを南蛮貿易といい、主に鉄砲・火薬と日本の銀が交換された。このことが後に、戦国大名の戦法を大きく変えることになった。

🏁 出題パターン

　鎌倉時代の政治体制に関する記述として、最も妥当なのはどれか。
(1) 源頼朝は、関東武士団と所領支配を通じて成立する封建関係と呼ばれる主従関係を結び、彼らを御家人として組織した。
(2) 鎌倉幕府は、支配機構として、中央に侍所、政所及び公文所を置き、地方には各国ごとに国司と郡司を置いた。
(3) 将軍職は、三代将軍実朝が暗殺された後は置かれず、後継となった北条氏は将軍に代えて執権の名で幕府を統率した。
(4) 後醍醐天皇が巻き起こした承久の乱を契機に、鎌倉幕府の支配は全国に及び、朝廷に対する政治的優位が確立した。
(5) 北条泰時の時代に確立した執権政治とは、政治の決定や裁判の判決などの権限を執権一人に集中する幕府政治の体制をいう。

答（1）

レッスン03 日本史　近世

封建制社会の中の集権的封建制（後期封建制）である安土桃山時代から江戸時代までの特徴を学習する。

◆近世の日本

近世の日本は、織田信長と豊臣秀吉の全国統一の過程で、兵農分離が完成し、後に徳川幕府による幕藩体制が確立していく。

◆安土桃山時代（1573 〜 1603 年）

戦国時代の次に迎えた安土桃山時代は、およそ 30 年と短い時代だが、政権を握った織田信長、豊臣秀吉の政策によって、全国的な軍事統合が進み、兵農分離、石高制などをはじめ、中世から近世への移行が進んだ。

城郭、文学、芸術、芸能など、現代にも残る様々な文化が生まれたことも、特徴の一つである。

◆織田信長

1560 年、尾張の信長は、駿河の今川義元を桶狭間の戦いで破り美濃を支配下に置き、1568 年に将軍足利義昭を奉じて入京し、畿内の諸大名を次々と屈服させた。その後、義昭を追放すると、石山本願寺を大坂から退去させ、畿内をほぼ平定した。信長は、新たな政治・経済体制として関所を廃止し、商人の自由な活動を認める楽市楽座令を安土城下に出して、商工業の発達を促した。しかし、天下統一の途中で、1582 年、明智光秀の謀反にあい自害した（本能寺の変）。

◆豊臣秀吉

1582 年、本能寺の変で信長の死を知った秀吉は、毛利氏と和睦すると急ぎ畿内にとって返し、山崎の戦いで明智光秀を破ると、有力な後継者候補に躍り出る。さらに、1583 年に、柴田勝家を賤ヶ岳で破り、信長の後継者としての地位を確立した。

その後、朝廷から 1585 年に関白、1586 年には太政大臣の地位と豊臣の姓を得て、1590 年に小田原の北条氏を滅ぼして天下を統一した。しかし、統一後の二度の朝鮮出兵（文禄・慶長の役）は、秀吉没後の豊臣政権内部の対立を招くことになった。

ワン・ポイント　太閤検地と刀狩令

秀吉は検地奉行を派遣し、統一基準のもとで検地を実施し、耕地一筆ごとに耕作者を検地帳に記載して、年貢負担者を確定した。さらに、土地の収穫高を表す基準を従来の貫高から石高に改めた。この検地によって、複雑な土地支配関係のある荘園が消滅するとともに、大名知行制の基礎が確立した。また、太閤検地の実施は、1587 年、肥後国で大規模な一揆を誘発したため、翌 1588 年、農民から武器を取り上げた。この刀狩りによって、一揆を防ぐとともに、身分制度の基礎が確立していく。

用語　朱印船貿易：朱印状という海外渡航許可証を持った船が、東南アジア諸国で行った貿易。この貿易は豊臣秀吉のとき本格的に始まり、徳川家康のころ最盛期を迎えて、1635 年の第三次鎖国令まで続いた。

◆安土桃山文化

安土桃山時代の文化は、大名や豪商が中心となってつくりあげた、雄大で豪華なものが多く、仏教の影響が薄いのが特徴である。

◎安土桃山文化

建造物	雄大な天守閣が特徴である安土城・姫路城・大坂城などの城郭、茶室
絵画	狩野永徳らによる障壁画
芸術・芸能	千利休が完成した茶道、朝鮮人陶工の技術で完成した有田焼、出雲阿国（いずものおくに）が始めたかぶき踊りなど

◎安土桃山時代の主な出来事

年	出来事
1568 年	織田信長、足利義昭を奉じて入京
1573 年	室町幕府の滅亡
1575 年	長篠の戦い
1576 年	織田信長、安土城を築く
1582 年	本能寺の変、山崎の戦い 太閤検地が始まる
1588 年	刀狩令
1590 年	豊臣秀吉による全国統一が完成する
1592 年	文禄の役 朱印船貿易が始まる
1597 年	慶長の役
1600 年	関ヶ原の戦い

◆江戸時代（1603 ～ 1867 年）

秀吉の没後、徳川家康は五大老の筆頭となり、1600 年、関ヶ原の戦いで石田三成らを破り、1603 年に江戸幕府を開いた。その後、将軍職を息子秀忠に譲り、駿府で大御所政治を行い、1615 年、大坂夏の陣で豊臣氏を滅ぼした。

幕府の支配体制は、全国を幕府直轄領（天領）と大名領とに分け、大名にその領地と農民を直接支配する権限を与え、大名が幕府に従いながら、領地と農民を支配する構造をとった。このような中央集権的封建支配体制を幕藩体制と呼んでいる。

> 用語　武家諸法度：1615 年、2 代将軍徳川秀忠の名で徳川家康が示した 13 か条が最初。1635 年、3 代将軍徳川家光の時に、参勤交代制等が定められて、一応の完成をみた。

◆キリスト教の禁教と鎖国の完成

豊臣政権の 1587 年に、バテレン追放令が出されていたが、狙いは国内の教会領を没収することにあり、キリスト教自体を強く禁止したものではなかった。幕府も当初、貿易の利益のために、キリスト教を黙認していたが、キリスト教の禁止を徐々に強めていく過程で、外国船の来航と日本人の海外渡航や帰国も禁止していく。

1637 年の島原・天草一揆以降は、キリスト教に対する弾圧を徹底的に行い、1639 年にポルトガル船の来航を禁止して、鎖国を完成した。以後貿易は、オランダと清に限り、長崎の出島で行うことになった。

◎キリスト教の禁教と鎖国

年	出来事
1612 年	幕府直轄領に禁教令 教会堂の破壊・伝道禁止・宣教師追放
1613 年	全国に禁教令
1614 年	高山右近らをルソンに追放
1624 年	スペイン船の来航禁止
1633 年	第一次鎖国令 奉書船以外の渡航の禁止 海外に 5 年以上居留する日本人の帰国を禁止

1634 年	第二次鎖国令（第一次鎖国令の再通達）
1635 年	第三次鎖国令 清・オランダなど外国船の入港を長崎のみに限定、海外への日本人の渡航及び日本人の帰国の禁止
1636 年	第四次鎖国令 長崎の出島にポルトガル人を移す
1637 年	島原・天草一揆が起きる
1639 年	第五次鎖国令 ポルトガル船の来航禁止
1641 年	オランダ商館を平戸から出島に移す

　鎖国とともに幕藩体制が強化されたが、商品経済（モノを他者と交換・売買することで成り立つ経済）が発展するようになると、農村の自給自足経済（自身が消費するモノを自ら生産する経済。自給経済ともいう）は崩れ始めた。農村を基盤とする経済体制は大きく揺らぎ、このような危機感を背景に三大改革が行われた。

◆江戸の三大改革

享保の改革（1716 ～ 1745 年） 第 8 代将軍徳川吉宗	
足高の制	石高を足して有用な人材を登用するとともに、役職の世襲による弊害を減らそうとした
目安箱の設置	民意聴取のための施策
公事方御定書の制定	裁判や刑の基準を定めた
上米の制	諸大名に石高 1 万石につき 100 石ずつ出させる代わりに、江戸在府期間を半年にした
その他	裁判を迅速化するための相対済令の制定、新田開発の奨励、堂島米市場の公認、小石川養生所の設置、キリスト教に関係のない漢訳洋書の輸入の緩和等を行った

寛政の改革（1787 ～ 1793 年） 老中松平定信	
寛政異学の禁	儒学のうち朱子学を正学とし、それ以外を異学として、幕府の学問所で講ずることを禁じた
囲米の制	飢饉に備えて、諸大名に米や雑穀の備蓄を命じた
棄捐令	旗本・御家人の困窮を救うため、債権者である札差に対し債権放棄・債務繰延べを命じた
旧里帰農令	農村を復興するために、流亡した農民が自分の村に帰るように奨励した
その他	江戸石川島の人足寄場の設置、窮民救済のための七分積金、幕政に対する批判への厳しい取り締まり等を行った

天保の改革（1841 ～ 1843 年） 老中水野忠邦	
株仲間の解散	高騰していた物価を引き下げるため、株仲間の解散を命じた
人返しの法	江戸に居住している農民を強制的に帰郷させ、農村の再建を図った
上知令	江戸・大坂周辺の大名・旗本の領地を幕府の直轄地にしようとした
倹約令	将軍や大奥も含めてぜいたく品や華美な衣服を禁じ、庶民の風俗も取り締まった

ワン・ポイント　田沼政治

享保の改革後、老中田沼意次は商業資本を重視した経済政策に転換した。具体的には、株仲間の公認と長崎貿易を奨励し、町人資本の出資による印旛沼・手賀沼の干拓、蝦夷地の開発とロシアとの交易等を計画した。

03
日本史　近世

◆江戸時代の文化

　江戸時代の文化は、元禄文化と化政文化が挙げられる。大坂の豪商たちを中心に上方（京都・大坂）で栄えた元禄文化は、5代将軍徳川綱吉の元禄年間（1688～1704年）が最盛期にあたる。これに対し、江戸の町人を中心として栄えた化政文化は、11代将軍徳川家斉の治世下である文化・文政年間（1804～1830年）が最盛期にあたる。

◎元禄文化

建造物	東大寺大仏殿・善光寺本堂
文 学	俳諧：『おくのほそ道』（松尾芭蕉） 浮世草子：『日本永代蔵』（井原西鶴）
絵 画	浮世絵：「見返り美人図」（菱川師宣） 装飾画：尾形光琳
芸術・芸能	人形浄瑠璃：『曽根崎心中』（近松門左衛門） 歌舞伎：市川團十郎

◎化政文化

文 学	小説：『東海道中膝栗毛』（十返舎一九）、『南総里見八犬伝』（曲亭馬琴） 俳諧：小林一茶、与謝蕪村
絵 画	浮世絵：喜多川歌麿、葛飾北斎、歌川広重

◎江戸時代の主な出来事

年	出来事
1603年	江戸幕府を開く（徳川家康）
1615年	大坂夏の陣
1637年	島原・天草一揆（～1638年）
1649年	慶安の御触書
1685年	生類憐みの令（5代将軍・綱吉）
1709年	新井白石の改革

1716年	享保の改革（～1745年）
1767年	田沼意次が側用人になる
1782年	天明の大飢饉（～1787年）
1787年	寛政の改革（～1793年）
1792年	ロシアの使節ラクスマンが根室に来航
1825年	異国船打払令
1833年	天保の大飢饉（～1839年）
1837年	大塩平八郎の乱
1841年	天保の改革（～1843年）
1853年	ペリーの浦賀来航
1854年	日米和親条約締結
1858年	日米修好通商条約締結（井伊直弼） 安政の大獄（～1859年）
1860年	桜田門外の変
1866年	薩長同盟が成立
1867年	大政奉還

出題パターン

　文禄の役及び慶長の役に関する記述として、最も妥当なのはどれか。

(1) 北条時宗の時代に二度にわたって来襲した元軍との戦いである。

(2) 守護大名が東西に分かれて衝突を繰り返した幕府の実権をめぐる争乱である。

(3) 織田信長が各地で支配に反抗した一向一揆を平定した戦いである。

(4) 豊臣秀吉が行って最終的に失敗に終わった朝鮮侵略である。

(5) 徳川家康が大坂城に依拠する豊臣秀頼を攻め滅ぼした戦いである。

答 (4)

人文科学：日本史

レッスン 04 日本史　近現代①

明治維新後、日本は国内の体制を整備して国造りに邁進した。その間に起こった、日清・日露戦争や、それら戦争による条約改正、そして、大正時代以降の第一次・第二次世界大戦について学習する。

重要度
★★★

◆明治時代（1868 ～ 1912 年）

　大政奉還により政権が天皇へと返還され、明治新政府が誕生した。

　1868 年に五箇条の誓文によって新しい政治の方針が示されると、政府は版籍奉還から廃藩置県へと一挙に進め、天皇を中心とする中央集権体制を整備するとともに、これまでの身分制度を廃止して（四民平等）、徴兵令を実施した。さらに、殖産興業政策により近代産業の育成を図るとともに、近代的な軍備を整え（富国強兵）、地租改正によって財政基盤を確立した。

◆日清戦争（1894 ～ 1895 年）

　1894 年、李氏朝鮮における支配権をめぐって対立していた日清両国は、李氏朝鮮での甲午農民戦争（東学党の乱）をきっかけに日清戦争が始まった。近代的な軍備と戦術を駆使した日本軍は清軍を圧倒し、各地で勝利を収め、1895 年、清と日本は下関で講和会議を開いて下関条約を締結した。これによって、清は朝鮮の独立を認め、遼東半島・台湾などを日本に割譲し、多額の賠償金を支払うことになった。

＋アルファ　遼東半島は、自国の勢力圏の拡大を図るロシアがフランスとドイツを誘って日本に対して三国干渉を行って、清に返還させた。これが後に、日露戦争の一因となった。

◆日露戦争（1904 ～ 1905 年）

　三国干渉以来、日本とロシアの対立は深まり、1900 年、義和団事件（北清事変）の後、ロシアは満州から兵を引き上げなかった。政府はロシアの南下に備えて、1902 年に利害が一致するイギリスとの同盟（日英同盟）を結ぶと、日本とロシアの対立は決定的となった。

　1904 年、ロシアが満州から朝鮮に南下する姿勢を見せると、政府は開戦に踏み切り、日露戦争が始まった。日本は苦戦を重ねたが、陸軍が奉天会戦で勝利を収め、海軍はロシアのバルチック艦隊を破った（日本海海戦）。しかし、すでに戦力の大半を消耗した日本には、これ以上の戦争の継続は困難であった。一方のロシアにしても、国内で専制政治に反対する革命運動が起きており、戦争を続けられる状況ではなかった。そこで、1905 年、アメリカ大統領セオドア・ローズヴェルトの仲介で、日露は講和会議に臨み、ポーツマス条約が締結された。その結果、賠償金は得られなかったものの、ロシアの南下は抑えられ、日本の朝鮮に対する優越権が認められ、旅順・大連など遼東半島南部の租借権や東清鉄道の一部をロシアから譲り受けるとともに、樺太の南半分を手に入れることができた。

　この日清・日露戦争の前後を通じて日本の国際的地位は高まった。長年の懸案であった条約改正も、日清戦争の直前にはイギリスとの間で治外法権の撤廃に成

67

功し、1911年にはアメリカとの間で関税自主権も回復した。朝鮮についても、1910年に日韓併合条約（韓国併合に関する条約）を締結して、植民地とし、大陸進出の拠点にした。

◆**自由民権運動**

　一方、国内に目を転じると、この間、自由民権運動が進展し、立憲政治が整えられてきた。薩長出身者による藩閥政治に対する民衆の抵抗は、士族の反乱という形で現れたが、1877年の西南戦争後は、自由民権運動という形で展開されていくことになる。1880年、板垣退助らが中心となり創設された愛国社は国会期成同盟と改められ、運動はさらに発展した。政府は言論・出版・集会などを厳しく取り締まって弾圧したが、ついに1881年に国会開設の勅諭を出して、10年後の国会開設を約束した。自由民権派の人々は国会開設に備えて、板垣退助は自由党を、明治十四年の政変で政府から追放された大隈重信は立憲改進党を結成し、藩閥政府を攻撃した。しかし、松方財政による深刻な不景気のなかで、自由党の急進派が貧農と結び付いて各地で事件を起こすと、運動は分裂して衰えていった。

◎**明治時代の主な出来事**

年	出来事
1868年	五箇条の誓文
1869年	版籍奉還
1871年	廃藩置県
1873年	徴兵令と地租改正条例公布 官営模範工場の建設が進む
1874年	民撰議院設立建白書 各地で士族の反乱が頻発
1877年	西南戦争が起こる 自由民権運動が盛んになる

1881年	国会開設の勅諭
1885年	内閣制度創設
1889年	大日本帝国憲法発布
1890年	第1回帝国議会の開会
1894年	イギリスとの間で治外法権の撤廃 日清戦争が起こる（〜1895年）
1895年	下関条約の締結、三国干渉
1902年	日英同盟の締結
1904年	日露戦争が起こる（〜1905年）
1905年	ポーツマス条約締結
1910年	日韓併合
1911年	アメリカとの間で関税自主権が回復

＋アルファ　板垣退助らが、1874年に民撰議院設立建白書を提出し、これが自由民権運動の口火になったとされている。

◆**大正時代（1912〜1926年）**

（1）大正デモクラシーと普通選挙運動

　大正時代には、二度の護憲運動が起こり、明治以来の藩閥支配体制が揺らぎ政党勢力が進出した。これは大正デモクラシーと呼ばれて、尾崎行雄や犬養毅らがその指導者となった。

　1918年の米騒動後、衆議院に議席を持ち、爵位を持たない原敬による初めての本格的な政党内閣が成立した。関東大震災後、第二次山本権兵衛内閣が成立したが、第二次護憲運動（憲政擁護運動）が起こると、護憲三派内閣として加藤高明内閣が成立した。加藤内閣のときに、普通選挙法が成立し、その後しばらくは、政党政治が行われた。しかし、同時に治安維持法が制定されたことによって、社会主義思想の取り締まりを名目とした言論弾圧が行われた。

ワン・ポイント　普通選挙運動が活発化したころ、平塚らいてうや市川房枝らの女性参政権運動も起きた。言論界も活況を呈し、君主制と民主主義を折衷しようとした吉野作造の民本主義や美濃部達吉の天皇機関説などが提唱された。

（2）第一次世界大戦

　第一次世界大戦は、主にヨーロッパを戦場としていたが、1914年、日英同盟を理由に日本も連合国側に立って参戦した。ドイツの中国での根拠地である青島やドイツ領南洋諸島を占領し、1915年には中国に21か条の要求を突きつけた。この大戦の結果、ヴェルサイユ条約によって成立した国際連盟の常任理事国の地位に就いた。

◆昭和時代の始まり（1926～1945年）
（1）政党政治から軍事政権へ

　1927年の金融恐慌、1929年の世界恐慌の余波で街には失業者があふれ、農村は凶作にあえいでいた（昭和恐慌）。その間に大陸進出を図る軍部が台頭し、1931年には柳条湖事件をきっかけに満州事変が起こる。1932年には五・一五事件が起きて犬養毅首相が暗殺され、政党政治は終わりを遂げた。

　以降は、軍人と官僚による政権が続いたが、1936年に二・二六事件が起きると、軍部が政治の実権を握るに至った。その後、1937年に盧溝橋事件をきっかけに日中戦争が始まると、翌年には国家総動員法が制定され、総力戦に備えた戦時体制へと移行していく。
（2）第二次世界大戦

　1939年、ドイツがポーランドに侵攻し、第二次世界大戦が始まった。日本は中国との戦争を続けていたが、1940年に日独伊三国同盟を締結して、翌年フランス領インドシナ南部へ進駐すると、日米関係は急速に悪化し、アメリカは日本に対する石油の禁輸に踏み切った。近衛文麿首相は日米開戦を避けるために対米交渉を続けるが、軍部を押さえきれなかった。

　その後、東条英機が現職の軍人のまま首相となり、日米交渉を打ち切ることを決定し、1941年12月8日、日本軍はマレー半島に侵攻するとともに、ハワイの真珠湾を攻撃して、大東亜戦争（太平洋戦争）に突入した。日本軍は、開戦当初、優位に立っていたが、しだいに連合国の反撃にあい、1945年に入ると大規模な空襲により都市が壊滅し、同盟国のドイツも降伏した。その後、原子爆弾が投下されソ連が参戦するに至り、ポツダム宣言を受諾して降伏した。

◎大正～第二次世界大戦までの主な出来事

年	出来事
1914年	連合国側として第一次世界大戦参戦
1915年	対華21か条の要求
1918年	シベリア出兵、米騒動、原敬の政党内閣の成立
1920年	国際連盟の常任理事国就任
1925年	普通選挙法・治安維持法の成立
1930年	昭和恐慌が起きる
1931年	満州事変が起きる
1932年	五・一五事件が起きる
1933年	国際連盟を脱退
1936年	二・二六事件が起きる
1937年	日中戦争が始まる
1938年	国家総動員法が制定される
1940年	日独伊三国同盟の締結
1941年	大東亜戦争（太平洋戦争）開戦
1945年	ポツダム宣言受諾

日本史　近現代②

レッスン 05

第二次世界大戦で敗戦に至った日本が、その後、連合国の占領下で新たな国造りに努め、主権回復後は目覚ましい経済発展を遂げるまでを学習する。

◆戦後の日本（1945年〜）

　日本が最初に直面したのが、連合国軍総司令部（GHQ）による徹底的な民主化と非武装化であった。GHQは日本政府に対して、①女性の解放、②労働者の団結権の保障、③教育の民主化、④秘密警察の廃止、⑤経済の民主化の「五大改革指令」を示して、女性参政権の付与、労働基本権の保障、男女共学、治安維持法の廃止、財閥解体や農地改革などの諸改革を政府に進めさせた。マッカーサー草案をベースにした日本国憲法の制定・施行は、占領政策の仕上げであった。

◎戦後の五大改革

女性の解放	女性への参政権の付与
労働者の団結権の保障	労働基本権の保障など（労働三法）
教育の民主化	教育基本法の制定
秘密警察の廃止	治安維持法、特高警察を廃止
経済の民主化	財閥解体、農地改革

　しかし、朝鮮戦争を契機に、占領政策の見直しが行われ、警察力の強化を名目に1950年に警察予備隊が設置され、1952年には警察予備隊が保安隊へと改組された。主権回復後の1954年には保安隊が自衛隊へと改組され、防衛力を整備していくことになる。

　外交面においては、1951年にサンフランシスコ平和条約と同時に締結された日米安全保障条約（1960年に改定）を基軸に、アメリカを中心とする自由主義陣営に属し、1956年には国際連合に加盟して国際社会に復帰した。

　日本は専守防衛という基本方針の枠の下で、非核三原則や武器輸出三原則、防衛費のGNP1%枠など独自の政策を採り、国際平和のために財政的支援も行ってきた。しかし、冷戦終結後の湾岸戦争（1991年）をきっかけとして、人的にも貢献する議論が高まり、1992年には自衛隊の海外派遣を可能とする国連平和維持活動協力法（PKO協力法）が制定されて、自衛隊の海外での活動が可能となった。

> 用語　**非核三原則：**「核兵器を持たず、作らず、持ちこませず」という日本の核政策。1967年の衆議院予算委員会で行われた佐藤栄作首相の答弁で表明された。その後、衆議院や参議院でも国会決議として表明されている。

◆戦後の経済

　戦争により壊滅的な打撃を受けた経済は、傾斜生産方式を採用することによって、回復に向かった。しかし、激しいインフレーションに見舞われると、GHQは経済安定化9原則を日本政府に示して、ドッジ・ラインを実行させ、そのため安定恐慌に陥った。

　全面的な復興は、**朝鮮特需**を待たなければならなかったが、この特需が景気回復の引き金となって、これ以降、日本経済は年率10％に及ぶ高度経済成長期（1954〜1973年）を迎えることになる。1968年には資本主義国でアメリカに次ぐ第2位の経済大国になった。

　このような高度経済成長も、第四次中東戦争をきっかけとする第一次石油危機（オイルショック）が起きると、年率4〜5％程度の安定成長へと転換する。この安定成長の期間に、1985年、ドル高を是正するためにプラザ合意がなされて、いったんは円高不況に見舞われるが、間もなく回復してその後はバブル景気（1986〜1991年）となった。しかし、バブルが崩壊すると、年率1％程度の低成長期へと移行した。

用語 傾斜生産方式： 1946〜1949年の間に実施された産業政策。当時の基幹産業である鉄鋼と石炭に資材・資金を重点的に投入し、両部門相互の循環的拡大を促して、それをきっかけに産業全体の拡大を図ることが狙いであった。

◎第二次世界大戦後の主な出来事

年	出来事
1945年	連合国の日本占領
1947年	日本国憲法の施行
1950年	警察予備隊の設置
1951年	サンフランシスコ平和条約・日米安全保障条約の締結（吉田内閣）
1952年	警察予備隊が保安隊に改組
1954年	自衛隊の創設
1955年	保守合同で55年体制確立　高度経済成長期に入る
1956年	ソ連との国交回復（日ソ共同宣言）、国連に加盟（鳩山内閣）

1965年	日韓基本条約の締結（佐藤内閣）
1972年	中華人民共和国との国交正常化（田中内閣）
1973年	第四次中東戦争を機に、第一次石油危機（オイルショック）が起きる
1978年	日中平和友好条約の締結（福田内閣）
1985年	プラザ合意後の急激な円高
1991年	湾岸戦争後、自衛隊ペルシア湾派遣
1992年	国連平和維持活動協力法（PKO協力法）成立（宮沢内閣）
2015年	安全保障関連法成立（安倍内閣）

用語 安全保障関連法： 改正自衛隊法や改正国際平和協力法など、10の改正法をまとめた平和安全法制整備法と、新たに制定された国際平和支援法から成り、これにより集団的自衛権の行使が合法化された。

🎺 出題パターン

　戦後の日本に関する記述として、最も妥当なのはどれか。
(1) 戦後、日本は、連合国軍総司令部（GHQ）による徹底的な社会主義と武装化に直面した。
(2) 戦後の五大改革の一つである「女性の解放」では、女性への労働の義務が付与された。
(3) 日本では、1960年に警察予備隊が設置された。
(4) 自衛隊の海外派遣を可能とする国連平和維持活動協力法（PKO協力法）が制定されたのは、1994年である。
(5) 非核三原則とは、「核兵器を持たず、作らず、持ちこませず」という核政策のことをいう。

答（5）

世界史　古代

重要度 ★★★

文明の発祥と古代ギリシアから西ローマ帝国の滅亡までの時代ごとの特徴を学習する。

◆文明の発祥と古代国家の成立

　農耕・牧畜が可能になると、都市国家が建設され、さらに多数の人口を養うために灌漑（かんがい）施設が必要となる。そのため、人々を動員する巨大な権力と技術、肥沃な土地が不可欠となる。古代文明の発祥地が、大河の流域にあり、一年を通して農耕・牧畜が可能な気候であったのも、このような要因が備わっていたからである。

◆代表的な古代文明

（1）メソポタミア文明

　メソポタミア文明は、紀元前3000年代、チグリス川とユーフラテス川の流域のメソポタミアに成立した、人類最古の文明と考えられている。楔形（くさびがた）文字を用い、多神教に基づく神殿を中心とした都市文明が生まれ、六十進法や太陰暦などが考案された。バビロン第1王朝のハンムラビ王（在位前1792～前1750年頃）が制定した、ハンムラビ法典が有名である。

> **用語　ハンムラビ法典**：ハンムラビ王が国内の諸民族を統一的に支配するために制定した。「目には目を、歯には歯を」という復讐法の原理で知られているが、犯罪が故意に行われたか、過失によるのかによって、量刑に差が設けられていた。かつては世界最古の法典とされたが、先行したシュメール法典を集大成したものとされている。

（2）エジプト文明

　紀元前3000年頃、ナイル川流域に成立した文明。ファラオと呼ばれる絶大な権力を持った王が支配していた。エジプト古王国の時代に、青銅器や象形文字の使用、十進法や太陽暦、ピラミッドなど特徴のある文明が栄えた。

（3）インダス文明

　紀元前2500年頃から前1500年頃まで、インダス川流域に成立した都市文明。この都市文明の特徴は、街路が整然と東西南北に並ぶ都市計画がなされており、排水・井戸・浴場などの衛生施設や公共的な建造物と思われる学校、公会堂、倉庫などを持つ。下流域のモエンジョ＝ダーロ、上流域のハラッパーが代表的な遺跡。

（4）中国文明

　黄河・遼河・長江それぞれの流域で栄えた文明の総称。紀元前1600年頃には黄河流域で殷（いん）が勢力を広げ、周辺の国々を統一した。王は城壁に囲まれた都市を築き、占いによる政治や祭り（祭政一致）を行った。青銅器・土器などを使用し、文字は甲骨（こうこつ）文字を用いた。代表的な遺跡は殷墟（いんきょ）。

◆オリエントの統一

　メソポタミアを統一したアッシリアが、紀元前667年にエジプトに侵入してこれを征服した。このことによって、メソポタミアからエジプトにかけてのオリエント世界を最初に統一した「アッシリア帝国」となったが、同612年に帝国

は滅亡し分裂する。同550年、ペルシア人のアケメネス家、キュロス2世の時に、それまで服属していたメディア王国を滅ぼして独立した後は急速に勢力を伸ばし、同538年には新バビロニアを滅ぼした。さらに、次のカンビュセス2世の同525年にはエジプトを征服し、同6世紀末のダレイオス1世の時には、全オリエントを支配する大帝国を建設した。

◆古代ギリシア

ギリシアには肥沃な平地が少ないため、都市国家（ポリス）は発達したが、巨大な統一国家は成立しなかった。当初は王政が行われていたが、貴族政に移行し、平民による民主政治が早くから行われた。また、個人意識から出発した哲学も発展し、キリスト教とともに西洋思想の二大潮流となっていく。だが、そのギリシアもペルシア戦争の後は、都市国家同士の抗争によって政治的には混乱し、マケドニアから出たアレクサンドロス大王によってギリシア世界は統一されていく（マケドニア帝国）。

◎古代ギリシア（アテネ）の主な出来事

年 B.C.	出来事
594年頃	ソロンの改革（貴族と平民の対立を調停するための改革）
561年頃	ペイシストラトスが僭主政治を確立する
508年頃	クレイステネスの改革により民主政を完成（僭主の出現を防止するため、陶片追放の制度を創設）
500年	ペルシア戦争（～449年）
478年	アテネを盟主とするデロス同盟結成
443～429年	アテネの全盛（ペリクレス時代）
431年	ペロポネソス戦争（～404年）アテネとスパルタの戦いはアテネの降伏で終わった

用語　**ペロポネソス同盟：** 紀元前6世紀末にスパルタ王クレオメネス1世によって結成された、スパルタを盟主とするペロポネソス半島の諸ポリスからなる同盟。ペロポネソス同盟とアテネを盟主として結ばれたデロス同盟の対立は、やがてペロポネソス戦争へと発展した。

◆古代ローマ

ローマも当初はギリシアと同じく都市国家から出発して、早くから共和政をとった。

ローマと植民地カルタゴの3回に及ぶポエニ戦争を契機として、長期にわたる従軍から中小農民層の没落が始まった。さらに、属州で奴隷を使用する大土地所有経営（ラティフンディア）が発展すると、安価な農産物がイタリア半島に流入するようになって、中小農民層の没落に拍車をかけることになった。

このように、共和政の中心となっていた中小農民は没落し、それに代わって寡頭政治が行われ、やがて帝政に移行していく。

+アルファ　**ローマの大土地経営**
ローマの大土地所有経営を意味するラティフンディアは、征服地から連れてきた征服民を奴隷として働かせ、奴隷の労働力により経営を行った。

しかし、紀元前27年から後180年のおよそ200年間は、地中海世界に大きな戦争がないローマの平和（パクス・ロマーナ）が実現した。

征服地からの奴隷が供給できなくなると、労働力の不足から、大土地所有経営が困難になった。そこで、大土地所有者である富裕層は、土地を失い没落した農民などを小作人（コロヌス）として使用する大土地所有経営（コロナトゥス）へと移行していった。

◎古代ローマの主な出来事

年	出来事
B.C.	
509 年頃	王政廃止、共和政樹立
494 年	聖山事件（平民が蜂起し、護民官が置かれる）
450 年頃	十二表法の成立（最初の成文法）
367 年	リキニウス・セクスティウス法（執政官のうち1人を平民から選ぶなど）
287 年	ホルテンシウス法（平民会の議決が元老院の承認なく法律となる）
272 年	イタリア半島統一
264 年	第一次ポエニ戦争（〜 241 年）、第二次（218 〜 201 年）、第三次（149 〜 146 年）
146 年	マケドニアが、ローマの属州となる
133 〜 121 年	グラックス兄弟の改革（ラティフンディアの発展をとめてローマ共和政の維持を図ろうとした）。以降、内乱の1世紀に入る
73 〜 71 年	スパルタクスの反乱
60 年	第1回三頭政治（ポンペイウス、カエサル、クラッスス）
44 年	カエサルが暗殺される
43 年	第2回三頭政治（アントニウス、オクタウィアヌス、レピドゥス）
31 年	アクティウムの海戦で、オクタウィアヌスがアントニウスとクレオパトラ連合軍を破る
27 年	オクタウィアヌスがアウグストゥス（尊厳者）の称号を受ける（元首政（プリンキパトゥス）＝事実上の帝政開始）
A.D.	
96 〜 180 年	五賢帝時代（ネルウァ、トラヤヌス、ハドリアヌス、アントニヌス・ピウス、マルクス・アウレリウス・アントニヌス）トラヤヌス帝のときローマ帝国最大領土

年	出来事
212 年	アントニヌス勅令（帝国内の全自由民にローマ市民権を与える）
235 〜 284 年	軍人皇帝時代
284 年	ディオクレティアヌス帝のとき元首政から専制君主政に移行
313 年	コンスタンティヌス帝のミラノ勅令（キリスト教徒にも信教の自由を認める）
375 年	ゲルマン民族の大移動が始まる
392 年	テオドシウス帝がキリスト教を国教化する
395 年	テオドシウス帝死去、ローマ帝国の東西分裂
410 年	西ゴート王アラリックのローマ占領
452 年	フン族の王アッティラのイタリア侵入
455 年	ヴァンダル族のローマ占領
476 年	西ローマ帝国の滅亡

出題パターン

ローマ共和政に関する記述として、最も妥当なのはどれか。
(1) 紀元前 287 年にリキニウス・セクスティウス法が制定され、平民会での決議は元老院の承認がなくても国法とされることになった。
(2) ラティフンディアとは、征服活動で獲得した公有地を中小農民に与える制度のことである。
(3) 紀元前 133 年に護民官になったブルートゥスは、大土地所有の制限、ローマ市民軍の再建などの改革を行おうとしたが、元老院と対立して暗殺された。
(4) 紀元前 73 年にスパルタクスが指導した反乱は多くの奴隷が合流して大勢力となり、各地でローマ軍を破ったがポンペイウスらに鎮圧された。
(5) 軍人政治家のユリウス・カエサルは、紀元前 31 年に暗殺された。

答 (4)

人文科学：世界史

重要度 ★★☆

レッスン02

世界史　中世〜近世

西ローマ帝国の滅亡から、ルネサンスが始まるまでの時代（中世）と、ルネサンスから大航海時代、宗教改革へと展開していく時代（近世）について学習する。

◆中世ヨーロッパの封建社会

西ローマ帝国の滅亡から、ルネサンスが始まるまでの時代を中世という。

西ヨーロッパの封建社会は、領主が農奴と呼ばれる農民を支配する荘園制度で成り立っていた。カトリック教会も、荘園領主であり、国王や諸侯などの封建領主とのつながりを深めていった。

＋アルファ　農奴は荘園内の村落に縛り付けられ、生産物地代（貢租）を負担する他に、領主に対して結婚税や死亡税など様々な負担があり、領主裁判権に服することを強いられた。

◆イスラーム世界の拡大

8世紀、ムハンマドを開祖とするイスラーム教の勢力は勢いを増し、アラブ帝国を経てイスラーム帝国を築いた。首都のバグダッドは、唐の都長安と並ぶ国際的な都市として繁栄を極めた。

イスラーム文化は、アラベスクと呼ばれる幾何学的文様を反復して作られた壁面装飾やモスクの建築様式、さらに諸科学においても目覚ましい発展を遂げ、その成果がヨーロッパに伝えられた。

ワン・ポイント　アラブ帝国からイスラーム帝国へ

ウマイヤ家のムアーウィヤが開いたウマイヤ朝（661〜750年）は、イスラーム史上最初の世襲王朝であった。しかし、ウマイヤ朝はアラブ人優遇政策をとっていたので、非アラブ系のムスリムの不満

が募っていった。こうした状況を利用し、メッカのハーシム家のアッバースがウマイヤ朝を倒して新たにアッバース朝（750〜1258年）を開き、アラブ人の優遇政策を廃止し、ムスリム間の平等を実現した。ここにおいて、アラブ帝国からイスラーム帝国への転換が図られた。

◆十字軍の遠征

勢いを増すイスラーム勢力のセルジューク朝の侵攻にさらされていたビザンツ帝国（東ローマ帝国）の皇帝アレクシオス1世は、ローマ教皇ウルバヌス2世に援軍を求めた。ウルバヌス2世は、クレルモン宗教会議で、各国の王や諸侯に聖地エルサレムの奪還を大義名分とし、十字軍の派遣を呼びかけた。

第1回十字軍の遠征は1096年に行われ、以降、200年間に7回派遣された。その間、返還された時期はあったが最終的に聖地奪還は果たされなかった。

この結果、ローマ教皇の権威は失墜したが、地中海貿易が活発となり、イスラーム世界から様々な文物がもたらされた。

◎中世の主な出来事

年	出来事
610年頃	イスラーム教が起こる
661年	ウマイヤ朝が始まる
726年	ビザンツ帝国レオン3世の聖像崇拝禁止令が出され、布教の観点からローマ教皇が反発

75

750 年	アッバース朝が始まる
756 年	ピピンの寄進（フランク王国国王ピピンがローマ教皇に領地を寄進する）
800 年	カールの戴冠（たいかん）（フランク王国国王カールが、ローマ帝国皇帝になる）
962 年	神聖ローマ帝国の成立
1054 年	東西教会の分裂（カトリック教会（西方教会）と東方の正教会が相互に破門した）
1077 年	カノッサの屈辱
1096 年	十字軍の遠征が始まる
1187 年	アイユーブ朝のサラーフ・アッディーンがエルサレムを奪回
1241 年	ワールシュタットの戦いモンゴル帝国遠征軍（バトゥ）とポーランド・ドイツ連合軍の戦い
1453 年	ビザンツ帝国の滅亡（オスマン帝国により滅ぼされた）

用 語 **カノッサの屈辱：** ローマ教皇により破門され、窮地に陥った神聖ローマ皇帝ハインリヒ 4 世が、カノッサ城で教皇に謝罪し、ローマ教皇に屈服した事件。

◆近世

中世が諸侯や騎士の力が強く分権的な封建制度であったのに対し、近世は国王に権力が集中した封建制度であった（絶対王政）。絶対王政の下では、官僚制と常備軍の形成が進み、それらを維持する財源を得るため、重商主義の経済政策がとられた。15 〜 16 世紀にかけてのポルトガルとスペイン、15 世紀末〜 16 世紀のテューダー朝のイギリス、17 〜 18 世紀のブルボン朝のフランスなどがそれにあたる。

◆ルネサンス

中世ヨーロッパの文化は、カトリック教会の強い影響下にあったが、十字軍によってビザンツ帝国やイスラーム世界との交流が進むと、古代ギリシアやローマの文化が再びヨーロッパに伝えられ、これを再生させようという動きが始まった。

まず地中海貿易で繁栄した、14 世紀のイタリアの諸都市でこの運動が始まり、それが中央ヨーロッパや北欧にまで及んだ（15 〜 16 世紀）。これをルネサンスという。数多くの芸術家が、型にはめられた表現から離れ、創造力を発揮した絵画や彫刻、建築、文学などの作品を生み出した。

◎ルネサンス期の文化

建 築	ブラマンテ（サン・ピエトロ大聖堂）
文 学	ダンテ『神曲』、ペトラルカ『叙情詩集』、ボッカチオ『デカメロン』、エラスムス『愚神礼讃（ぐしんらいさん）』、モンテーニュ『随想録』、セルバンテス『ドン・キホーテ』、チョーサー『カンタベリ物語』、トマス・モア『ユートピア』、シェイクスピア『ヴェニスの商人』『ハムレット』
彫 刻	ミケランジェロ「ダヴィデ」「モーセ」
絵 画	レオナルド・ダ・ヴィンチ「モナ・リザ」「最後の晩餐」、ラファエロ「アテネの学堂」「聖母画」、ミケランジェロ「天地創造」「最後の審判」

◆大航海時代

ヨーロッパの人々は、食物の味覚と保存の効果から香辛料を求めていたが、イスラーム商人から手に入れる香辛料は値段が高く、なかなか手に入りにくい状態にあった。羅針盤が実用段階に達したことから、すでに国内の統一を完了していたスペインとポルトガルが冒険家を雇い、船団を組んで海路、アジアまでの道を見つけ、香辛料を直接入手しようとした。その成果により、ポルトガルはアジアとの香辛料貿易、スペインはアメリカ大陸での銀の採掘で巨大な富を築いた。

◎大航海時代の冒険家

ヴァスコ・ダ・ガマ	ポルトガルの支援を受けて、1497年にリスボンを出航し、翌年アフリカ南端の喜望峰を回ってインドのカリカット（現コージコード）に到達した
コロンブス	スペインの支援を受けて、1492年にパロスを出航、西進し、バハマ諸島の一角グアナハニ島に到達した。コロンブス一行は同島に上陸して、サン・サルバドル島（スペイン語で"聖なる救世主"）と名付けた。その後、キューバなどカリブ海の島々を探検して、翌年、帰路についた
マゼラン	スペインの支援を受けて、1519年にセビリアを出航し、大西洋を横断して南米大陸ブラジルの海岸沿いに南下しながら、大西洋から太平洋に抜けるマゼラン海峡を発見した。太平洋に乗りだした後は一路西進して、1521年、フィリピンに到達した

◆宗教改革

　1517年、ドイツのルターは、カトリック教会の免罪符販売を批判して、宗教改革の口火を切り、新しい宗派を結成した。このルターらの宗教改革を支持してカトリック教会から離れたキリスト教徒は、プロテスタント（抗議する者）と呼ばれた。

　一方、スイスでも、フランスから来たカルヴァンが宗教改革を起こした。カルヴァンの宗教改革では、職業や労働を信仰の一部としてとらえ、労働の成果として富を蓄えることは正当化された。そのため、商工業者にカルヴァンの改革は受け入れられ、商工業の影響力が強いオランダやフランスなどで広まった。これらカトリック教会から離れたキリスト教を新教と呼んでいる。

　一方、カトリック教会内でも改革が進み、新教に対抗するためにイエズス会な

どが結成された（反宗教改革）。イエズス会は、新航路の発見により開かれたアジアやアメリカなど海外にも積極的に布教した。

◎近世の主な出来事

年	出来事
14世紀	イタリアでルネサンスが始まる
15〜16世紀	ポルトガル・スペインの絶対王政確立期
15〜16世紀	イギリスの絶対王政確立期
1492年	コロンブスの第1回航海
1498年	ヴァスコ・ダ・ガマのインド航路発見
1517年	ルターの宗教改革が始まる
1522年	マゼラン艦隊の世界周航達成
1536年	カルヴァンの宗教改革が始まる

 出題パターン

　ルネサンス期に関する記述として、最も妥当なのはどれか。
(1) フランス語で「革新」という意味を持つルネサンスは、長年停滞していた宗教芸術を脱する新しい波をもたらした。
(2) ルネサンスの起こりは、それまで各地で独立していた諸国が統一されイタリア王国となったことで始まった。
(3) フィレンツェでは、金融財閥のフッガー家が芸術家や学者を保護したため、いち早くルネサンスが栄えた。
(4) イタリア人のグーテンベルクが活版印刷術を改良・実用化したことで、印刷本が登場して、新しい思想の普及に貢献した。
(5) イタリアで展開したルネサンス文芸の影響を受けて、イギリスでチョーサーが『カンタベリ物語』を著した。

答（5）

レッスン 03 世界史 近現代

市民革命期から第一次世界大戦の終結までの時代（近代）と、第一次世界大戦終結以降から冷戦終結までの時代（現代）について学習する。

◆近代の世界

近世に登場した絶対王政は、国民国家の基礎を築いてきた。その正当性を根拠づけるために、王権神授説を唱えてきた。しかし、新たに台頭してきた市民階級（商工業者層）が絶対王政を打倒する市民革命を起こし、自らの政府を樹立した。その際、自らの政府を正当化するために用いたのが社会契約説である。

一方、イギリスで手工業から工場制機械工業への技術革新が起きると、欧米諸国に波及し、産業革命と呼ばれる、経済・社会構造上の大変革が起きた。

◆近代の市民革命

近世に登場した絶対王政は、強大な軍備と官僚制の下で、国民を一元的に直接統治する政治体制をとるとともに、大商人と結合して産業を振興し、貿易を盛んにして国を富まし、国民国家の基礎を築いてきた。その正当性を根拠づけるために、王権は絶対者である神から王に与えられたものとする、王権神授説が唱えられた。

しかし、新たに台頭してきた市民階級（商工業者層）にとって、自由の保障の裏づけのない経済活動は、いつでも王権により制限・剥奪（はくだつ）の危険にさらされていた。そこで、絶対王政を打倒して、市民階級の政府を樹立する必要性から、市民革命が起きたのである。王権神授説を克服する、社会契約説が市民階級から支持されたのも、自らの政府を正当化するためである。

◆イギリスの市民革命

イギリスにおける市民革命は、次の2つの段階で行われた。

(1) 清教徒（ピューリタン）革命（1642〜1649年）

国王のチャールズ1世が、議会を無視して、専制政治を行うようになると、議会はこれに反発し、1642年、王党派と議会派に分かれて争う内戦状態に入った。クロムウェルの率いる議会派は、各地で王党派を破り、ついには国王を処刑して、共和国を樹立。しかし、クロムウェルの政治は、独裁的だとする民衆の不満が起きる。そのため、彼の死後、王権が権力を取り戻し、王政が復活した（王政復古）。

(2) 名誉革命（1688年）

復活をとげた王政であったが、議会を尊重しない国王ジェームズ2世に対して、1688年、議会は国王を追放して、オランダからウィレムとメアリを迎え、翌年2人は議会が提出した「権利の宣言」を承認して国王に即位し、「権利の章典」を制定した。

このイギリス議会による一連の革命を、流血を見ずに達成されたことから、名誉革命と呼ぶことになった。これによって、「国王は君臨すれども統治せず」という言葉にあるように、統治権は議会を通じて国民が行使するという政治体制が整い、イギリスの議会政治は強固なものとなっていく。

◆アメリカ独立革命（1775 〜 1783 年）

　1773 年のボストン茶会事件をきっかけに、イギリス本国議会のアメリカ植民地に対する課税が、いっそう強化された。これに対し、植民地側は本国議会に議席がないことから「代表なくして課税なし」と訴えて、1775 年に武力衝突を起こすと、1776 年に独立宣言を発表し、フランスなどの支援を得てイギリス軍を破った。そして、1783 年のパリ条約で、イギリスからの独立が承認された。

◆フランス革命（1789 〜 1799 年）

　1789 年、国王ルイ 16 世の絶対王政末期の失政に抗議する市民階級と一部の貴族に一般民衆が加わって、バスティーユ牢獄襲撃に始まった革命は、封建的特権の廃止を宣言する同年の人権宣言の発表へと発展した。1791 年には憲法が制定され、王政は廃止、1793 年に逃亡を図ったルイ 16 世は処刑された。その後、革命勢力内部の対立から恐怖政治が始まり、テルミドールの反動（1794 年 7 月 27 日）でロベスピエールらが失脚するまで続いた。1795 年、政治の安定を求めて総裁政府が樹立された後、1799 年、ナポレオンのクーデターによって総裁政府が倒れることによって、ようやく革命に終止符が打たれた。

◆産業革命

　手工業から工場制機械工業への技術革新が起きると、資本主義の発展とともに、経済・社会構造上の大変革が起きた。

（1）イギリスの発展

　イギリスでは、18 世紀中頃からワットが改良した蒸気機関が紡績・力織機の動力として実用化され、綿製品の需要の高まりとともに、木綿工業が飛躍的に発展した。さらに、産業革命の波は、製鉄業などにも広がり、19 世紀の中頃には、イギリスは「世界の工場」と呼ばれるようになった。

　しかし一方で、産業革命の果実を受け取れる資本家と、生産資本を持たない労働者との対立は深刻化し、労働者の過酷な労働環境、失業と貧困が社会問題となっていた。

(2) アメリカの発展

19世紀中頃から20世紀初頭にかけて、重工業を中心にアメリカが著しく発展し、19世紀末には「世界の工場」であったイギリスを追いぬいた。

そのきっかけとなったのが、南北戦争（1861〜1865年）であった。重工業化のための保護貿易を主張する北部と自由貿易を主張する南部は、労働力の確保をめぐり奴隷制を存続するかどうかで、激しく対立した。

1860年に北部を代表するリンカンが大統領に選出されると、南部諸州は連邦からの離脱を表明し、両者の間で戦争が始まった。

当初は劣勢であった北部側であったが、1863年にリンカンによって奴隷解放宣言が出されると、攻勢に転じ、南軍の降伏で終結した。この結果、奴隷制度は廃止され、国内統一を終えた後は、工業化へと邁進（まいしん）することになった。

◆欧米諸国のアジア・アフリカ地域の植民地化

イギリスに続いて、フランス・ドイツ・アメリカなどでも産業革命が始まると、各国は原料の確保と製品の販売先を求めて、続々とアジア・アフリカ地域の植民地化に乗り出した。このように植民地化を推し進めた国を列強と呼び、列強が軍事力を背景に植民地支配を進める動きを帝国主義と呼んでいる。

ワン・ポイント アフリカでは列強が互いの勢力圏を確定するために、緯線と経線で区切った領土分割が行われた。これは、現地の住民の言語や生活を無視したものだったので、第二次世界大戦後のアフリカ諸国独立後も、各国が部族問題を抱え込む要因となっている。

◆19世紀末から第一次世界大戦終結までの世界

ドイツは1882年、イタリア・オーストリアと三国同盟を締結し、植民地の再分割を求め、軍備を拡張してイギリスに対抗しようとした。イギリスもドイツに対抗して1904年の英仏協商、1907年の英露協商などを結び、フランス・ロシアとの三国協商が成立した。バルカン半島では、ロシアを後ろ盾とするスラブ民族と、ドイツ・オーストリアを後ろ盾とするゲルマン民族の国々が対立する中、1914年、サライェヴォ事件をきっかけに世界大戦が始まった。長期戦の結果、ドイツで革命が起き、ドイツが連合国に降伏を申し入れて大戦は終結した。

◎近代の出来事

年	出来事
1642年	清教徒革命が始まる（英）
1688年	名誉革命が起きる（英）
1689年	権利の章典が制定される（英）
1775年	独立革命が始まる（米）
1776年	独立宣言が出される（米）
1789年	フランス革命が始まり、人権宣言が出される（仏）
1840年	アヘン戦争が始まる（英清間）
1842年	清が敗北し、南京（なんきん）条約が締結される
1857年	東インド会社の傭兵（ようへい）シパーヒーの反乱をきっかけにインド大反乱が起こる
1858年	ムガル帝国が滅亡し、インドがイギリスの直接統治下に入る
1861年	南北戦争が始まる（米）
1863年	リンカンの奴隷解放宣言が出される（米）
1882年	三国同盟の締結（独墺伊）

1907 年	三国協商の成立（英仏露）
1914 年	サライェヴォ事件が起こり、第一次世界大戦が始まる
1917 年	ロシア革命が起きる
1918 年	第一次世界大戦の終結

用語 **独墺伊（ドイツ・オーストリア・イタリア）三国同盟：** 1870 年に起こった普仏戦争でフランスに勝利したドイツが、フランスによる復讐を阻止し、フランスを孤立させるために 1882 年に結んだ同盟。しかし、オーストリアとの領土問題によって、1915 年にイタリアが離脱し、崩壊した。

◆国際連盟の発足とファシズムの台頭

　第一次世界大戦による惨禍を経験した国際社会は、戦争の防止のためにアメリカ大統領ウィルソンの平和原則 14 か条の提言に基づいて国際連盟を発足（1920年）させた。しかし、国際連盟には機構上の問題点があった。

　1929 年、ニューヨークの株価暴落から世界恐慌が始まり、主要国がいわゆるブロック経済をとるようになった。資源のないドイツやイタリアなどは国内経済が行き詰まり、民主政治を否定するファシズムが台頭して、侵略戦争を引き起こし、再び世界大戦を迎えることになった。

ワン・ポイント 国際連盟は、①アメリカが不参加だった、②理事会と総会の決定が全会一致制だった、③経済制裁以外の有効な手段がなかった、などから平和維持の機能を果たすことができなかった。

用語 **ニューディール政策：** 世界恐慌を脱するために、1933 年、アメリカ大統領に就任したフランクリン・ローズヴェルトは、ニューディールと呼ばれる一連の社会・経済政策を実施した。政府が経済活動に積極的に介入して、全国産業復興法・農業調整法・社会保障法などを制定した。また、失業者の救済と地域総合開発を目的として、テネシー渓谷開発公社（TVA）を発足させた。

ブロック経済： 1930 年代の世界恐慌の際、イギリスやフランスなど植民地を有している国は、自国とその勢力圏内にある地域を、高い関税で取り囲み、他国からの安い輸入品が入ってこないように、排他的な経済圏を形成した。

◆第二次世界大戦の勃発

　1939 年、ドイツはソ連と不可侵条約を結んで、ポーランドへ侵攻し、世界大戦が始まった。ドイツは、1940 年までにヨーロッパの大半を占領し、日独伊三国同盟を締結して、枢軸国側の態勢を整えた。1941 年になると、ドイツは不可侵条約を結んでいたソ連に攻めこみ、戦争は拡大していった。

　一方、日本は中国との戦争を継続しながら、さらにフランス領インドシナ南部を占領したため、アメリカ・イギリス・オランダとも対立を深めていった。日本はアメリカとの関係を打開しようと試みて失敗し、1941 年、ついにイギリスとアメリカを中心とした連合国側との戦争に踏み切った。

◎第二次世界大戦の対立関係

連合国	枢軸国
アメリカ イギリス フランス 中国 ソ連 オーストラリア カナダ オランダ ニュージーランド その他多数	日本 ドイツ イタリア ブルガリア ハンガリー フィンランド ルーマニア タイ

◆冷戦時代

　第二次世界大戦は、連合国側が枢軸国側を破って、終結させた。そこで、大戦を阻止するのに無力であった国際連盟に代わる平和機構である国際連合を発足させて、世界平和の維持を図るようになった。しかし、この大戦を終結した二大強国であるアメリカとソ連は、異なる社会体制（資本主義と社会主義）の国であったため、すでに大戦終結直後から戦後の互いの勢力分布をにらみながら、戦後処理を進めていくことになり、ドイツと朝鮮半島は分断され、それぞれの陣営に所属することになった。

　このように、双方の陣営がにらみあった状態が続くことを冷戦と呼ぶ。途中、世界大戦の危機をはらみながらも（朝鮮戦争やキューバ危機など）平和共存の道を探って大戦を回避してきた。その間、アジア・アフリカの国々は、続々と独立し、米ソどちらの陣営にも属さない第三世界を形成していった。

◆冷戦終結

　その後、テクノロジーの進歩と社会主義経済の停滞によって、軍事的・経済的に資本主義陣営に大きく傾くようになると、社会主義陣営は次々と市場経済への移行と言論の自由の保障に踏み切るようになった。1989年の東欧革命とマルタ会談以降、冷戦は終結して、東西ドイツの再統一、ソ連の崩壊へと進展し、世界は新たな秩序の構築を模索する時代へと移行するようになった。

◎現代の主な出来事

年	出来事
1919年	パリ講和会議、ヴェルサイユ条約の締結
1920年	国際連盟の発足
1929年	世界恐慌が始まる
1939年	第二次世界大戦が始まる
1940年	日独伊三国同盟の締結
1945年	ヤルタ会談 第二次世界大戦終結 国際連合の発足
1950年	朝鮮戦争が始まる
1955年	アジア・アフリカ会議の開催
1962年	キューバ危機が起きる
1989年	東欧革命、マルタ会談

◆現代の世界

　国際連盟の発足は、人類史上初の国際平和機構であったが、世界恐慌後のファシズムの台頭によって、第二次世界大戦の勃発を防ぐことができなかった。

　第二次世界大戦後は国際連合が発足したが、米ソを中心とした冷戦の時代を経て、冷戦終結後の新たな国際秩序を模索している。

出題パターン

　1929年に始まった世界恐慌のなか、政府の統制のもとで企業に生産や価格の規制を行わせて産業の復興を促す全国産業復興法を制定し、農業調整法で農業生産を調整し、農産物の価格を引き上げて農民の生活を安定させるなど、ニューディールと呼ばれる経済復興政策を実施したアメリカ大統領として、最も妥当なのはどれか。

(1) リチャード・ニクソン
(2) ハーバード・フーヴァー
(3) ハリー・S・トルーマン
(4) ドワイト・D・アイゼンハワー
(5) フランクリン・ローズヴェルト

答 (5)

レッスン 04 世界史　中国史

中国の歴代王朝の特徴と、辛亥革命以降の中国の近現代史について学習する。

◆**中国史の概観**

　中国で王朝が交代していくのは、王朝が農民に課する過酷な労役と、それに反抗する大規模な農民の反乱に要因がある。その反乱の中から指導者が生まれ、有力な私兵集団を率いた者、あるいは侵入した異民族の中で有力な集団を率いた者が勝ち上がって、国内を統一していく。

　中国一国にとどまらず、その影響は周辺の東アジア地域にも及んでいった。

◎**中国の歴代王朝**

王朝（年代）	出来事
殷 （紀元前 1600 ～ 1050 年頃）	考古学的に実在が確認できる中国最古の王朝。占いに基づく神権政治が行われ、甲骨文字が使用されていた
周 （紀元前 1100 ～ 771 年）	殷を滅ぼして成立した王朝。殷の神権政治から諸侯を各地に封じる封建制をとった
春秋・戦国時代 （紀元前 770 ～ 221 年）	周の東遷から、紀元前 221 年、秦の統一までの約 5 世紀半の間の時代。晋が韓・魏・趙に 3 分したときを境に、前半を春秋時代、後半を戦国時代と分ける。孔子や老子などの思想家を輩出した時代でもある
秦 （紀元前 221～ 206 年）	始皇帝が中国を統一。その後、度量衡、文字の統一、郡県制の実施など、様々な改革を行った。また、匈奴などの北方騎馬民族への対処として、長城を整備し、万里の長城を建設したが、大土木事業の多大な負担に農民の不満が爆発して起こされた陳勝・呉広の乱以降、群雄が割拠していく中で滅亡
前漢 （紀元前 202 ～紀元後 8 年）	秦の後を継いだ王朝。秦代の反省から、直轄領には郡県を置くとともに、功臣を諸侯として各国に封じ、封建制を併用した（郡国制）。外戚の王莽によって滅ぼされた
新 （8 ～ 23 年）	王莽の建てた王朝。周の政治を理想としたが、現実と合わない政策により社会が混乱
後漢（25 ～ 220 年）	漢王朝を劉秀（光武帝）が再興した。黄巾の乱をきっかけに滅亡
三国（220 ～ 280 年）	後漢滅亡後、三国（魏・蜀・呉）が鼎立した時代
晋 （西晋、東晋）（265 ～ 420 年）	魏から出た晋が再統一を果たしたが、異民族の侵入を受けて、再び分裂した
南北朝の時代 （420 ～ 589 年）	この時期、華南には宋・斉・梁・陳の 4 つの王朝が興亡し、三国時代の呉・東晋と合わせて六朝時代とも呼ぶ。陶淵明や王羲之などが代表する貴族文化が栄え、六朝文化と呼ばれている

隋 (581 ～ 618 年)	北周から出た隋が再統一を果たしたが、運河建設や度重なる軍事遠征の負担に耐えられなくなった農民の反乱をきっかけに滅亡。この時代、官吏の任用制度を九品中正制度から科挙（科目による選挙）に改めた
唐 (618 ～ 907 年)	隋の滅亡後、律令国家の体制を完成。李白や杜甫などの詩人を輩出した。しかし、政治が乱れ、安史の乱に見られる節度使の反乱が各地で起こり、ついには節度使である朱全忠によって滅ぼされた
五代十国（907 ～ 960 年）	各地の節度使が相争った時代である
宋 (北宋 960 ～ 1127 年、 南宋 1127 ～ 1279 年)	節度使の争いに終止符を打って、再統一を果たした。官僚制を整備して文治政治を行ったが、異民族による度重なる侵攻を受け、モンゴル帝国に滅ぼされた
元 (1271 ～ 1368 年)	モンゴル帝国による王朝。モンゴル帝国の、異民族を統治するシステムをそのまま採用したため、漢民族の不満が爆発して、紅巾の乱が起こり、元はモンゴル高原に帰っていった
明 (1368 ～ 1644 年)	漢民族が打ち立てた王朝。初期の頃には、積極的に対外遠征を推し進めたが、北方からの異民族の侵入と倭寇に苦しむようになった（北虜南倭）。その備えのために農民に重税が課せられると、各地で反乱が発生し、李自成により滅亡
清 (1636 ～ 1912 年)	明の滅亡後、満州族の清朝が中国を統一。初期には国力が充実していたが、アヘン戦争から太平天国の乱、日清戦争を経て弱体化。欧米列強によって分割され、辛亥革命が起こり、滅亡

 ワン・ポイント　宋の時代、試験により高級官吏を登用する科挙の制度が完成した。科挙自体は、隋の時代からあったが、最終段階の試験として、皇帝が作問し、皇帝の面前で試験を行う殿試を設け、文治政治の徹底を図った。

◆中国の近現代

(1) 中華民国（1912 ～ 1949 年）

1912 年、孫文は南京で中華民国の成立を宣言するとともに、初代臨時大総統に就任した。しかし、国内の各地には軍閥と呼ばれる私兵集団が存在し、国民党と共産党との勢力争いもあり、統一は容易ではなかった。そこで、国民党と共産党の間で 1924 年に第一次国共合作が成立すると、蔣介石率いる国民政府は、北伐を開始した。だが、国共内戦が起こると、国内は混乱した。

そのような状況の中で、日本が満州事変から満州国を成立させ、さらに大陸への侵攻を進めていくと、抗日統一戦線を組む必要性から中華民国政府（国民党）は共産党との内戦を中止して、連携協力関係を組むことになった（1937 年の第二次国共合作）。日本の降伏後、再び内戦が起きると、共産党が勝利して、国民党は台湾に撤退した。

用語　**西安事件**：1936 年、延安の紅軍と対峙する西安の国民党軍を督励に来た蔣介石が、張学良と楊虎城によって監禁された事件。この事態に際して、共産党の周恩来が西安に入り、蔣介石との間に合意ができて、蔣介石は解放された。翌年、日中戦争が勃発すると、第二次国共合作が成立する。

(2) 中華人民共和国（1949 ～現在）

国共内戦に勝利した共産党の毛沢東は、天安門で中華人民共和国の建国を宣言した。毛沢東時代には社会主義化政策

を進めていたが、**文化大革命**により国内は混乱した。その後、鄧小平時代になると、経済開放政策をとり、以降、近代化を進める路線へと転換した。

◎**中国の近現代の主な出来事**

年	出来事
1911 年	辛亥革命が起きる
1912 年	中華民国が成立し、孫文が臨時大総統に就任 宣統帝が退位し、清朝滅亡、袁世凱が第二代臨時大総統に就任
1915 年	日本が袁世凱政権に対華 21 か条の要求を出す
1919 年	五・四運動が起きる 孫文が中国国民党を結成
1921 年	陳独秀、毛沢東らが中国共産党を結成
1926 年	蔣介石率いる国民政府が北伐を開始
1927 年	上海クーデターにより国共合作を解消、国共内戦
1928 年	国民政府軍が北京に入城し、北伐完了を宣言
1931 年	柳条湖事件をきっかけに満州事変が起きる 中国共産党が瑞金で中華ソビエト共和国の成立を宣言
1936 年	西安事件が起きる
1937 年	盧溝橋事件をきっかけに、日中戦争が始まる 第二次国共合作、国民政府が重慶に遷都 日本軍が南京を攻略
1940 年	汪兆銘政権の成立
1945 年	対日戦が終結
1946 年	国共内戦
1949 年	蔣介石が台湾へ逃れる 毛沢東共産党主席が北京で中華人民共和国成立を宣言
1950 年	朝鮮戦争に参戦
1958 年	大躍進政策を開始
1959 年	大躍進政策が失敗し、劉少奇が国家主席に就任
1966 年	文化大革命が始まり、劉少奇主席・鄧小平らが失脚
1971 年	中華民国に代わり、中華人民共和国が国連常任理事国となる
1972 年	ニクソン訪中、日中国交正常化
1976 年	毛沢東死去、文化大革命が終結
1978 年	鄧小平が最高実力者となる 改革・開放を推進
1979 年	米中国交正常化、中越戦争
1989 年	天安門事件が起きる、江沢民が中国共産党総書記に就任
1997 年	香港返還
1999 年	マカオ返還
2002 年	胡錦濤が中国共産党総書記に就任
2012 年	習近平が中国共産党総書記に就任

04

世界史　中国史

出題パターン

　宋（北宋）代の政治に関する記述として、最も妥当なのはどれか。

(1) 後周の将軍・朱全忠は 960 年に帝位につき、宋（北宋）を建国し、開封に都をおいた。
(2) 宋は地方で権力を握っていた節度使から実権を奪い、皇帝を中心とした武断政治を行った。
(3) 宋は科挙によって官吏を登用したが、試験の最終段階では皇帝自らが殿試と呼ばれる試験を行った。
(4) 宋代には佃戸と呼ばれる新興地主が、五代十国時代に没落した貴族に代わって勢力をのばした。
(5) 宋では王安石が地主や大商人の保護、富国強兵をすすめる新法と呼ばれる改革を行ったが、司馬光らの反対にあった。

答 (3)

重要度
★★★

レッスン 01 世界の自然環境

世界の自然環境の中から、特に地形・気候・土壌について学習する。

◆地球内部のつくり

地球内部は、地殻・マントル・核で成り立っている。

- **地殻**…地球の表層部。大陸地域で平均30〜40km、海洋地域では平均5〜10kmとされる。
- **マントル**…地球内部の地殻と核との間の層。マントルと地殻の境界は、発見者の名からモホロビチッチ不連続面と呼ばれている。
- **核**…地球の中心から半径3500kmにある中心体。液体の外核と固体の内核からなると考えられている。

◎地球の内部

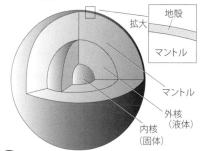

地殻
拡大
マントル
マントル
外核（液体）
内核（固体）

ワン・ポイント 地球の表面を覆う厚さ100kmほどの十数枚の岩盤で、地殻とマントルの最上部を合わせたものをプレートといい、大陸プレートと海洋プレートがある。プレートの境界では、プレートの衝突、沈み込み、押し合いなどによる岩盤の摩擦や破壊が繰り返されており、その境界で生じた力がプレート内部に伝わり、岩盤をずらして破壊し、地震を生じさせると考えられている。

◆大地形の形成

大地形とは、地殻変動によって形成された地球表面の大規模な地形を指す。

（1）地溝

ほぼ平行に走る2つの断層間の、溝状に落ち込んだ細長い土地。アフリカの大地溝帯、ドイツのライン地溝帯が大規模な例。逆に、隆起した土地は地塁と呼ばれる。

（2）造山帯

造山活動（地殻変動や火山の噴火）の時期より、3通りの地形のでき方となる。

①安定陸塊

先カンブリア時代の造山運動を経て、それ以後は激しい地殻変動を受けることなく、安定している地域。基礎となる先カンブリア時代の岩石が露出している広く平坦な地域を楯状地といい、古生代以降の堆積岩によって覆われた水平な台地を卓状地という。世界の大陸のうち、約3分の2は卓状地である。ローレンシア（カナダ楯状地）、シベリア卓状地、ブラジル楯状地、アフリカ楯状地、オーストラリア楯状地が代表例。

②古期造山帯

古生代の造山運動により形成された山脈や山地。アパラチア山脈（アメリカ大陸）、グレートディヴァイディング山脈（オーストラリア大陸）、ウラル山脈（ロシア）が代表例。

③新期造山帯

中生代以降の造山運動により形成され

た山脈・山地。新期造山帯は、環太平洋造山帯とアルプス・ヒマラヤ造山帯に二分される。古期造山帯と違い、造山活動が継続中で地震・火山活動が活発であるところが多い。比較的新しい時代に形成された山脈であるため、侵食を受けた期間が短く、急峻な山地や弧状列島をなしている。日本列島やアルプス山脈、ヒマラヤ山脈が代表例。

（3）海底地形

- **トラフ**…細長い海底盆地のうち、深さが6000mより浅いもの。日本列島周辺の南海トラフ、駿河トラフ、相模トラフが代表例。
- **海嶺**…マントルが地下深部から上がってくる場所。九州–パラオ海嶺、西マリアナ海嶺が代表例。
- **海溝**…急な斜面に囲まれた、細長い溝状の海底地形。日本海溝、マリアナ海溝が代表例。海洋プレートが沈み込む境界と考えられている。

◆小地形の形成

　小地形とは、水や風などの外力の作用によって形成された小規模な地形を指す。

（1）沖積平野

　河川の堆積作用によって形成された平野。日本の平野のほとんどが沖積平野である。

- **扇状地**…谷の出口を頂点として、土砂が扇のような形に広がって堆積してきた地形。
- **三角州**…河口付近で土砂が堆積してきた地形。
- **自然堤防**…河川の氾濫により、川の両側に土砂が堆積してできた帯状の小高い地形。

（2）海岸

- **リアス海岸**…山地や谷の沈降により、のこぎりの歯のように複雑に入り組んだ海岸。
- **フィヨルド**…氷河による侵食作用によって形成された複雑な地形の湾や入り江。

（3）特殊な地形

- **ケスタ**…スペイン語で「斜面」の意味。傾斜した地層の差別侵食によりできた波状の地形。
- **カルスト地形**…地表に露出した石灰岩が、雨水によって侵食されてできた地形。スロベニア西部のカルスト地方に多く見られることに由来する。鍾乳洞など特異な地形が形成される。

◎**主な土壌**

名　称	特　色	主な分布地
ラトソル（ラテライト）	養分が乏しい・赤い土	熱帯地方に広く分布
ポドゾル	養分が乏しい・灰色の土	タイガ地域
チェルノーゼム	養分豊富・黒い土	ウクライナ地方
プレーリー土	養分豊富・暗褐色の土	北アメリカ中央平原
テラロッサ	石灰岩から生成・赤い土	地中海沿岸
テラローシャ	玄武岩などから生成・赤紫色の土	ブラジル高原
レグール	玄武岩から生成・黒い土	デカン高原
ツンドラ土	養分が乏しい・褐色の土	北極圏

◆土壌の分類

　土壌は、養分や土の色、生成する岩などによって分類できる。主な土壌は p.87 の表のとおりである。

重要ポイント　**成帯土壌と間帯土壌**

　一般的に気候や植生の影響を強く受けて生成され、ほぼ東西に帯状に連なって分布する土壌を、成帯土壌という。
　これに対して、気候帯に関係なく地形・地下水・岩石などの特性に支配され、局地的に分布する土壌を間帯土壌という。石灰岩を母岩としたテラロッサ、玄武岩などを母体としたレグールやテラローシャがその例である。

◆ケッペンの気候区分

　気候区分とは、気温や湿度・植生・地形などを元に気候区・気候型に分類する方法。ケッペンの気候区分が最も知られている。気候学者のケッペンが、植生分布と気候との関係を研究し、考案した気候区分。なお、ケッペンの気候区分に追加して、標高が高い地域の高山気候区も加えられることもある。
　低緯度から高緯度へ、主に気温に着目して分類し、さらに、降水量やその季節変化に着目して細分化されて、次のように分類される。

◆熱帯（A）

　最寒月平均気温 18℃以上の気候帯。
- 熱帯雨林**気候**（**Af**）…一年中高温多湿で、セルバと呼ばれている密林が広がる。
- サバナ**気候**（**Aw**）…夏に多量の雨が降り、冬は乾燥する。雨季と乾季に明確に分かれる。サバナと呼ばれる乾燥に耐える疎林と丈の高い草原が広がる。
- 熱帯モンスーン**気候**（**Am**）…夏のモンスーンで多量の雨が降り、冬は乾燥する。Af と Aw の中間的気候。

◆乾燥帯（B）

　降水量より蒸発量が多い気候帯。
- ステップ**気候**（**BS**）…一年を通して雨は少ないが、夏にまとまった雨が降る。ステップと呼ばれる丈の短い草原が広がる。肥沃な土壌に覆われている。
- 砂漠**気候**（**BW**）…一年を通してほとんど雨が降らないので、岩石の風化が著しく砂漠になっている。水源のある地域ではオアシス農業が行われ、ナツメヤシなどが栽培されている。

◆温帯（C）

　最寒月平均気温− 3℃以上 18℃未満の気候帯。
- 地中海性**気候**（**Cs**）…夏は高温で乾燥し、冬は温暖でまとまった雨が降る。乾燥に強いオリーブやオレンジ、コルクがしなどが栽培されている（地中海式農業）。
- 温暖冬季少雨**気候**（**Cw**）…夏は高温多雨、冬は乾燥した気候になる。常緑広葉樹が多く見られる。
- 温暖湿潤**気候**（**Cfa**）…夏は高温多雨、冬は低温で乾燥する。四季の変化が明瞭である。常緑広葉樹・落葉広葉樹・針葉樹の混合林が広がっている。
- 西岸海洋性**気候**（**Cfb,Cfc**）…夏と冬の気温差は少ない。降水量は一般的に少ない。広葉樹を主とする混合林が広がっている。

◆冷帯（亜寒帯）（D）

　最暖月平均気温 10℃以上、最寒月平均気温− 3℃未満の気候帯。北半球のみ。
- 冷帯湿潤**気候**（**Df**）…夏は平均気温が 10℃を超えるが、冬は寒くて長い。広葉樹と針葉樹の混合林が目立つ。
- 冷帯冬季少雨**気候**（**Dw**）…夏は一定程度の降水量があるが、冬は降水（雪）量が少ない。タイガと呼ばれる針葉樹林が広がっている。

◎ケッペンの気候区分

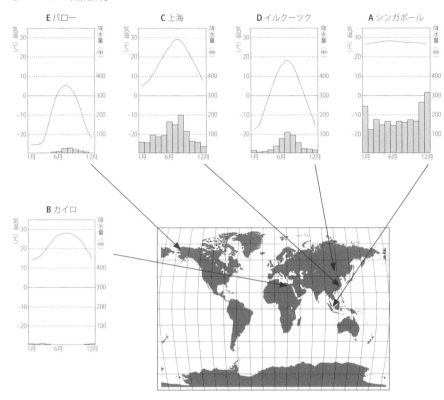

◆寒帯（E）

最暖月平均気温 10℃未満の気候帯。

- ツンドラ**気候**（ET）…最暖月平均気温 0℃～ 10℃で一年のほとんどは氷に覆われているが、夏に永久凍土がとけ、蘚苔類や地衣類が生育する。

- 氷雪**気候**（EF）…最暖月平均気温 0℃未満。一年を通じて雪と氷に閉ざされている。植物の自生は見られない。

＋アルファ　気候帯の記号は、赤道から極にかけて A から E へと並ぶように工夫されている。南半球も同様である。

出題パターン

　土壌の種類とその特色との組合せとして、最も妥当なのはどれか。

(1) レグール……玄武岩が風化して生成した黒色の成帯土壌
(2) ラトソル……冷帯のタイガ地域に生成する酸性の成帯土壌
(3) ポドゾル……熱帯・亜熱帯地方に分布する赤色の成帯土壌
(4) テラロッサ……石灰岩が風化して生成した赤色の間帯土壌
(5) テラローシャ…石灰岩が風化して生成した黒色の間帯土壌

答（4）

重要度 ★★

主要国の産業

世界各国は、それぞれの地理的条件や技術を生かして、特化された生産と貿易を行っている。主要国の産業基盤と輸出入品目について学習する。

◆アメリカ合衆国の産業

GDP（国内総生産）は世界第1位。世界一の生産国であるとともに、世界一の消費国でもある。工業の中心は、五大湖沿岸地域からサンベルトに移行している。農業も盛んであり、世界最大の農産物輸出国である。

経済規模の大きさから、世界経済に与える影響力も大きく、2007年のサブプライム住宅ローン危機に端を発した2008年のリーマンショックは、国内産業のみならず、国際経済にも深刻な影響を与えた（世界金融危機）。また、国民の所得や資産の格差がしだいに拡大するなかにおいて、失業率の改善が課題とされている。

◎アメリカの主要輸出入品目

輸 出	工業用品・原材料（エネルギー製品等）、資本財（エンジン・部品等）、消費財（医療用品等）
輸 入	資本財（発電機械等）、消費財（家庭用電化製品等）、工業用品・原材料

用 語 **サンベルト：**ほぼ北緯37°以南の温暖な地域を指す。もともと農業が盛んであったが、近年は石油・航空機・電子などの産業が発達している。
シリコンバレー：サンフランシスコの南に位置するサンタクララ・パロアルト・サンノゼ地区をいう。数多くの有力なコンピュータ関連企業が集まっている。

ワン・ポイント アメリカは、国土面積では世界第3位、人口も第3位を占める。また、人口構成において、多様な民族性を持つ国であるが、特に出生率が高いのは、ヒスパニック系の人々である。彼らの多くは、英語を話す主流文化に溶け込むことなく、スペイン語のみによる地域社会を形成している。

◆中国の産業

中国の産業は、農業（世界最大の農業生産国）の他に、製造業が盛んであり、「世界の工場」と呼ばれている。GDPはアメリカに次ぐ世界第2位。

中国経済発展の原動力は、安い人件費による安価な製品輸出と、世界2位の人口という潜在消費需要を当て込んだ外資の資本投入にある。このことが、大幅な貿易黒字をもたらす一方で、輸出と投資に依存し過ぎた結果、資源の浪費や環境破壊などの負の面が顕著になってきた。

そこで、近年、個人消費の拡大により経済成長を維持する路線に転換を図ったが、今後も高成長を継続できるのか注目されている。

◎中国の主要輸出入品目

輸 出	機械類・電子機器、紡績用繊維、卑金属
輸 入	機械類・電子機器、化学工業生産品、鉱物性燃料品

◆インドの産業

独立直後は、植民地時代からの綿花や茶などの商品作物の栽培が主であったが、やがて政府主導の工業化政策によって、鉄鉱石・石炭・ボーキサイトなどの豊かな鉱物資源を利用して、工業化を推進した。

しかし、1970年代に入ると、国営企業等の非効率的な運営により国際競争力を失い始めた。そこで、1990年代初頭から、輸入の自由化と外資を導入した新経済政策を導入して、本格的な経済自由化を進め、自動車産業やIT産業など様々な産業が発展した。

ワン・ポイント インドは、人口が中国を上回り世界第1位となり、面積は第7位、GDPでも第5位を占める（2023年）。また、IT産業の発展が目覚ましく、なかでもバンガロールは「インドのシリコンバレー」と呼ばれており、インドの情報通信産業を成長させる原動力になった。

◎インドの主要輸出入品目

輸　出	石油製品、宝石類、電気機器、一般機械、化学関連製品
輸　入	原油・石油製品、宝石類、電気機器、一般機械、化学関連製品

◆ロシアの産業

ロシアの主要産業は、豊富な石油、天然ガス、石炭、貴金属資源を背景にした鉱工業である。また、世界有数の穀物生産・輸出国でもある。

1991年のソ連崩壊後、それまでの計画経済から市場経済への移行という大きな変化を経て、エネルギー部門及び軍事関連部門を除く大部分の国営企業は民営化された。2022年2月のウクライナ侵攻により、国際的な決済ネットワークSWIFTからの排除や輸出入規制などの経済制裁を受け、ロシア経済は打撃を受けると見込まれている。

◎ロシアの主要輸出入品目

輸　出	燃料等鉱物製品、鉄鋼、自動車
輸　入	機械類、医薬品、電気機器、自動車

◆ブラジルの産業

ブラジルは広い国土と豊かな土地を生かして、かつてはコーヒー豆やさとうきび、大豆などの農業や畜産業、豊かな鉱産資源を採掘する鉱業が盛んであった。

ただ、現在はこれらに加え、工業が大きな発展を遂げ、航空機や自動車などの生産を中心とした製造業が農牧業の生産額を追い越している。

◎ブラジルの主要輸出入品目

輸　出	大豆、鉄鉱石、原油、石油製品
輸　入	石油製品、原油、カリ肥料、複合肥料

出題パターン

次の特徴を有する国として、最も妥当なのはどれか。
- イギリスの植民地であった。
- BRICSと呼ばれている諸国の一員である。
- 身分制度の考え方が、社会に根強く残っている。
- 主な輸出品目は、宝石類、一般機械、化学関連製品などである。
(1) 中国
(2) アルゼンチン
(3) インド
(4) トルコ
(5) ブラジル

答（3）

重要度
★★★

日本の自然環境

レッスン
03

日本の自然環境の中から、地形（山地・山脈・山、平地、河川、海岸線）と気候区について学習する。

◆日本の山地の特色

　日本列島は、環太平洋造山帯と呼ばれている、太平洋をとりまく造山帯に属し、火山活動が活発である。

　国土の約4分の3が山地で占められ、標高3000m前後の山脈が連なる本州の中央部は「日本の屋根」と呼ばれている。

◎日本の主な山地・山脈

天塩山地
北見山地
日高山脈
夕張山地
出羽山地
北上高地
越後山脈
奥羽山脈
飛驒山地
鈴鹿山脈
阿武隈高地
筑紫山地
中国山地
関東山地
赤石山脈
木曽山脈
紀伊山地
四国山地
九州山地

ワン・ポイント **日本アルプス** イギリス人鉱山技師ゴーランドが、飛驒山脈をヨーロッパのアルプス山脈に因んで付けた名称。後に宣教師のウエストンが木曽・赤石山脈も含めた名称として用い、登山家の小島烏水が飛驒山脈を北アルプス、木曽山脈を中央アルプス、赤石山脈を南アルプスと命名した。

◆日本の平地と河川の特色

　日本の平野には、川が運んできた土砂が堆積してできた平野が多い。川がつくりだした地形としては、河口付近の三角州と山間の扇状地、河岸段丘がある。

　日本の河川は、国土が狭いため山地から河口までの距離が短く、上流から下流への勾配が急であるという特徴がある。そのため、台風や集中豪雨による急な増水があると、洪水の原因となりやすい。

◆日本の海岸線

　日本列島は海に囲まれているため、海岸線は長く、しかも半島や岬が入り組んだ複雑な地形が多い。特に東北の太平洋側では、山地や谷の沈降によって深い湾や入り江となったリアス海岸と呼ばれる複雑な海岸地形が目立つ。このような海岸地形は天然の良港だが、津波による被害を受けやすい。

◎フォッサマグナと中央構造線

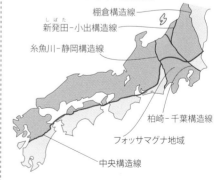

棚倉構造線
新発田-小出構造線
糸魚川-静岡構造線
柏崎-千葉構造線
フォッサマグナ地域
中央構造線

<table>
<tr><td>用</td><td>語</td></tr>
</table>
フォッサマグナ（中央地溝帯）:
日本の主要な地溝帯の一つ。地質学において、東北日本と西南日本の境目とされている。
中央構造線: 西南日本を横断する大断層系。この線を境に北側を西南日本内帯、南側を西南日本外帯と呼んでいる。

◆日本の気候区分

日本の気候は地形・海流・季節風などの影響を受けて、6つに分けられる。

①北海道の気候
②太平洋側の気候
③日本海側の気候
④中央高地（内陸性）の気候
⑤瀬戸内の気候
⑥南西諸島の気候

①北海道の気候…夏は涼しく、冬の寒さが厳しい。梅雨や台風の影響をあまり受けないので、一年を通して降水量は少ない。

②太平洋側の気候…夏は南東からの季節風の影響を受けて雨が多く、蒸し暑い。冬は北西からの季節風が吹き、乾燥した晴天の日が続く。

③日本海側の気候…夏は晴れた日が多く、気温が上昇する。冬は北西からの季節風が、対馬海流の湿った空気を含むために雪が多く、山沿いの地域では豪雪となる。

④中央高地（内陸性）の気候…季節風の影響を受けにくい地形なので、一年を通じて降水量が少ない。海から離れているため、昼と夜の気温の差が大きい。

⑤瀬戸内の気候…夏は四国山地、冬は中国山地が季節風をさえぎり、一年を通じて晴天の日が多く、降水量が少ない。

⑥南西諸島の気候…沖縄から小笠原諸島を含むこの地域は、亜熱帯海洋性気候とも呼ばれ、一年を通じて気温が高く、降水量が多い。

<table>
<tr><td>用</td><td>語</td></tr>
</table>
やませ: 北海道から関東地方の太平洋側で、梅雨や夏に吹く冷たく湿った東寄りの風を指す。この風が吹くと、沿岸地域を中心に曇りや雨の日が続き低温となり、農作物の生育が阻害され、冷害を引き起こす原因となる。

出題パターン

次の地図において太線で示すア～オの山脈の名称として、最も妥当なのはどれか。

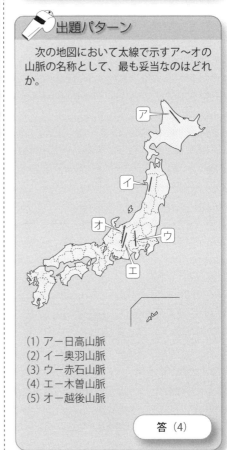

(1) アー日高山脈
(2) イー奥羽山脈
(3) ウー赤石山脈
(4) エー木曽山脈
(5) オー越後山脈

答（4）

日本の産業

レッスン **04**

日本の工業と農業の特色について学習し、日本の産業基盤と輸出入品目についても理解を深める。

◆日本の工業の特色

日本は、高い技術力と生産力を持っており、世界有数の工業生産国となっている。しかし、工業生産に必要な原材料については、そのほとんどを海外からの輸入に頼っており、加工した製品を海外に輸出する加工貿易の構造をとってきた。そのため、従来の工業地域は、太平洋ベルトと呼ばれる関東地方南部から九州地方北部の海沿いに発達してきた。

しかし、近年、機械の小型化や交通網の整備などによって、工業地域は海沿いから内陸部へと広がりを見せている。さらに、生産費の低コスト化や円高による為替差損を回避するために、日本企業が海外へ生産拠点を移す産業の空洞化が目立つようになった。

◎日本の主な工業地帯・工業地域

ワン・ポイント 太平洋ベルトで、日本の工業生産額の約3分の2を占める。

◆三大工業地帯

（1）京浜工業地帯

東京・川崎市・横浜市を中心に、東京都、神奈川県、埼玉県に広がる総合工業地帯。かつては、東京から横浜までの東京湾西岸、京浜運河に広がる埋め立て工業地帯であったが、しだいに東海道沿いの藤沢市から平塚市、内陸の八王子市からさいたま市まで拡大していった。東京湾の埋め立てによる工業用地の確保等により、かつては日本最大の工業地帯であった。

（2）中京工業地帯

愛知県を中心に岐阜県南部、三重県北部に広がる工業地帯。製品出荷額で見た規模では、全国第1位の工業地帯である。豊田・刈谷の自動車工業、四日市の石油化学工業が中心であるが、瀬戸・多治見・常滑の窯業も盛んである。

（3）阪神工業地帯

重化学工業を中心としたあらゆる工業が発達し、総合工業地帯とも呼ばれている。第二次世界大戦頃までは、日本最大の工業地帯であった。戦後は、京浜と中京に押されて、地域経済の地盤沈下が指摘されている。

◆日本の農業の特色と課題

日本の農地面積は429.7万ha（国土の約11%）、農家一戸当たりの平均経営

耕地面積は、北海道平均が 34.0ha、北海道を除く全国平均が 2.4ha と、その多くは北海道である（2023 年）。

　アメリカやオーストラリアなどの、広大な土地に大型機械を用いる大規模農業（大農法）に対し、日本の農業は、単位耕地面積に多くの資本と労働力を投下する稲作中心の集約農業が特徴である。そのため、日本の農産物は、同じ品質ならば外国産の農産物との価格競争に敗れる。さらに、後継者の人材難などが加わり、耕作を放棄する農地が出始め、食料自給率の低下を招いている。

　諸外国の価格競争にどのように対応し、食料安全保障上、食料自給率を向上させていくのかが、今後の課題となっている。

> **用語** **食料安全保障：**国民の生命と健康の維持に必要な食料の安定供給を国家が確保すること。凶作や産出国の輸出制限などの不測の事態が生じても、国家が食料の安定供給を保障する体制。食料・農業・農村基本法の第 2 条で規定している。

◆日本の食料自給率

　日本の食料自給率は、カロリーベースで 38%である（2023 年度）。これは他の先進諸国と比べても、かなり低い数値となっている。

　さらに、品目別で見れば、家畜用の飼料となるとうもろこしは、輸入に頼っており、日本は世界有数のとうもろこし輸入国となっている。

◆日本の産業基盤と輸出入品目

　日本はもともと製造業が強く、戦後日本経済の牽引役を果たしてきたが、オイルショック以降、第三次産業の比重が高まり、経済のサービス化・ソフト化が進

行している。しかし、そのような状況下でも、特に高度な精度を要する工業技術は、世界最高水準を維持している。

◎**日本の主要輸出入品目（上位 3 項目）**

輸出品		輸入品	
自動車	17.4%	原油及び粗油	10.4%
半導体等電子部品	5.4%	液化天然ガス	5.6%
鉄鋼	4.4%	石炭	4.7%

（2024 年財務省統計より）

◎**日本の貿易相手国（上位 3 国）**

輸出相手国		輸入相手国	
アメリカ	20.3%	中国	22.3%
中国	17.8%	アメリカ	10.8%
韓国	6.4%	オーストラリア	7.7%

（2024 年財務省統計より）

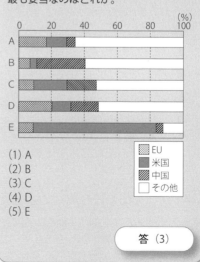

出題パターン

　次のグラフは、5 か国の 2022 年における輸出額に占める対 EU、対米国、対中国の割合を示したものである。A 〜 E のうち、我が国に当てはまるものとして、最も妥当なのはどれか。

凡例：
- EU
- 米国
- 中国
- その他

(1) A
(2) B
(3) C
(4) D
(5) E

答（3）

95

重要度 ★★

レッスン 01 西洋思想

西洋思想の源流となったギリシア思想とキリスト教思想を理解し、近現代の思想へと学んでいく。

◆ギリシア思想

ギリシア思想の特徴は、変化する諸現象の根底に、常に変わらない真理があるとする態度に示されている。そこで、万物の根源（アルケー）に関心が向けられた。

◎ギリシアの自然哲学

哲学者	万物の根源
タレス	水
ピタゴラス	数
ヘラクレイトス	火
デモクリトス	原子（アトム）

＋アルファ 万物の根源に関心を向けるのではなく、人間に関心を向けたのは、ソフィストのプロタゴラスで、「人間が万物の尺度」であるとした。

◎ギリシア哲学の三巨人

- ソクラテス…知徳合一を主張し、問答法を通じて無知を自覚させ「汝自身を知れ」と人々に問いかけた。
- プラトン…ソクラテスの弟子。イデア（形相）こそがものの本質であり、永久不変の真理であるとした。
- アリストテレス…プラトンの弟子にして、アレクサンドロス大王の教育係。イデアは個物から離れて存在するのではなく、この現実の世界こそ、真に実在する世界だと主張した。

◎ヘレニズム期の哲学

ヘレニズム期の哲学としては、ゼノンを代表とするストア派（禁欲主義、魂の鍛錬）と精神的な快楽（心の平安）を追求するエピクロス派が挙げられる。

◆キリスト教思想

キリスト教思想の特徴は、神の恩寵による救いと教会の絶対性にある。代表的な人物としては、教父哲学のアウグスティヌスとスコラ哲学のトマス・アクィナスが挙げられる。

◆経験論と合理論

ルネサンス期において発達した自然哲学によって、自然を認識し、普遍妥当な真理に到達できるという世界観が生まれた。この普遍妥当な真理に到達できる哲学として提示されたのが、イギリス経験論と大陸合理論の近代思想であった。

（1）経験論

フランシス・ベーコンは、著書『新オルガヌム』を通じて、経験論的思考から学問や科学を正しく認知する方法として、個別的な特殊な個々の事例から、普遍的な規則や法則を導こうとする帰納法を提唱した。

（2）合理論

デカルトは、著書『方法序説』の中で、あらゆる事象を方法的懐疑でとらえることによって、すべてのものは懐疑的になるが、自分自身の存在だけは、揺るがないものであるということを思考の出発点とした。「我思う、故に我あり（コギト・

エルゴ・スム）」という言葉は、これを表している。

　この合理論を実践するための方法として、ある命題を立て、それを論理的に考えることで真理を導き出す演繹法を提唱した。

◆ドイツ観念論

　世界は物質ではなく観念（精神の働き）を元にしていると考える哲学思想。代表的な哲学者としては、イギリス経験論と大陸合理論を総合統一したカントと弁証法を提唱したヘーゲルが挙げられる。

◆功利主義

　幸福を人生や社会の最大目的とする哲学思想。代表的な哲学者としては、「最大多数の最大幸福」を唱えたベンサムが挙げられる。

◆実存主義

　人間を本質存在ではなく、個別具体的かつ主体的な事実存在、「実存」としてとらえる哲学思想。

　実存をどのように考えるかは、哲学者ごとに違いがある。「神は死んだ」とするニーチェ、美的実存・倫理的実存・宗教的実存の3段階で展開するキルケゴール、「実存は本質に先立つ」とするサルトル、「限界状況」とするヤスパース、「死への存在」とするハイデッガーが挙げられる。

＋アルファ　キルケゴールは人間の実存を感覚的な快楽を求める美的実存、すべてを相手の義務に捧げる倫理的実存、信仰という宗教的実存の3つの段階で展開した。
　サルトルは人間は自由であり、神によって作られたものではないと考え、「実存は本質に先立つ」と表現した。しかし、自由ということは、自分の責任で決め、他人に責任を負うことである。自分の世界だけで終わるのではなく、社会に参加していくこと（アンガージュマン）を提唱した。

ワン・ポイント　フロイトの思想

20世紀の文化と思想に多大な影響を与えた思想の一つとして挙げられるのは、フロイトの思想である。精神分析を基調とする哲学の創始者とされる。フロイトは人間の精神の働きを、無意識の領域であるエス（イド）、前意識の領域であるスーパーエゴ（超自我）、意識の領域であるエゴ（自我）の動態的な仕組みであると考え、従前の人間を理性的存在とする思想を根本から揺り動かすこととなった。

出題パターン

　17世紀のヨーロッパの思想に関する記述中の空所A～Dに当てはまる語句の組合せとして、最も妥当なのはどれか。

　近世ヨーロッパで進行した科学革命により、これまで教会で説かれていたスコラ哲学の世界観が揺らいでくると、近代人の理性や知性の力を重視する（　A　）と（　B　）が提唱された。フランシス・ベーコンは（　A　）の立場から、観察を通して得られる個別的な経験的な事実を数多く集め、それらを比較分類することで共通する一般法則を発見しようとする（　C　）を提唱した。デカルトは（　B　）の立場から、確実な根本原理を出発点とし、誰でもはっきりとわかる論理的思考を進めることによって、個々の出来事や事物の存在を確実なものとして論証する（　D　）を提唱した。

(1) A　合理論　　　B　経験論
　　C　帰納法　　　D　弁証法
(2) A　合理論　　　B　経験論
　　C　弁証法　　　D　演繹法
(3) A　経験論　　　B　合理論
　　C　演繹法　　　D　帰納法
(4) A　経験論　　　B　合理論
　　C　帰納法　　　D　演繹法
(5) A　経験論　　　B　合理論
　　C　演繹法　　　D　弁証法

答（4）

重要度
★★☆

東洋思想

東洋思想の二大潮流であるインドと中国の思想のそれぞれの特徴と思想家について学習し、日本の近世の儒教思想を中心に、近現代の思想まで学習する。

◆インドの思想

後世に最も大きな影響を及ぼしたのは、紀元前5世紀頃にブッダによって説かれた仏教である。この教えは、インドを超えて、南アジアから東アジアにかけて広まり、世界宗教となった。

◆中国の思想

紀元前770年頃、周王朝が衰え始めると、中国では有力諸侯が王を称して覇権を競う、春秋・戦国時代に入った。諸侯は、富国強兵策をとり、有能な人材の登用を図るようになった。これに呼応して、様々な思想家が現れて、治世の方策を展開した（諸子百家）。

> **用語** 諸子百家：「諸子」は孔子、孟子、荀子、老子、荘子、墨子などの人物を指し、「百家」は儒家、道家、墨家、名家、法家などの学派を意味する。この中で異彩を放つのは、墨家の墨子である。彼は一切の差別がない博愛主義と非戦を説いた（兼愛非攻）。

◉主な儒教の思想家

- **孔子**…儒教の開祖。統治者が仁と礼を身につけることで自分の身を修めることができるようになってはじめて、国を治め、天下を平らかにすることができると考えた（徳治主義）。
- **孟子**…仁義に基づいて民衆の幸福を図る王道を理想の政治とした。統治者がそれを怠れば、追放され、代わって徳のある者が統治者の地位に就くことを

認めた（湯武放伐論）。

> **用語** 湯武放伐論：夏王朝の末期に暴君桀王を殷の湯王がうち破った故事と、周の武王が殷の暴君帝辛（紂王）を討った事例を名付けたもの。

- **荀子**…孟子の性善説に対し、荀子は人間の性を「悪」すなわち利己的存在とした（性悪説）。君子は本性を後天的努力（学問を修めること）によって修正し、善へと向かうべきだと説いた。
- **朱熹（朱子）**…朱子学の祖。宇宙論・世界観的要素を加え、儒教の体系化を試みた。宇宙と人間の内面を貫く理を究め、人欲を捨て理に従うべきことを説いた（性即理）。
- **王陽明**…陽明学の祖。理を人間の心の中に見いだし、善悪を感得し判断する自己の先天的な能力としての良知のままに生きることを主張した（心即理）。

◉道家思想

道家の開祖である老子は、万物の根本は「道」であるとした。「道」はあまりに広大で漠然としているが、人為を廃し自然であることが「道」に通ずるとされる（無為自然）。

◆日本の思想

日本の思想は、大陸から渡来してきた仏教・儒教と、日本古来の宗教である神道が混在してきた。奈良時代には、律令制下で南都六宗が国家仏教として公認され、その後、平安時代の天台宗・真言宗、

鎌倉時代の浄土宗・浄土真宗・日蓮宗・臨済宗・曹洞宗・時宗など、各宗派で独自に教義を追究した。

　江戸時代、中国から朱子学と陽明学が純粋な学問として伝来し、朱子学は幕府によって封建支配のための思想として採用された。藤原惺窩の弟子である林羅山が上下定分の理を説き、朱子学は興隆し、新井白石など多くの人材を輩出した。このように、朱子学が重んじられたのは、君臣・父子の上下秩序を強調した「大義名分論」が、為政者にとって秩序維持に都合のよい封建道徳であり、幕府の統治理念と合致したからである。

◉崎門学派
- **山崎闇斎**…崎門学派（朱子学の一派）の創始者であり、神道の教説である垂加神道の創始者。孟子の湯武放伐論を否定した。

◉古学派
「論語」「孟子」などの経書を直接に研究して、その真意を解明しようとした。
- **山鹿素行**…「もののふの道」から儒教によって理想化された武士の生き方を「士道」として示した。
- **伊藤仁斎**…仁を理想とする実践道義を説いた（古義学）。
- **荻生徂徠**…古代の用語の使い方を学び、社会制度と孔子の教えの意味するところを明らかにしようとした（古文辞学）。

◉陽明学派
- **中江藤樹**…日本陽明学の祖であり、近江聖人と称される。孝養を尽くすべきことを説いた。

◉江戸時代中期以降の思想家
- **安藤昌益**…封建社会を批判的にとらえ、「自然の世」という、身分差別がなく、ほとんどの人が農耕に従事する社会づくりを提唱した。

- **二宮尊徳**…農業の推進に努め、「報徳思想」を提唱した。

◆近現代の思想家
- **福沢諭吉**…前近代的な日本の西洋化に取り組んだ（脱亜入欧）。また、「天は人の上に人を造らず人の下に人を造らずと云へり」と述べ、天賦人権論を唱えた。
- **中江兆民**…ルソーの『社会契約論』の翻訳『民約訳解』を出版、東洋のルソーと呼ばれた。
- **内村鑑三**…伝統的な武士道とキリスト教精神を融合しようとした。
- **新渡戸稲造**…日本文化とキリスト教の融合を図った。『武士道』を著した。

出題パターン

　江戸時代の儒教に関する記述中の空所A〜Dに当てはまる人物の組合せとして、最も妥当なのはどれか。
　中世の日本では朱子学は仏教の周辺の教養として学ばれていたが、近世に入りそれを学問として独立させたのが（　A　）である。彼の弟子の（　B　）は上下定分の理を説き、封建的身分社会に影響を与えた。（　C　）は、朱子学が身分秩序を重視する点を批判し、孝を普遍的なものととらえ、晩年は陽明学に傾注した。また、（　D　）も朱子学を批判し、論語や孟子を忠実に読む古学をとなえ、武士は道徳的な指導者となるべきものとの士道を説いた。

(1) A　林羅山　　　B　藤原惺窩
　　C　中江藤樹　　D　山鹿素行
(2) A　藤原惺窩　　B　中江藤樹
　　C　荻生徂徠　　D　伊藤仁斎
(3) A　藤原惺窩　　B　林羅山
　　C　山鹿素行　　D　荻生徂徠
(4) A　林羅山　　　B　中江藤樹
　　C　山鹿素行　　D　伊藤仁斎
(5) A　藤原惺窩　　B　林羅山
　　C　中江藤樹　　D　山鹿素行

答（5）

レッスン 01 文学史① 古典

奈良時代から江戸時代までの文学史を古典文学史という。その様々なジャンルと代表作品、作者について学ぼう。

◆奈良時代の文学作品

現存する最古の歴史書、文学書などが成立した。

- 『古事記』…稗田阿礼が暗誦した内容を太安万侶が筆録。日本最古の文学的史書。
- 『日本書紀』…舎人親王が編纂。日本最古の勅撰歴史書。編年体。
- 『万葉集』…現存する最古の歌集。編者は大伴家持。歌風は「ますらをぶり」。

用語 **編年体と紀伝体**：どちらも歴史記述の書式。編年体は年月の順に事実を記し、紀伝体は人物中心の書き方である。

◆平安時代の文学作品

平安時代の文学作品は、仮名文字で書かれた女性作者によるものが多い。

◎物語

- 『竹取物語』…現存する最古の物語。
- 『伊勢物語』…歌物語。主人公は在原業平。
- 『源氏物語』…作者は紫式部。光源氏を主人公とし、全54帖からなる。文学理念は「もののあはれ」。

◎日記

- 『土佐日記』…作者は紀貫之。わが国初の日記文学。
- 『蜻蛉日記』…作者は藤原道綱母。わが国初の女流日記。
- 『和泉式部日記』…作者は和泉式部。帥宮敦道親王との恋を描く。
- 『紫式部日記』…作者は紫式部。中宮

彰子が一条天皇の子を出産するなどの宮廷生活を描く。

- 『更級日記』…作者は菅原孝標女。少女期から老年までの約40年の夢と失意を描く。

◎随筆・歴史物語

- 『枕草子』…作者は清少納言。わが国初の随筆。文学理念は「をかし」。
- 『栄華（花）物語』…藤原道長を礼賛。編年体。
- 『大鏡』…藤原道長に批判的。紀伝体。

◎説話

- 『日本霊異記』…わが国初の仏教説話。
- 『今昔物語集』…現存最大の説話集。各話が「今は昔」で始まる。芥川龍之介の「羅生門」「鼻」などの題材となる。

◎歌集

- 『古今和歌集』…最初の勅撰和歌集。歌風は「たをやめぶり」。

＋アルファ 四鏡と呼ばれるのは、『大鏡』『今鏡』『水鏡』『増鏡』

◆鎌倉時代の文学作品

この時代の作品は、人の世の無常とはかなさが根底にあるのが特徴。『方丈記』『徒然草』『平家物語』などは和漢混淆文で記されている。

◎随筆

- 『方丈記』…作者は鴨長明。仏教的無常観。天変地異も記録している。
- 『徒然草』…作者は吉田兼好。

◎説話

- 『宇治拾遺物語』…鎌倉説話の代表。
- 『十訓抄』…教訓的説話集。

◎軍記物

- 『平家物語』…平家一門の滅亡を描く。仏教的無常観が漂う。

◎歌集

- 『新古今和歌集』…編者は藤原定家ら。
- 『山家集』…西行の私家集。
- 『金槐和歌集』…源実朝の私家集。
- 『小倉百人一首』…百人の歌人の歌を一首ずつ撰したもの。

 ワン・ポイント　三大随筆

成立の順に『枕草子』『方丈記』『徒然草』。成立の順番は重要！

◆室町時代の文学作品

　因果応報の思想を基に、秩序と理念のない世界を描いているのが特徴。

用語　連歌：基本的に2人以上の人が短歌の上の句（五・七・五）と下の句（七・七）を交互に詠み重ねていく詩歌形式。

◎能

- 『風姿花伝』…世阿弥の演劇論書。花伝書。「花」「幽玄」を美的理念とする。

◎軍記物

- 『太平記』…成立年代未詳。南北朝の争乱を描いた日本最長の歴史文学。

◆江戸時代の主な文学者と作品

◎俳句

- 松尾芭蕉（元禄期に活躍）…理念は「不易流行、夏炉冬扇、わび」
〔紀行文〕『野ざらし紀行』『鹿島紀行』『笈の小文』『おくのほそ道』
〔俳諧日記〕『嵯峨日記』
〔俳諧七部集〕『冬の日』『春の日』『曠野』『ひさご』『猿蓑』『炭俵』『続猿蓑』
- 与謝蕪村（天明期に活躍）…『新花摘』
- 小林一茶（化政期に活躍）…『おらが春』

◎小説

- 井原西鶴（元禄期に活躍）…作品は浮世草子と呼ばれる。〈好色物〉『好色一代男』〈武家物〉『武家義理物語』〈町人物〉『日本永代蔵』『世間胸算用』
- 上田秋成（江戸中期）…『雨月物語』作品は読本と呼ばれる。
- 曲亭（滝沢）馬琴（江戸後期）…『南総里見八犬伝』『椿説弓張月』作品は読本と呼ばれる。
- 十返舎一九（江戸後期）…『東海道中膝栗毛』作品は滑稽本と呼ばれる。
- 為永春水（江戸後期）…『春色梅児誉美』作品は人情本と呼ばれる。

◎その他

- 近松門左衛門（元禄期に活躍）…浄瑠璃（人形劇）作者。
〈時代物〉『出世景清』『国性爺合戦』
〈世話物〉『曽根崎心中』『冥途の飛脚』『心中天の網島』『女殺油地獄』
- 鶴屋南北（江戸後期）…歌舞伎『東海道四谷怪談』
- 契沖（江戸前期）…国学の基礎を築く。『万葉代匠記』
- 賀茂真淵（江戸中期）…国学の確立者。『万葉考』
- 本居宣長（江戸中期）…国学の完成者。『古事記伝』随筆『玉勝間』
- 新井白石（江戸中期）…儒者。随筆『折たく柴の記』

ワン・ポイント　勅撰八代集

勅命（朝廷の命令）や院宣（上皇や法皇の命令）によって選ばれた和歌集である。
①『古今和歌集』　②『後撰和歌集』
③『拾遺和歌集』　④『後拾遺和歌集』
⑤『金葉和歌集』　⑥『詞花和歌集』
⑦『千載和歌集』
⑧『新古今和歌集』
- ①～⑦は平安時代、⑧は鎌倉時代。
- ①～③を「三代集」という。

人文科学：国語

文学史② 近代〜現代

明治〜昭和（戦前）までの文学を近代文学という。敗戦後、戦後文学が立ち上がる。現代文学は村上龍が出てきた1970年代以降から現代までの流れを指す。

◆明治初期

◎戯作文学
- 仮名垣魯文…『西洋道中膝栗毛』『安愚楽鍋』

◎翻訳文学
- 作者未詳…『アラビアン・ナイト』
  その他、アメリカ文学、イギリス文学、フランス文学などは、p.105 参照。

◎政治小説
- 矢野龍渓…『経国美談』
- 東海散士…『佳人之奇遇』
- 末広鉄腸…『雪中梅』

ワン・ポイント

- 戯作文学…文学を戯れ・慰みと見立てる、江戸期から続く文学。
- 翻訳文学…江戸期に細々と蘭学を学んでいた状況から翻訳解禁により西洋文学が流入して生まれたもの。
- 政治小説…西南戦争終了後の明治10〜20年代にかけて自由民権運動が展開されるなかで生まれた小説。

◆写実主義＝リアリズムの時代（明治初期）
- 坪内逍遙…封建的価値観を批判し欧州のリアリズムを提唱。『小説神髄』（評論）『当世書生気質』（小説）を著すほかシェイクスピア（英）作品を翻訳。早稲田大学に文学科を設けた。
- 二葉亭四迷…『小説総論』（評論）『浮雲』（小説）『あひびき』（露のツルゲーネフの『猟人日記』の翻訳）など。言

文一致運動を推進した。

◆擬古典主義（明治中期）
　写実主義の欧化志向を批判。江戸文学への回帰を指向。
- 尾崎紅葉…文学結社「硯友社」を結成。機関誌『我楽多文庫』を創刊。言文一致運動に参加。『金色夜叉』
- 幸田露伴…『風流仏』『五重塔』

＋アルファ　言文一致運動

書き言葉と話し言葉の一致を目指した運動。主に文末表現の革命となった。二葉亭四迷が「だ」調、尾崎紅葉が「である」調、山田美妙が「です」調を創始したといわれる。

◆浪漫主義（明治中期）
　擬古典主義を批判。個性と自由を希求した。
- 森鷗外…『舞姫』
- 泉鏡花…『高野聖』(幻想文学)『婦系図』
- 徳冨蘆花…『不如帰』
- 国木田独歩…『武蔵野』
- 樋口一葉…夭折の女流作家。『たけくらべ』『にごりえ』『大つごもり』『十三夜』

◆自然主義（明治後期）
　現実をあるがままにとらえようとする文学。
- 島崎藤村…『破戒』『春』『家』『新生』『夜明け前』
- 田山花袋…『蒲団』『田舎教師』

102

◆**余裕派＝高踏派（明治末期～大正中期）**
　文壇主流の自然主義に批判的。
- 森鷗外…『ヰタ・セクスアリス』『青年』『雁』『高瀬舟』『阿部一族』『山椒大夫』
- 夏目漱石…『三四郎』『それから』『門』（前期 3 部作）、『彼岸過迄』『行人』『こころ』（後期 3 部作）、『坊っちゃん』『吾輩は猫である』『草枕』『道草』『明暗』

◆**耽美派（明治末期～大正初期）**
　自然主義を批判。官能・頹廃の芸術至上的な美を追求。
- 永井荷風…『あめりか物語』『ふらんす物語』『すみだ川』『濹東綺譚』
- 谷崎潤一郎…『刺青』『痴人の愛』『細雪』『春琴抄』

◆**白樺派（明治末期～大正中期）**
　ロシアの作家トルストイ流の人道主義を唱える。
- 武者小路実篤…『お目出たき人』『友情』
- 志賀直哉…『清兵衛と瓢簞』『城の崎にて』『和解』『小僧の神様』『暗夜行路』
- 有島武郎…『カインの末裔』『或る女』『生れ出づる悩み』（以上小説）『惜しみなく愛は奪ふ』（評論）

◆**新思潮派＝新現実派（大正時代）**
　現実の人間や社会を直視する志向性を持つ文学。
- 芥川龍之介…『羅生門』『鼻』『地獄変』『蜘蛛の糸』『枯野抄』『杜子春』『トロッコ』『河童』
- 菊池寛…文藝春秋社を創設。『恩讐の彼方に』『父帰る』
- 山本有三…『路傍の石』

◆**プロレタリア文学**
　（大正後期～昭和）
　共産主義を理想とする文学。
- 葉山嘉樹…『セメント樽の中の手紙』
- 小林多喜二…『蟹工船』
- 徳永直…『太陽のない街』

◆**新感覚派（大正末期～昭和初期）**
　プロレタリア文学の政治性を嫌う芸術至上主義文学。
- 横光利一…『旅愁』『日輪』『機械』
- 川端康成…日本人初のノーベル文学賞受賞。『伊豆の踊子』『雪国』『古都』『千羽鶴』『眠れる美女』

◆**新興芸術派（大正末期～昭和初期）**
　反プロレタリア文学。
- 井伏鱒二…『山椒魚』『屋根の上のサワン』『黒い雨』
- 梶井基次郎…『檸檬』

◆**その他の昭和初期作家**
- 堀辰雄…新心理主義。『風立ちぬ』『菜穂子』
- 中島敦…『山月記』

◎**無頼派（昭和 21 ～ 25 年頃）**
- 太宰治…『走れメロス』『富嶽百景』『津軽』『ヴィヨンの妻』『斜陽』『人間失格』
- 坂口安吾…『堕落論』『日本文化私観』

◆**その他小説以外の文学作品**

◎**文芸評論**
- 小林秀雄…文芸評論というジャンルを確立。『様々なる意匠』『無常という事』『ゴッホの手紙』『本居宣長』

◎**浪漫詩**
- 北村透谷…『蓬萊曲』
- 島崎藤村…『若菜集』
- 土井晩翠…『天地有情』

◎**象徴詩**
- 上田敏…『海潮音』（訳詩集）

◎**耽美派**
- 北原白秋…『邪宗門』（詩集）『桐の花』（歌集）

◎**大正時代の近代詩**
- 室生犀星…『愛の詩集』『抒情小曲集』
- 高村光太郎…『道程』『智恵子抄』
- 萩原朔太郎…『月に吠える』『青猫』

◆昭和（戦前）の作品

- **三好達治**…『測量船』（四季派）
- **中原中也**…『山羊の歌』『在りし日の歌』（四季派）

◎歴程派

- **草野心平**…『蛙』（同人誌『歴程』）
- **宮沢賢治**（大正末期～昭和初期）…『春と修羅』（詩集）『注文の多い料理店』『銀河鉄道の夜』『よだかの星』『風の又三郎』『セロ弾きのゴーシュ』

◆短歌

- **与謝野晶子**（明治）…『みだれ髪』東京新詩社（結社）に参加。機関誌『明星』
- **石川啄木**（明治）…三行分けで書く短歌・生活がテーマの短歌。『一握の砂』『悲しき玩具』
- **斎藤茂吉**…『赤光』（大正刊）

> **＋アルファ** 作家と出身地
>
> 問題の中には、出身地から作家を推理できるものもある。
> 　正岡子規…愛媛県松山市
> 　石川啄木…岩手県渋民村（現・盛岡市）
> 　宮沢賢治…岩手県花巻市
> 　太宰治……青森県金木村（現・五所川原市）
> 　室生犀星…石川県金沢市

◆戦後の主な文学作品

作　家	主な作品
三島由紀夫	『潮騒』『仮面の告白』『金閣寺』『午後の曳航』『豊饒の海』
安部公房	前衛的作家。『壁』『砂の女』『箱男』
大岡昇平	『野火』『レイテ戦記』（戦争文学）
井上靖	『氷壁』『しろばんば』『天平の甍』『蒼き狼』
遠藤周作	『海と毒薬』『沈黙』
石原慎太郎	『太陽の季節』『化石の森』

大江健三郎	ノーベル文学賞受賞。『死者の奢り』『個人的な体験』
野坂昭如	『火垂るの墓』
藤沢周平	『暗殺の年輪』『たそがれ清兵衛』
司馬遼太郎	『梟の城』『国盗り物語』『竜馬がゆく』『坂の上の雲』
池波正太郎	『鬼平犯科帳』『剣客商売』
井上ひさし	『吉里吉里人』『青葉繁れる』
松本清張	『点と線』『砂の器』
幸田文	『おとうと』
瀬戸内寂聴	『夏の終り』

◆ 70年代以降の現代作家

作　家	主な作品
村上龍	『コインロッカー・ベイビーズ』『限りなく透明に近いブルー』『愛と幻想のファシズム』『希望の国のエクソダス』
村上春樹	『羊をめぐる冒険』『ねじまき鳥クロニクル』『アンダーグラウンド』『海辺のカフカ』『1Q84』
宮尾登美子	『櫂』『天璋院篤姫』
向田邦子	『父の詫び状』『あ・うん』『蛇蠍のごとく』
林真理子	『不機嫌な果実』
小川洋子	『妊娠カレンダー』『博士の愛した数式』
山田詠美	『ベッドタイムアイズ』『ぼくは勉強ができない』
綿矢りさ	『インストール』『蹴りたい背中』
金原ひとみ	『蛇にピアス』
吉本ばなな	『キッチン』『TUGUMI』『アムリタ』『哀しい予感』
重松清	『ナイフ』『エイジ』『ビタミンF』
又吉直樹	『火花』

人文科学：国語

レッスン03 海外文学と文学作品の冒頭

ここでは、押さえておきたい海外文学と、文学作品の冒頭部を確認する。

◆アメリカ文学

心理よりも行動、ドライなストーリーの中に浮かび上がる開拓者精神の光と影、能動的な現実主義が特徴。

作　家	主な作品
メルヴィル	『白鯨』
マーク・トウェイン	『トム・ソーヤーの冒険』
ヘミングウェイ	『誰がために鐘は鳴る』『老人と海』『武器よさらば』
フォークナー	『響きと怒り』
パール・バック	『大地』
ヘンリー・ミラー	『北回帰線』
サリンジャー	『ライ麦畑でつかまえて』
スタインベック	『怒りの葡萄』『エデンの東』

◆イギリス文学

作　家	主な作品
シェイクスピア	『ハムレット』『オセロー』『マクベス』『リア王』『ヴェニスの商人』『ロミオとジュリエット』
ダニエル・デフォー	『ロビンソン・クルーソー』
エミリー・ブロンテ	『嵐が丘』
ディケンズ	『二都物語』『クリスマス・キャロル』
モーム	『月と6ペンス』
ジェイムズ・ジョイス	『ユリシーズ』
ロレンス	『チャタレー夫人の恋人』

ワン・ポイント シェイクスピアの四大悲劇

『ハムレット』『オセロー』『マクベス』『リア王』

＋アルファ 『月と6ペンス』の主人公は、画家のゴーギャンがモデル。

◆フランス文学

作　家	主な作品
ジュール・ヴェルヌ	『八十日間世界一周』
スタンダール	『赤と黒』
バルザック	写実主義。『谷間の百合』
デュマ	『三銃士』
フローベール	写実主義。『ボヴァリー夫人』
ユーゴー	ロマン主義。『レ・ミゼラブル』
ゾラ	自然主義。『居酒屋』『ナナ』
モーパッサン	自然主義。『女の一生』
ジイド	『狭き門』
プルースト	『失われた時を求めて』
サルトル	『嘔吐』
カミュ	『異邦人』
サン＝テグジュペリ	『星の王子さま』
ロマン・ロラン	『ジャン・クリストフ』

＋アルファ サルトルは実存主義の哲学者でもある。

重要度 ★★☆

105

◆ドイツ文学

作　　家	主な作品
ゲーテ	古典主義。『若きウェルテルの悩み』『ファウスト』
トーマス・マン	『ヴェニスに死す』『魔の山』
ヘッセ	『車輪の下』
カフカ	『変身』

＋アルファ カフカはプラハ（チェコ）出身のドイツ語作家である。

◆ロシア文学

　トルストイまでが 19 世紀。チェーホフとゴーリキーは 20 世紀。

作　　家	主な作品
ツルゲーネフ	『猟人日記』
ドストエフスキー	『罪と罰』『カラマーゾフの兄弟』『白痴』『悪霊』
トルストイ	『戦争と平和』『アンナ・カレーニナ』
チェーホフ	『桜の園』
ゴーリキー	『どん底』

◆その他の主な文学

作　　家	主な作品
ジョナサン・スウィフト（アイルランド）	『ガリバー旅行記』
セルバンテス（スペイン）	『ドン・キホーテ』
イプセン（ノルウェー）	『人形の家』
アンデルセン（デンマーク）	『即興詩人』
メーテルリンク（ベルギー）	『青い鳥』
魯迅（中国）	『阿Q正伝』

◆文学作品の冒頭
◎古典作品

作品名（作者）	冒　　頭
竹取物語	今は昔、竹取の翁といふものありけり。…
伊勢物語	昔、男、初冠して、平城の京春日の里に…
古今和歌集・仮名序（紀貫之ら）	やまとうたは人の心を種として、万の言の葉とぞなれりける。…
土佐日記（紀貫之）	男もすなる日記といふものを、女もしてみむとてするなり。…
蜻蛉日記（藤原道綱母）	かくありし時過ぎて、世の中にいとものはかなく…
和泉式部日記（和泉式部）	夢よりもはかなき世の中を、嘆きわびつつ…
枕草子（清少納言）	春はあけぼの。やうやう白くなりゆく山ぎは、すこし明りて…
源氏物語（紫式部）	いづれの御時にか、女御更衣あまた侍ひ給ひけるなかに…
更級日記（藤原孝標女）	あづまぢの道の果てよりも、なほ奥つ方に生ひ出でたる人…
方丈記（鴨長明）	ゆく河の流れは絶えずして、しかも、もとの水にあらず。…
平家物語	祇園精舎の鐘の声、諸行無常の響きあり。…
徒然草（吉田兼好）	つれづれなるまゝに日暮らし、硯に向かひて…
風姿花伝（世阿弥）	それ、申楽延年のことわざ、その源を尋ぬるに、…
おくのほそ道（松尾芭蕉）	月日は百代の過客にして、行かふ年も又旅人也。…

◎近代作品

作品名（作者）	冒　頭
たけくらべ （樋口一葉）	廻れば大門の見返り柳いと長けれど、…
舞姫 （森鷗外）	石炭をば早や積み果てつ。中等室の卓のほとりはいと静かにて…
高瀬舟 （森鷗外）	高瀬舟は京都の高瀬川を上下する小舟である。…
吾輩は猫である （夏目漱石）	吾輩は猫である。名前はまだ無い。…
坊っちゃん （夏目漱石）	親譲りの無鉄砲で子供の時から損ばかりしている。…
草枕 （夏目漱石）	山路を登りながら、かう考へた。智に働けば角が立つ。…
こころ （夏目漱石）	私はその人を常に先生と呼んでいた。…
破戒 （島崎藤村）	蓮華寺では下宿を兼ねた。瀬川丑松が急に転宿を思ひ立って、…
夜明け前 （島崎藤村）	木曽路はすべて山の中である。あるところは岨づたいに…
城の崎にて （志賀直哉）	山の手線の電車に跳ね飛ばされて怪我をした、…
羅生門 （芥川龍之介）	ある日の暮方の事である。一人の下人が、羅生門の下で雨やみを…
鼻 （芥川龍之介）	禅智内供の鼻と云えば、池の尾で知らない者はない。…
蜘蛛の糸 （芥川龍之介）	ある日の事でございます。御釈迦様は極楽の蓮池のふちを、…
走れメロス （太宰治）	メロスは激怒した。必ず、かの邪智暴虐の王を除かなければならぬ…
斜陽 （太宰治）	朝、食卓でスウプを一さじ、すっと吸ってお母さまが、「あ」と幽かな…
人間失格 （太宰治）	恥の多い生涯を送って来ました。…
伊豆の踊子 （川端康成）	道がつづら折りになって、いよいよ天城峠に近づいたと思う頃、…
雪国 （川端康成）	国境の長いトンネルを抜けると雪国であった。…
銀河鉄道の夜 （宮沢賢治）	「ではみなさんは、そういうふうに川だと言われたり、乳の流れたあとだと言われたりしていた、このぼんやりと白いものが…」
よだかの星 （宮沢賢治）	よだかは、実にみにくい鳥です。…
細雪 （谷崎潤一郎）	「こいさん、頼むわ。—」鏡の中で、…

🎺出題パターン

　次の文章は、ある小説の冒頭部分である。新感覚派に属するこの作品の作者として、最も妥当なのはどれか。

　国境の長いトンネルを抜けると雪国であった。夜の底が白くなった。信号所に汽車が止まった。

　向側の座席から娘が立って来て、島村の前のガラス窓を落した。雪の冷気が流れ込んだ。娘は窓いっぱいに乗り出して、遠くへ叫ぶように、

「駅長さあん、駅長さあん。」

　明りをさげてゆっくり雪を踏んで来た男は、襟巻で鼻の上まで包み、耳に帽子の毛皮を垂れていた。

(1) 川端康成
(2) 谷崎潤一郎
(3) 夏目漱石
(4) 森鷗外
(5) 志賀直哉

答（1）

重要度
★★★

レッスン 04 和歌

万葉の時代から現代まで歌い続けられているのが和歌（明治以降は「短歌」という）で、通常５・７・５・７・７の31文字で構成される。その形式から様々な修辞法を学ぶことが大切である。

◆枕詞

特定の言葉を修飾し、五音からなる。それ自体は意味を持たない。

枕　詞	かかる語
あかねさす	紫、日、昼、君
あしひきの	山
あらたまの	年、月、春
いそのかみ	古る、降る、振る
うつせみの	命、世、世の人、むなし、わびし
くさまくら	旅
しろたへの	衣、袖、袂
たまほこの	道、里
たらちねの	母
いはばしる	垂水（たるみ）
からころも	きる、たつ、なれ
くろかみの	乱れ
たまのをの	絶ゆ、いのち、長し、短し
ちはやぶる	神
ひさかたの	光、天、空、月

◆掛詞

一つの語に二重の意味を重ねる方法。

> 例　花の色は移りにけりないたづらにわが身世にふる ながめせしまに（ふる＝経る・降る）（ながめ＝眺め・長雨）

かれ	枯れ・離れ
ながめ	眺め・長雨

ふる	経る・降る
あき	秋・飽き
ふみ	文・踏み
まつ	松・待つ

◆序詞

ある語を導くための前置き言葉。音数は不定で、働きは枕詞と同じ。

> 例　風をいたみ岩うつ波の：おのれのみ砕けてものを思ふころかな＝波の・砕け（意味的な連結型）
> 例　あづま路の小夜の中山：なかなかになにしか人を思ひそめけむ＝中山・なかなか（同音型）

◆折句

歌の各句の始めにある言葉の音を読み込む。

> 例　かきつばた
> から衣きつつなれにしつましあれば
> はるばる来ぬるたびをしぞ思ふ

◆『万葉集』の部立て（内容上の分類）

相聞（そうもん）	恋の歌 例　このころの恋の繁けく夏草の刈り掃へども生ひ及くごとし
挽歌（ばんか）	死を悼む歌 例　我妹子（わぎもこ）が植ゑし梅の木見るごとに心むせつつ涙し流る
雑歌	相聞と挽歌以外の歌

<ruby>東<rt>あずま</rt></ruby><ruby>歌<rt>うた</rt></ruby>	東国地方の歌 例　多摩川に曝す手作りさらさら に何そこの児のここだ愛しき
<ruby>防人歌<rt>さきもりのうた</rt></ruby>	九州防衛兵の歌 例　父母が頭かき撫で幸くあれて 言ひし言葉ぜ忘れかねつる

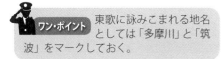
ワン・ポイント　東歌に詠みこまれる地名
としては「多摩川」と「筑
波」をマークしておく。

◆覚えておきたい**重要古典和歌**

和　歌	作　者
石走る垂水の上のさわらびの萌え出づる春になりにけるかも	志貴皇子
<ruby>熟田津<rt>にきたつ</rt></ruby>に船乗りせむと月待てば潮もかなひぬ今は漕ぎ出でな	<ruby>額田王<rt>ぬかたのおほきみ</rt></ruby>
東の野に<ruby>炎<rt>かぎろひ</rt></ruby>の立つ見えてかへり見すれば月傾きぬ	柿本人麻呂
田子の浦ゆうち出でて見れば真白にぞ富士の高嶺に雪は降りける	山部赤人
<ruby>銀<rt>しろがね</rt></ruby>も<ruby>金<rt>くがね</rt></ruby>も玉も何せむに勝れる宝子にしかめやも	山上憶良
花の色は移りにけりないたづらにわが身世にふるながめせしまに	小野小町
世の中に絶えて桜のなかりせば春の心はのどけからまし	在原業平
名にしおはばいざ言とはむ都鳥わが思ふ人はありやなしやと	在原業平
月やあらぬ春や昔の春ならぬわが身ひとつはもとの身にして	在原業平
<ruby>秋<rt>あき</rt></ruby>来ぬと目にはさやかに見えねども風の音にぞおどろかれぬる	藤原敏行
さびしさはその色としもなかりけりまき立つ山の秋の夕暮	寂蓮 （三夕の歌）
心なき身にもあはれは知られけり鴫立つ沢の秋の夕暮	西行 （三夕の歌）

見渡せば花も<ruby>紅葉<rt>もみじ</rt></ruby>もなかりけり<ruby>浦<rt>とま</rt></ruby>の苫屋の秋の夕暮	藤原定家 （三夕の歌）
<ruby>東風<rt>こち</rt></ruby>吹かばにほひおこせよ梅の花<ruby>主<rt>あるじ</rt></ruby>なしとて春な忘れそ	菅原道真
袖ひちてむすびし水のこほれるを春立つけふの風やとくらむ	紀貫之
さざなみや志賀の都はあれにしを昔ながらの山桜かな	<ruby>平忠度<rt>たいらのただのり</rt></ruby>
見渡せば山もとかすむ<ruby>水無瀬川<rt>みなせがわ</rt></ruby>夕べは秋となに思ひけむ	後鳥羽上皇
秋の田のかりほの<ruby>庵<rt>いお</rt></ruby>の<ruby>苫<rt>とま</rt></ruby>をあらみわが衣手は露にぬれつつ	天智天皇
春すぎて夏来にけらし<ruby>白妙<rt>しろたえ</rt></ruby>の衣ほすてふ天の香具山	持統天皇
あしひきの山鳥の尾のしだり尾の長々し夜をひとりかも寝む	柿本人麻呂

◆覚えておきたい**重要な近代短歌**

短　歌	作　者
<ruby>金色<rt>こんじき</rt></ruby>のちひさき鳥のかたちして<ruby>銀杏<rt>いてふ</rt></ruby>ちるなり夕日の岡に	与謝野晶子
海恋し潮の遠鳴りかぞへては少女となりし父母の家	与謝野晶子
いちはつの花咲きいでて我目には今年ばかりの春行かんとす	正岡子規
<ruby>不来方<rt>こずかた</rt></ruby>のお城の草に寝ころびて空に吸はれし十五の心	石川啄木
はたらけどはたらけど猶わがくらし楽にならざりぢっと手を見る	石川啄木
かにかくに<ruby>渋民村<rt>しぶたみ</rt></ruby>は恋しかりおもひでの山おもひでの川	石川啄木
やはらかに柳あをめる北上の岸辺目に見ゆ泣けとごとくに	石川啄木
東海の小島の磯の白砂にわれ泣きぬれて蟹とたはむる	石川啄木
みちのくの母のいのちを一目見ん一目見んとぞただにいそげる	斎藤茂吉
白鳥は哀しからずや空の青海のあをにも染まずただよふ	若山牧水

04
和
歌

俳句

江戸時代に生まれた俳句は現代まで詠み続けられている。ここでは和歌同様に
その形式や季語などを学ぶ。

◆俳句

俳句は通常5・7・5の17字からなり、季語が必ず詠みこまれる韻文芸術。

◎切れ字

終助詞の「ぞ・かな・や」と助動詞の「けり・ず・ぬ・らむ」などの語を指し、それらが感動・詠嘆を放ち、17字のなかに広大な世界観が広がる。

◎破格

5・7・5を意図的に外した「字余り」と「字足らず」がある。

◆主な季語

◎新年

`時候・天文・地理` 元日・初春・松の内
`植物・動物` 若菜・福寿草・初雀
`生活・行事` 独楽・雑煮・初夢・門松

◎春（1〜3月）

`時候・天文・地理` 早春・陽炎・行春（行く春）・八十八夜・残雪・雪崩・雪解・余寒
`植物・動物` 馬酔木・菜の花・桜・菫・椿・梅・雀の子・蛙・雲雀・蝶・蜂
`生活・行事` 茶摘・花見・雛・種蒔

◎夏（4〜6月）

`時候・天文・地理` 虹・雲海・秋近し・夕焼・夕立
`植物・動物` 紫陽花・葵・若葉・菖蒲・蓮・牡丹・雨蛙・時鳥・蟬・蠅・蛍・兜虫・蚊・蚤・蜘蛛・青葉・新緑・若葉・万緑
`生活・行事` 田植・祭・打水・新茶・浴衣・更衣・蚊帳・団扇・風鈴・日傘・葵祭

◎秋（7〜9月）

`時候・天文・地理` 月・秋深し・残暑・夜長・稲妻・月夜・夜寒・十六夜
`植物・動物` 朝顔・桔梗・糸瓜・啄木鳥・桐一葉・蜻蛉・鹿・渡り鳥・鵙・雁・桃・梨・林檎・葡萄・栗・石榴・紅葉・鶏頭・菊・芒・撫子
`生活・行事` 稲刈・月見・盆会

◎冬（10〜12月）

`時候・天文・地理` 大晦日・寒の入・節分・年の暮・三寒四温・春待つ・枯野
`植物・動物` 山茶花・水仙・水鳥・千鳥・落葉・枯葉・蜜柑
`生活・行事` 蒲団・年忘・障子・襖

重要ポイント　間違いやすい季語

`食` 筍（夏）／苺（夏）／西瓜（秋）／南瓜（秋）／大根（冬）／葱（冬）

`山` 山笑う（春）／山滴る（夏）／山粧う（秋）／山眠る（冬）

`雨` 五月雨（夏）／梅雨（夏）／時雨（冬）

`風` 風光る（春）／東風（春）／青嵐（夏）／南風（夏）／涼風（夏）／風薫る（夏）／野分（秋）

`雲` 雲の峰（夏）／鰯雲（秋）

`空` 霞（春）／雷（夏）／雹（夏）／霧（秋）／露（秋）／霰（冬）

`魚` 鰹（夏）／秋刀魚（秋）／鮟鱇（冬）／河豚（冬）

`その他` 天の川（河）（秋）／七夕（秋）／麦の秋（夏）／竹春（秋）／小春（冬）

◆近世俳句

◎松尾芭蕉（元禄期）

- 秋深き隣は何をする人ぞ
- 暑き日を海に入れたり最上川
- 荒海や佐渡に横たふ天の河
- 草の戸も住み替る代ぞ雛の家
- この道や行く人なしに秋の暮
- 五月雨の降り残してや光堂
- 五月雨を集めて早し最上川
- 閑さや岩にしみ入る蝉の声
- 旅に病んで夢は枯野をかけ廻る
- 夏草や兵どもが夢の跡
- 古池や蛙飛びこむ水の音

◎与謝蕪村（天明期）

- 五月雨や大河を前に家二軒
- 月天心貧しき町を通りけり
- 鳥羽殿へ五六騎いそぐ野分かな
- 菜の花や月は東に日は西に
- 春の海終日のたりのたりかな
- 牡丹散りて打ち重なりぬ二三片
- 行く春やおもたき琵琶の抱きごころ

◎小林一茶（化政期）

- これがまあ終の栖か雪五尺
- 雀の子そこのけそこのけ御馬が通る
- 目出度さもちう位なりおらが春
- やれ打つな蠅が手をすり足をする
- 雪とけて村いっぱいの子どもかな
- 我と来て遊べや親のない雀
- 名月をとってくれろと泣く子かな

◎その他の俳人

- 目には青葉山ほととぎす初鰹 （山口素堂）
- 梅一輪一輪ほどの暖かさ （服部嵐雪）
- 卯の花をかざしに関の晴着かな （河合曾良）
- 朝顔やつるべとられてもらひ水 （加賀千代女）

◆近代俳句

◎正岡子規

- いくたびも雪の深さを尋ねけり
- 柿くへば鐘が鳴るなり法隆寺
- 鶏頭の十四五本もありぬべし
- 故郷やどちらを見ても山笑ふ
- 糸瓜咲て痰のつまりし仏かな
- 雪残る頂一つ国境

◎高浜虚子

- 桐一葉日当たりながら落ちにけり
- 流れゆく大根の葉の早さかな
- 遠山に日の当りたる枯野かな

◎その他の俳人

- 流氷や宗谷の門波荒れやまず （山口誓子）
- いわし雲大いなる瀬をさかのぼる （飯田蛇笏）
- 万緑の中や吾子の歯生え初むる （中村草田男）
- 赤い椿白い椿と落ちにけり （河東碧梧桐）
- 分け入つても分け入つても青い山 （種田山頭火）
- 咳をしても一人 （尾崎放哉）
- みちのくの町はいぶせき氷柱かな （山口青邨）

05
俳句

出題パターン

冬の季語が入った句として、最も妥当なのはどれか。
(1) 幾人か時雨駆け抜く瀬田の橋
(2) 寂として客の絶え間の牡丹かな
(3) 目には青葉山ほととぎす初鰹
(4) 荒海や佐渡に横たふ天の河
(5) 古池や蛙飛びこむ水の音

答（1）

111

人文科学：国語

重要度
★★★

レッスン
06

故事成語

故事成語は主に中国の故事に基づいてできた言葉である。基になった話についても調べておくとよい。

◆覚えておきたい故事成語

青は藍より出でて藍より青し （出藍の誉れ）	弟子が努力して師をしのいで優れること。
朝に道を聞かば夕べに死すとも可なり	朝に真実の道（人としての道徳）を聞くことができれば、その日の夕方に死んでも構わないこと。
羹に懲りて膾を吹く	一度の失敗に懲りて過剰な用心をすること。
過ちては則ち改むるに憚ること勿れ	過ちがあったならば、それを改めるのに躊躇することはない。
石に漱ぎ流れに枕す	負け惜しみが激しいこと。無茶なこじつけ。
一炊の夢	人生の栄耀栄華ははかなくむなしい。 類 邯鄲の夢／黄粱の夢／盧生の夢
烏有に帰す	何もかもなくなること。火災ですべてをなくした場合などに使う。
温故知新	過去の事がらなどを研究して、そこから新しい知見などを見出すこと。
（先ず）隗より始めよ	まずは物事を始めるなら言い出した者から始めよ。また大仕事をなすなら手近なことから始めよということ。
臥薪嘗胆	目的達成のため長い間苦心すること。
（百年）河清を俟つ	いくら待機していても無駄なこと。
眼光紙背に徹す	文章の深奥の意味まで理解すること。
換骨奪胎	先人の詩文の発想や表現法を利用し新しい趣向を加え自らの作品とすること。
管鮑の交わり	深い友情のこと。 類 水魚の交わり
奇貨居くべし	よい機会は上手に利用しなければならないということ。
木に縁りて魚を求む	いくら努力しても誤った手段では目的を達成できないこと。
曲学阿世の徒	真理を曲げて権力者や世俗に阿るような言動をする人。
漁夫の利	第三者がやすやすと利益をさらうこと。
鶏口と為るも牛後と為るなかれ	小さい集団であってもその中でリーダーになるほうが、大きな集団で末尾につき従者になるよりよいということ。

螢雪の功	苦しい環境でもくじけず努力をして学んだ成果のこと。
捲土重来	一度失敗をした者が再度勢力を盛り返してくること。
後生畏るべし	若者が懸命に努力すれば、将来立派な人物になる可能性を秘めているから畏るべきであるということ。
呉越同舟	敵対する者同士が同じ場所にいること。また、敵味方同士が共通の困難や利害に対して力を合わせること。
（人間万事）塞翁が馬	人生の禍福・吉凶は予測するのが困難なこと。 類 禍福は糾える縄のごとし
三顧の礼	目上の人が賢者を招くために礼を尽くすこと。
滄桑の変	世の中の移り変わりが激しいたとえ。桑畑が海に変わったり海が干上がって桑畑になるような急激な変化のこと。
多岐亡羊	方針や選択肢がありすぎてどれを選んでよいか迷うこと。
他山の石	他人の言行から学んで自らの知徳を磨くのに役立てること。　類 人のふり見てわがふりなおせ
朝令暮改	命令や方針がしばしば変更されて当てにならないこと。
桃李もの言わざれども下自ら蹊を成す	有徳の人のもとには自然と人が集まること。桃や李は見事な花や実がなるので、人が集まって道ができるという故事から。
蟷螂の斧	非力を顧みずに強敵に歯向かうこと。むなしい抵抗のたとえ。
泣いて馬謖を斬る	規律遵守のためには私情を抑えて、愛する者であっても違反者を処罰すること。
背水の陣	一歩も退くことのできないというぎりぎりの覚悟で全力を尽くすこと。
尾生の信	固く約束を守ること。正直すぎて融通のきかないこと。
刎頸の交わり	その友人のために斬首されても構わないほどの交際。
孟母三遷	母親がわが子の教育に熱心なこと。教育のためにはよい環境を選ぶ必要があること。
羊頭狗肉	見せかけだけが立派で中身の実質が伴わないこと。
李下に冠を正さず	人に疑われるようなことをするなというたとえ。 類 瓜田に履を納れず

◆ 2字の故事成語

杞憂	取り越し苦労。	白眉	同類の中で傑出しているもの。
推敲	文章を練り直すこと。	墨守	古い習慣や自説を固く守ること。
杜撰	不確かでいい加減な様子。	左袒	賛意を示す。味方する。
蛇足	余計な付け加え。	守株	旧弊にとらわれて時代の変化に応じられないこと。
知音	親友。	壟断	利益を独占すること。

人文科学：国語

レッスン 07 ことわざ

ことわざとは教訓や風刺などを巧みに織り込んだ、古くから世間に知られてきた短い言葉のことである。人生や生活全般への警句となっているものが多い。

◆主なことわざ

悪事千里を走る	悪行や悪い評判は、たちまちのうちに世間に知れ渡る。
悪銭身につかず	盗み・賭け事などで得たお金は、すぐになくなってしまう。
あとは野となれ山となれ	目先のことさえなんとか済めば、後はどうなっても構わない。
あばたもえくぼ	相手を好きになってしまえばその欠点も長所に見えること。
虻蜂とらず	２つを一挙に取ろうとして、両方とも取り損なうこと。 類 二兎を追うものは一兎をも得ず
雨垂れ石を穿つ	小さな努力でも粘り強くやれば最後は成功する。
雨降って地固まる	もめごとが起こった後、むしろ事態が安定する。
案ずるより産むが易し	あれこれ心配するより、実際にやってみれば案外にうまく事が運ぶ。
生き馬の目を抜く	すばやく物事をする。油断のならない様。
石の上にも三年	辛くても辛抱して継続すれば必ず成功する。
一寸の虫にも五分の魂	小さな存在にも、それ相当の意地があってばかにしてはいけないこと。
鰯の頭も信心から	信心すればあまり価値がないものでもありがたく思える。
魚心あれば水心	相手の出方次第で、こちらも好意を見せようということ。
馬の耳に念仏	いくら意見をしても聞き入れられず無駄なこと。 類 馬の耳に風／馬耳東風／犬に論語
江戸の敵を長崎で討つ	意外な場所で、あるいは筋違いなことで仕返しすること。
驕る平家は久しからず	思いあがっておごりたかぶるとその身を長く保つことができない。
小田原評定	結論の出ないまま延々続く会議・相談のこと。

帯に短したすきに長し	中途半端でいずれの役にも立たないこと。
溺れる者は藁をもつかむ	緊急のときには何でもすがり頼ろうとする。
風が吹けば桶屋がもうかる	物事の因果関係が巡り巡って予想外のところに影響がでる。
火中の栗を拾う	他人の利益のために危険を顧みず行うこと。
亀の甲より年の劫（功）	年配者の積んできた経験は尊ばれるべきである。
枯れ木も山の賑わい	つまらないものでも、ないよりはまし。
可愛い子には旅をさせよ	子どもは甘やかすより手元から放し苦労をさせたほうがよい。
窮鼠猫を噛む	弱者でも追い詰められると強者に反撃することがある。
弘法にも筆の誤り	その道に優れた者でも時には失敗をすることがある。 類 河童の川流れ／猿も木から落ちる／上手の手から水が漏れる
弘法筆を択ばず	名人は道具のよしあしにこだわらず卓越した仕事をする。
紺屋の白袴	他人のためにばかり忙しくて、自分のことには手がまわらないこと。　　類 医者の不養生／坊主の不信心
三人寄れば文殊の知恵	凡庸な人間でも三人集まって相談すればより良い知恵が出る。
釈迦に説法	自分より知識がある者に教えることの愚。あるいは説く必要のないことのたとえ。　　類 河童に水練
蛇の道は蛇	同類のすることはその方面のものにはすぐ分かるということ。
雀百まで踊りを忘れず	幼少の頃に身についた習慣は年をとってからも身についたままである。　　類 三つ子の魂百まで
船頭多くして船山にのぼる	指図する人間が多くて方針がまとまらず物事があらぬ方向に進むこと。
袖振り合うも多生の縁	道行く知らない人と袖が触れ合うようなちょっとしたことでも宿縁による。
大山鳴動して鼠一匹	大騒ぎしたわりに、実際の結果は小さいこと。
蓼食う虫も好き好き	人の嗜好は様々であること。
月に叢雲花に風	理想的な状態はすぐにじゃまされ、とかく長続きしないこと。　　類 花に嵐／好事魔多し

灯台下暗し	身近な事情はかえってわかりにくいものだ。
豆腐にかすがい	いくら意見をしても、何の手ごたえも効き目もないこと。 類 のれんに腕押し／糠に釘
鳶が鷹を生む	凡庸な親から優秀な子どもが生まれること。 対 蛙の子は蛙／瓜の蔓に茄子はならぬ
捕らぬ狸の皮算用	不確かなことをあてにして計画をあれこれ考えること。
泥棒に追い銭	自分に害を与える相手に利益を与え、損に損を重ねること。
泥棒を捕らえて縄をなう	事が起こってから慌てて準備にとりかかること。
情けは人の為ならず	人に親切にしておけば巡り巡ってよい報いが自分にやってくること。
猫に小判	価値を理解しないものに貴重なものを与えても無意味なこと。
人の噂も七十五日	世間に出回った噂もじきに忘れられてしまうこと。
貧すれば鈍する	貧乏すると頭の働きが鈍くなる。あるいは品性がいやしくなる。
坊主憎けりゃ袈裟まで憎い	その人を憎むあまりにその人に関わる一切を憎むこと。
坊主丸儲け	元手なしにやすやすともうけること。
仏の顔も三度	どんなに温厚な人でも幾度もひどいことをされれば怒り出すこと。
餅は餅屋	物事にはそれぞれ専門の者がいること。 類 船は船頭に任せよ
論語読みの論語知らず	書物を読んで頭で理解しているだけで実行できない人物をあざけっていう。

出題パターン

ことわざとその意味の組合せとして、最も妥当なのはどれか。
(1) 濡れ手で粟 ——— 苦労しないで多くの利益を得ること。
(2) 流れに棹さす ——— 時流に逆らうこと。
(3) 和して同ぜず ——— 仲間になったと見せかけてだますこと。
(4) 水魚の交わり ——— その場限りの付き合いのこと。
(5) 百年河清を俟つ ——— 長い年月をかけて目的を達成すること。

答 (1)

人文科学：国語

重要度
★★☆

レッスン 08 慣用句

慣用句とは、二語以上がつながり、その全体が一つの意味を表すひとまとまりの言葉や言い回しのことをいう。似た慣用句も多くあるため、意味は正しく覚えること。

◆動物（鳥獣虫魚）名を含む主な慣用句

⊙鳥

鵜の目鷹の目	熱心に探し出そうとする様子。
烏の行水	ごく短い時間で入浴すること。
雀の涙	ごくわずかにしかないことのたとえ。
鶴の一声	人々がたちまち従う権威ある者の一声。

⊙獣

犬の遠吠え	臆病者が陰で空いばりすること。
犬も食わぬ	ひどく嫌われること、誰も取り合わないことのたとえ。
牛のよだれ	細く長くだらだら続くことのたとえ。
馬が合う	気が合うこと。
馬の背を分ける	ある地域を境にして土砂降りとまったく降らない様子。
馬の骨	素姓のあやしい者を侮蔑する言葉。
馬脚を露す	化けの皮がはがれ正体があらわになること。
猫の手も借りたい	忙しすぎて人手不足で、どんな手伝いでもほしいことのたとえ。
猫の額	土地などが非常に狭いことのたとえ。
猫も杓子も	誰もかれも。みんな。
猫を被る	本性を隠し大人しそうなふりをすること。

⊙虫

蜂の巣をつついたよう	大騒ぎになって収拾がつかないような様。
虫がいい	身勝手な様。

117

虫唾（酸）が走る	たまらなく嫌なこと。
虫の息	今にも絶え果てそうな呼吸。
虫の知らせ	訳もなく嫌な予感がすること。
虫も殺さない	非常におとなしく優しい様。

⊙魚

まな板の鯉	相手や運命になされるがままの、どうしようもない状態。

◆体の部位名を含む主な慣用句

顎で使う	いばった態度で人を使うこと。
口が掛かる	仲間などの誘いを受けること。
口に乗る	人の甘言にだまされること。人に噂される。
首が回らない	借金など、支払うべき金が多くてやり繰りができなくなる。
舌を巻く	非常に感心すること。
鼻が高い	得意である。
鼻を鳴らす	甘えた声を出すこと。
眉唾物	真偽のほどが疑われるもの。
耳を揃える	金額をきっちりと揃えること。
顔色を見る	相手の気持ちを推察するべく表情をうかがうこと。
顔を立てる	その人の面目を保つようにすること。
腕が立つ	秀でた腕前や技量があること。
爪を隠す	才能を隠すこと。
爪を研ぐ	野心を抱いて待ちかまえること。
爪に火を点す	過剰に倹約すること。
手をこまぬく	手を出さず傍観すること。　　圖 腕をこまぬく
手を濡らさず	自分では直接何もせず苦労しないこと。
胸（腹）に一物	心の中に企みがあること。
腰がある	麺類などで歯ざわりがしっかりしていること。

腰が重い	なかなか行動を起こそうとしないこと。
尻が長い	人の家を訪ねて長居すること。
尻に火が付く	事態が非常に切迫した様。
足が出る	出費が予算オーバーになること。
足元を見る	人の弱みにつけこむこと。
足を洗う	悪行をやめて真面目な生活を送ること。
足を延ばす	今の地点よりさらに遠くへ行く。
足を引っ張る	他人の成功を妨害すること。
足を向けて寝られない	人から受けた恩は忘れ去ることはできないこと。

08
慣用句

◆**植物名・食物名が含まれている主な慣用句**

雨後の筍	同じ現象が続々と出てくること。
うどの大木	体ばかり大きくて役に立たない人のこと。
木で鼻をくくる	人に対し無愛想に対応すること。
濡れ手で粟	骨を折らずにやすやすと大儲けすること。

◆**色が含まれている主な慣用句**

| 白い目で見る | 冷淡な、あるいは憎しみに満ちた目つきで人を見ること。
回 白眼視 |
| 白紙に戻す | これまでの経緯をなかったことにして出発点に戻ること。 |

◆**数を含む主な慣用句**

二足の草鞋を履く	種類の違う2つの職業を一人ですること。
二の足を踏む	ためらって迷うこと。
二枚舌を使う	矛盾したことを言うこと。嘘を言うこと。
九死に一生を得る	絶望的な状況から命がかろうじて助かること。

◆**その他**

気が置けない	気を使わずに気楽につき合えること。
役不足	その人の力量・実力に対して役目が軽すぎること。
弱り目に祟り目	不運が重なって起こること。　回 泣きっ面に蜂

重要度 ★★

同訓異字・同音異義語

漢字を覚えるときには、同訓異字のもの、同音異義語をまとめて覚えると効率がよい。間違いやすいものに気をつけてしっかり確認しよう。

◆同訓異字

あう	彼女に会う
	帳尻が合う
	被害に遭う
あける	夜が明ける
	窓を開ける
	屋敷を空ける
あげる	技量を上げる
	豚カツを揚げる
	全力を挙げる
あつい	篤い信仰心
	厚いノート
	暑い一日
	熱いスープ
あやまる	運転操作を誤る
	無礼を謝る
あらい	鼻息が荒い
	網目が粗い
あらわす	顔色に表す
	雄姿を現す
	小説を著す
いたむ	虫歯が痛む
	板塀が傷む
	死者を悼む

うける	質問を受ける
	仕事の依頼を請ける
うつ	釘を打つ
	銃を撃つ
	仇を討つ
うつす	経を写す
	湖面に映す
	荷物を移す
	都を遷す
おかす	法律を犯す
	危険を冒す
	領地を侵す
おくれる	開演時間に遅れる
	出世が同僚より後れる
おこる	事故が起こる
	世界帝国が興る
おさえる	腕で押さえる
	気持ちを抑える
おさめる	騒乱を収める
	地方を治める
	税を納める
	学問を修める
おどる	バレエを踊る
	胸が躍る

かえす	金を返す
	母国へ帰す
かえりみる	過去を顧みる
	己を省みる
かえる	挨拶に代える
	立場を変える
	ユーロに換える
	普段着に着替える
かかる	虹が架かる
	費用が掛かる
	優勝が懸かる
	汚職に係る訴訟
かたい	理解し難い
	手堅い作戦
	頭が固い
	硬い鉄
かわく	洗濯ものが乾く
	喉が渇く
きく	鼻が利く
	売薬が効く
	アドバイスを聞く
	新曲を聴く
きわまる	感極まる
	進退窮まる
さく	男女の仲を裂く
	時間を割く
さす	将棋を指す
	剣先で刺す
	かんざしを挿す
	脇差を差す

さめる	心の迷いが覚める
	酔いから醒める
	紅茶が冷める
さわる	馬に触る
	気に障る
しめる	帯を締める
	扉を閉める
	鶏を絞める
すすめる	入部を勧（奨）める
	議事を進める
	哲学書を薦める
せめる	非を責める
	敵を攻める
そなえる	墓前に供える
	災害に備える
たえる	聞くに堪えない
	重量に耐える
	伝統が絶える
たずねる	行方を尋ねる
	知人宅を訪ねる
たつ	煙草を断つ
	連絡を絶つ
	布地を裁つ
	座席を立つ
	高層ビルが建つ
つく	定職に就く
	テーブルに着く
	前提条件が付く
	底を突く

09 同訓異字・同音異義語

121

つぐ	家業を継ぐ
	地震が相次ぐ
	骨を接ぐ
つとめる	実現に努める
	司会を務める
	企業に勤める
とく	難題を解く
	卵黄を溶く
	人の道を説く
とまる	電気が止まる
	宿泊施設に泊まる
	目に留まる
	バスが停まる
とる	メモを取る
	新卒者を採る
	ペンを執る
	内野フライを捕る
	動画を撮る
	栄養を摂る
	魚を獲る
ならう	英会話を習う
	例文に倣う
ねる	昼間に寝る
	戦略を練る
のせる	車に乗せる
	宣伝広告を載せる
のぞむ	阿蘇山を望む
	太平洋に臨む
のばす	才能を伸ばす
	決断を延ばす

のぼる	議題に上る
	富士山に登る
	朝日が昇る
はえる	栄えある優勝
	朝日に映える
	髭が生える
はかる	便宜を図る
	時を計る
	長さを測る
	重さを量る
	暗殺を謀る
	委員会に諮る
はなす	目を離す
	犬を放す
はやい	朝が早い
	回転が速い
ふえる	分量が増える
	資産が殖える
ふける	美に耽る
	実年齢より老けている
	夜が更ける
ふるう	猛威を振るう
	勇気を奮う
まるい	丸い地球
	円い窓
まわり	家の周り
	身の回り
みる	外を見る
	病人を診る
	歌舞伎を観る

もと	白日の下にさらす
	元に戻る
	本をただす
	近代国家の基を築く
やぶれる	靴下が破れる
	勝負に敗れる
やわらかい	柔らかい身のこなし
	軟らかな地質
よい	良い品質
	善い人
よむ	書物を読む
	短歌を詠む
わかれる	見解が分かれる
	妻と別れる
わざ	天才のなせる業
	相撲の投げ技
わずらう	思い煩う
	病を患う

 重要ポイント 同訓異字の最頻出は「はかる」

特に「諮る」は日常的に使う言葉ではないので要注意。また、単純に候補の数が多いものは出題されやすい。

◆同音異義語

あいしょう	ゆるキャラの愛称を募る
	恩師の死を哀傷する
	彼女と相性がいい
	昭和演歌を愛唱する
あいせき	漱石が愛惜した筆記用具
	哀惜の念に堪えない

いがい	男性以外は土俵に上れない
	意外な結果が出る
いぎ	意義のある授業
	異議を唱える
	同音異義語
	威儀をただす
いぎょう	偉業を達成する
	先祖の遺業を継ぐ
	異形のいでたち
いけん	自らの意見を述べる
	その提案に異見を唱える
いさい	異彩を放つ
	委細は面談の折に
	彼は異才（偉才）の持ち主だ
いし	祖父の遺志を受け継ぐ
	一流選手は意志が強い
	組織では意思の疎通が大事だ
いしょう	意匠を凝らしたニューモード
	派手な舞台衣裳
いじょう	異常な気象
	就職戦線異状なし
いぞん	その意見に異存はない
	精神的に依存する
いどう	事故車両を移動させる
	人事異動を発表する
	字句の異同を点検する
えいき	英気を養う
	鋭気に満ちた目つき
えいり	鋭利な刃物
	営利の追求

09
同訓異字・同音異義語

がいかん	建物の立派な外観
	経済動向を概観する
	内憂外患
かいこ	幼少期を回顧する
	会社を解雇される
	懐古趣味に耽る
かいしん	改心して出直す
	会心の笑み
	病棟を回診する
かいとう	労働組合の要求への回答
	難題の模範解答
かいほう	窓を開放する
	圧政から解放する
	負傷者を介抱する
	病気が快方へ向かう
	問題の解法を示す
	会報を配付する
かぎょう	家業を手伝う
	役者稼業に入れ込む
かくしん	保守対革新のせめぎ合い
	確信に満ちた眼差し
	問題の核心を衝く
かてい	高校の教育課程
	結論を導く過程
	人の性質は善だという仮定
かんき	世論を喚起する
	部屋を換気する
	歓喜の雄叫びをあげる
かんし	衆人環視の中での暴力沙汰
	校内を監視する

かんしょう	内政に干渉される
	感傷的な映画を観る
	印象派の絵画を鑑賞する
	錦鯉は観賞用の魚だ
	自らの人生を観照する
	森が二国間の緩衝となる
かんしん	浮世絵に関心がある
	青年の行為に感心する
	顧客の歓心を得る
	寒心に堪えない
かんせい	管制官の指示で着陸
	閑静な住宅街
きかい	次の機会を活かす
	機械が故障する
	奇怪な事件が起こる
きこう	「おくのほそ道」は紀行文だ
	学術雑誌に寄稿する
	起稿して3年も経つ
	外国客船が横浜に寄港する
	遠洋漁業から帰港する
	羽田空港に寄航する
	奇行で悪名高い芸術家
	起工式を執り行う
	機構改革を進める
きじゅん	建築基準
	道徳規準
きしょう	気象情報
	気性が激しい
	6時に起床する
	希少な食べ物

きせい	既製服	こうき	好奇心
	既成概念		絶好機
	交通規制		鱒釣りの好期
	奇声をあげる	こうこく	誇大な広告
	寄生虫		法令の公告
きょうい	中国の驚異的な発展	こうせい	福利厚生
	軍事力の脅威		不良少年を更生させる
きょうぎ	参加者全員での協議		太陽も恒星の1つである
	広義の反対は狭義	こうてい	20キロの行程
	キリスト教の教義		製造の工程
きょうそう	価格競争	こうとう	口頭弁論
	100メートル競走		口問口答
	都会の狂騒	さいけつ	法案の採決
きょうはく	強迫観念に悩まされる		行政庁の裁決
	脅迫による約束は無効だ	さいご	行列の最後
きょくげん	極限状態に陥る		人生の最期
	対象を局限する	じき	時期尚早
きょくち	芸術美の極致		時季はずれの寒波
	極地に足を踏み入れる		時機到来
	局地的な土砂降り	しこう	試行錯誤
きんこう	勢力の均衡を保つ		政策の施行
	都市近郊		指向性アンテナ
けいい	これまでの経緯		ブランド志向
	先生への敬意		至高の理想
けっさい	社長の決裁を仰ぐ	しじ	私事を暴かれる
	月末までに決済を済ます		先達に師事する
こうい	好意を寄せる	しもん	口頭での試問
	ご厚意に感謝する		政府の諮問委員会
こうかん	交歓パーティー	しゅうしゅう	ブリキの玩具の収（蒐）集
	交感神経		騒乱を収拾する

しゅうち	全員周知の事実	せいそう	正装で式典に出席する
	衆知を集める		振袖姿に盛装する
しゅうよう	千人収容の大ホール	せいちょう	小犬の成長
	私有地を強制収用する		桜の生長（成長）
しょうかい	恋人を紹介する	せいやく	誓約書をしたためる
	身元を照会する		制約を加える
しょうがい	傷害事件	ぜったい	相対の反対概念は絶対
	障害物競走		絶体絶命
しょうそう	焦燥にかられる	ぜんしん	フォワードの前進
	時期尚早		漸進的な改革
しょよう	所用で出かける	そうい	創意工夫
	所要時間		相違ない
しんぎ	信義を守る		参加者全員の総意
	審議を重ねる	そうぎょう	操業時間の短縮
	事の真偽を確認する		創業して 50 年
しんく	辛苦をなめる	そうぞう	天地創造
	真（深）紅の花びら		未来の日本を想像する
しんこう	国際貿易の振興策	そがい	発展の阻害要因
	新興の勢力		疎外感にさいなまれる
しんにゅう	車の進入禁止	そくせい	促成栽培の野菜
	敵国への侵入		後継者の速成が急務
	真水の浸入	たいしょう	女性を対象とした調査
せいさい	精細な描写		対照が際立つ
	精彩を欠く		左右対称の構図
せいさく	政策に強い政治家	たいせい	共産主義体制
	精密機械の製作所		返し技の体勢
	広告の制作スタジオ		態勢の立て直し
せいさん	運賃の精算		大勢を占める
	過去の清算		細菌の耐性
	勝利の成算		泰西の名画

ついきゅう	責任の追及
	幸福の追求
	真理の追究
てきせい	適正な値段
	適性検査
	敵性国家
てんか	添加物
	責任転嫁
	農地の宅地への転化
とくちょう	選手の特長を生かす
	特徴のある声
ひっし	敗退は必至の情勢
	必死の抵抗
ひなん	非難を浴びる
	避難場所
ふきゅう	不朽の名画
	国内に普及する
	不眠不休
ふごう	事実と符合する
	書物に符号を記す
ふじゅん	天候不順
	不純な動機
ふしょう	年齢不詳
	会社の不祥事
	不肖の息子
ふしん	挙動不審
	政治不信
	安普請
	食欲不振
	再建に腐心する

ふへん	普遍的原理
	不変の法則
	不偏不党
ふよう	扶養家族
	景気の浮揚
へいこう	平衡感覚
	平行線
	並行して歩く
	暑さに閉口する
	少子化で閉校する
ほしょう	損害補償
	家電の保証書
	日米安全保障条約
みんぞく	民俗信仰
	民族解放
むじょう	諸行無常
	無情の雨
	無上の喜び
ようけん	用件をお聞きする
	要件を満たす
ようせい	書類の提出を要請する
	技術者を養成する
	陽性反応が出る
ようりょう	器の容量
	要領を得ない
	薬の用量を守る

09
同訓異字・同音異義語

ワン・ポイント 出題が多い同音異義語を確認しておこう。

- 「鑑賞」or「観賞」
- 「追求」or「追及」
- 「保障」or「保証」

人文科学：国語

重要度 ★★★

四字熟語

レッスン10

教養問題としても何かと出題されやすいのが四字熟語である。読み・書き・意味の3点をセットで覚えておこう。

◆四字熟語

愛別離苦 あいべつりく	愛する人と別れる苦しみのこと。
曖昧模糊 あいまいもこ	あやふやではっきりしない物事の様。
暗中模索 あんちゅうもさく	手掛かりがないまま色々と打開しようと試みること。
唯々諾々 いいだくだく	人の意見に無批判的に従う様。
異口同音 いくどうおん	多くの人が口を揃えて同様のことを言うこと。

**重要ポイント** **要注意！**
「異口同音」は「異句同音」と間違いやすいので注意！

以心伝心 いしんでんしん	言葉や文字によらず心から心へ意思が通じ合うこと。
一衣帯水 いちいたいすい	帯のように狭い川や海峡。転じて2つの間が近接していること。
一言居士 いちげんこじ	何事にも一言口を挟まないと気がすまない人。
一網打尽 いちもうだじん	悪い仲間などを一度にすべて捕らえること。
一蓮托生 いちれんたくしょう	行動や運命を共にすること。
一騎当千 いっきとうせん	一人で千人の敵に対抗できるほどに強いこと。
一挙両得 いっきょりょうとく	1つの行動で同時に2つの利益を手にすること。
意味深長 いみしんちょう	表現が奥深い内容を持っていること。裏に別の意味が隠されていること。
因果応報 いんがおうほう	前世や過去の所業に応じて必ずその報いがあるということ。
隠忍自重 いんにんじちょう	怒りや苦しみなどを表面に出さずにじっと堪えること。
有為転変 ういてんぺん	この世の事がらは移ろって一時も定まらないこと。
紆余曲折 うよきょくせつ	錯綜した事情により物事が複雑な経過をたどること。
雲散霧消 うんさんむしょう	雲が散り霧が消えるように跡形もなく消え失せてしまうこと。
傍目八目 おかめはちもく	客観的な第三者のほうが物事の是非が見通せること。
快刀乱麻 かいとうらんま	込みいった問題をあざやかに処理すること。
我田引水 がでんいんすい	自分にだけ都合いいように取り計らうこと。

128

夏炉冬扇 （かろとうせん）	夏の火鉢、冬の扇子のように無用のもの。
感慨無量 （かんがいむりょう）	量りきれないほどに感慨深いこと。
危機一髪 （ききいっぱつ）	少しでも間違えば大変な危機にみまわれるという危うい状態。
起死回生 （きしかいせい）	望みの断たれた状態にある事がらを立て直すこと。
疑心暗鬼 （ぎしんあんき）	何でもない事まで疑いを持ち恐怖すること。「疑心暗鬼を生ず」の略。
奇想天外 （きそうてんがい）	常人の思いもつかない考え。
旧態依然 （きゅうたいいぜん）	依然として古い状態のままであること。
興味津々 （きょうみしんしん）	ひどく興味が惹きつけられる様。
玉石混淆 （ぎょくせきこんこう）	価値あるものと無価値なものが入り交じり区別がつかないこと。
虚心坦懐 （きょしんたんかい）	素直な心で物事に臨む様。

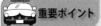　**重要ポイント**　**要注意！**
「旧態依然」は「旧態以前」、「興味津々」は「興味深々」、「虚心坦懐」は「虚心担（胆）懐」と間違いやすいので注意！

金科玉条 （きんかぎょくじょう）	守らなくてはならない大切な決まり。
君子豹変 （くんしひょうへん）	状況を見て態度や考えを一変すること。
群雄割拠 （ぐんゆうかっきょ）	多数の実力者がしのぎを削って勢力争いをすること。
軽挙妄動 （けいきょもうどう）	軽はずみで無謀な行動。
月下氷人 （げっかひょうじん）	仲人。
牽強付会 （けんきょうふかい）	自分に好都合なように理屈をこじつけねじ曲げること。
乾坤一擲 （けんこんいってき）	天地をかけて賽を振るように運命をかけて大勝負すること。
権謀術数 （けんぼうじゅっすう）	人を巧みに欺くために謀りごとをめぐらすこと。
厚顔無恥 （こうがんむち）	図々しく恥知らずなこと。
広大無辺 （こうだいむへん）	広くて果てしがないこと。
荒唐無稽 （こうとうむけい）	言動がでたらめで非現実的なこと。
豪放磊落 （ごうほうらいらく）	度量が大きく小さなことにこだわらないこと。
国士無双 （こくしむそう）	天下において随一の人物。

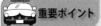　**重要ポイント**　**要注意！**
「厚顔無恥」は「厚顔無知」、「荒唐無稽」は「荒唐無形」と間違いやすいので注意！

虎視眈々	油断なくじっと好機をねらっている様。
五里霧中	これからの方針や見込みが立たないこと。
言語道断	言葉で言い表せないくらいにひどいこと。
才気煥発	優れた才知が外に表れること。
獅子奮迅	勢いが大変に盛んなこと。
四分五裂	いくつにも分かれて秩序をなくすこと。
周章狼狽	大変に慌てふためくこと。
主客転倒	物事の本末を取り違えること。
盛者必衰	世は無常ゆえ盛者も必ず衰えるときがある。
枝葉末節	物事の本質とは無関係な、些末な部分。
諸行無常	一切のものは常に生滅し変化し続けていること。
支離滅裂	てんでんばらばらでまとまりがない状態。
信賞必罰	功労者には必ず賞を与え罪人は必ず罰すること。
針小棒大	些細なことを大げさに言うこと。
森羅万象	宇宙に存在する一切合切。
絶体絶命	追い詰められた状態にあること。
千差万別	種類が色々あって、その違いも様々であること。
前代未聞	これまでただの一度も聞いたことがないこと。
泰然自若	落ちついていて平生と変わらない様。
単刀直入	ストレートに本題に入ること。

🚗 重要ポイント　**要注意！**
「針小棒大」は「針少棒大」、「絶体絶命」は「絶対絶命」、「単刀直入」は「短刀直入」と間違いやすいので注意！

直情径行	感情をストレートに言動に表すこと。
猪突猛進	猪のようにまっしぐらに突進すること。
電光石火	動作などが非常に迅速なこと。
当意即妙	その場に応じて素早く機転を利かすこと。
同工異曲	見かけは違うが内容はほとんど同じであること。
同床異夢	表面は同じでありながら本当の意見や思惑は違うこと。
二束三文	数が多いのにもかかわらず安価なこと。

日進月歩 にっしんげっぽ	日ごとに、あるいは月ごとに絶え間なく進歩すること。
博覧強記 はくらんきょうき	古今東西の書物に目を通し物事をよく知っていること。
馬耳東風 ばじとうふう	他人の意見を気にもとめないで聞き流すこと。
八面六臂 はちめんろっぴ	たった一人で何人分もの働きをすること。
波瀾万丈 はらんばんじょう	激しい波の起伏のように激しい変化のある様。
美辞麗句 びじれいく	うわべを巧みに美しく飾り立てた文句。
風光明媚 ふうこうめいび	山水の風景が美しく人の心を惹きつけてやまないこと。
不倶戴天 ふぐたいてん	同じ世に生かしておけないくらいに恨みと憎しみが深いこと。
不即不離 ふそくふり	2つのもののつかず離れずの関係のこと。
不撓不屈 ふとうふくつ	困難に対してひるまず、くじけもしないこと。
付和雷同 ふわらいどう	定見を持たず他人の意見や行動にむやみに同調すること。
粉骨砕身 ふんこつさいしん	力を尽くして努力すること。
傍若無人 ぼうじゃくぶじん	傍らに人がいないがごとくに勝手にふるまうこと。
茫然自失 ぼうぜんじしつ	あっけにとられ我を忘れること。
本末転倒 ほんまつてんとう	大事なことと、くだらないことを取り違えること。
無我夢中 むがむちゅう	あることに心を奪われ我を忘れている様。

重要ポイント 要注意！
「無我夢中」は「無我霧中」と間違いやすいので注意！

無味乾燥 むみかんそう	味わいも潤いもない様。
明鏡止水 めいきょうしすい	静寂で落ち着いた心の状態。
面従腹背 めんじゅうふくはい	表では従うと見せかけて内心では不服従なこと。
夜郎自大 やろうじだい	自らの力量も知らずに威張ること。
唯我独尊 ゆいがどくそん	この世に自分より尊い存在はないということ。
優柔不断 ゆうじゅうふだん	ぐずぐずして決断力に欠けること。
融通無碍 ゆうずうむげ	言動が何事にもとらわれず自由なこと。
悠々自適 ゆうゆうじてき	俗事から逃れて自分の思うがまま静かに暮らすこと。
羊頭狗肉 ようとうくにく	みてくればかりが上等で実質が伴わないこと。
粒々辛苦 りゅうりゅうしんく	地道な努力を積み重ねること。
臨機応変 りんきおうへん	その時その場に応じてふさわしい手段を講じること。
和光同塵 わこうどうじん	自らの優れた才能を隠して世俗に交じること。

10
四字熟語

和洋折衷 _{わようせっちゅう}	日本風と西洋風を適度に取り合わせること。

◉《意気□□》型

意気軒昂 _{いきけんこう}	意気込みが旺盛で元気な様。
意気消沈 _{いきしょうちん}	がっくりと沈み込むこと。
意気衝天 _{いきしょうてん}	意気込みが天をつくほど旺盛であること。
意気揚々 _{いきようよう}	誇らしげで得意な様。

◉《一□千□・千□一□あるいは一□一□》型

一日千秋 _{いちじつせんしゅう}	一日が千年のように長く感じられること。
一攫千金 _{いっかくせんきん}	一度にたやすく大きな利益を得ること。
千載一遇 _{せんざいいちぐう}	千年に一度しか遭遇できないほど稀なこと。
千篇一律 _{せんぺんいちりつ}	皆が同じような趣向をもち変化に乏しいこと。
一期一会 _{いちごいちえ}	人生で一度だけ出会うこと。
一朝一夕 _{いっちょういっせき}	わずかな時日。

◉《自□自□》型

自業自得 _{じごうじとく}	自らの悪行の報いを自らが受けること。
自縄自縛 _{じじょうじばく}	自らの言動により自らの動きがとれなくなること。
自暴自棄 _{じぼうじき}	やけになって自分を粗末に扱うこと。

◉《□～□～・～□～□》型（□に反対語が入る）

海千山千 _{うみせんやません}	色々な世俗的経験を経てずる賢くなっていること。
驚天動地 _{きょうてんどうち}	世間をものすごく驚かせること。
空前絶後 _{くうぜんぜつご}	過去にも未来にも起こりえないような稀な様。
晴耕雨読 _{せいこううどく}	晴れの日には畑を耕し雨の日には読書する悠々自適の生活。
大同小異 _{だいどうしょうい}	細部は異なっているが全体はほとんど同じであること。
徹頭徹尾 _{てっとうてつび}	始めから終わりまで同じ方針・姿勢を貫き通すこと。
東奔西走 _{とうほんせいそう}	あちこち忙しく駆け回ること。
内憂外患 _{ないゆうがいかん}	国内の心配事と対外的な心配事。
有名無実 _{ゆうめいむじつ}	名ばかりで実質が伴わないこと。
竜頭蛇尾 _{りゅうとうだび}	始めの勢いは盛んだが終わりの勢いは衰えること。

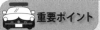重要ポイント

要注意！
「大同小異」は「大同小違」、「内憂外患」は「内優外患」と間違いやすいので注意！

◆**三字熟語**

下剋上 （げこくじょう）	身分の下の者が上の者を打倒して権力を握ること。
紅一点 （こういってん）	たくさんの男性の中に女性が一人だけいること。
守銭奴 （しゅせんど）	金銭の貯えだけに熱心なけち。
善後策 （ぜんごさく）	上手に後始末するための方策。
千里眼 （せんりがん）	遠方の出来事や人の心の中を見通せる能力。
鉄面皮 （てつめんぴ）	図々しくて恥知らずなこと。
桃源郷 （とうげんきょう）	世俗から隔てられた平和な世界。
生兵法 （なまびょうほう）	中途半端な知識や技術。
白眼視 （はくがんし）	人を冷たい眼差しで見ること。
破天荒 （はてんこう）	これまで誰もしたことがないことを初めて行うこと。
不退転 （ふたいてん）	志を守って、退かないこと。
不如意 （ふにょい）	思い通りにならないこと。
未曽有 （みぞう）	これまで一度もなかったこと。
門外漢 （もんがいかん）	その分野の専門家ではないこと。
老婆心 （ろうばしん）	必要以上に人の世話を焼こうとする気持ち。

10
四字熟語

出題パターン

「韋編三絶」の意味として、最も妥当なのはどれか。
（い へんさんぜつ）
(1) 書物を繰り返し読むこと。
(2) よい住環境を求めて何度も引っ越すこと。
(3) 礼を尽くして人を迎えること。
(4) 幼い頃の習性を持ち続けること。
(5) 悪事や失敗を三度まで許すこと。

答（1）

重要度
★★★

対義語・その他

レッスン 11

ここでは対義語（反対語）や部首など、漢字に関するその他の要素についても確認しておこう。

◆対義語

悪徳 ⟺ 美徳	急落 ⟺ 急騰	高尚 ⟺ 低俗
暗喩 ⟺ 明喩（直喩）	供給 ⟺ 需要	債権 ⟺ 債務
偉人 ⟺ 凡人	凝固 ⟺ 融解	事実 ⟺ 虚構
有為 ⟺ 無為	虚像 ⟺ 実像	自然 ⟺ 人工
有象 ⟺ 無象	緊張 ⟺ 弛緩	自薦 ⟺ 他薦
栄転 ⟺ 左遷	勤勉 ⟺ 怠惰	実質（内容）⟺ 形式
益虫 ⟺ 害虫	具象（具体）⟺ 抽象	実践 ⟺ 理論
演繹 ⟺ 帰納	愚直 ⟺ 狡猾	始発 ⟺ 終着
延長 ⟺ 短縮	形而上 ⟺ 形而下	自由 ⟺ 束縛（専制・統制）
穏健 ⟺ 過激	軽微 ⟺ 甚大	収縮 ⟺ 拡大（膨張）
解任 ⟺ 任命	軽蔑 ⟺ 尊敬	収賄 ⟺ 贈賄
解放 ⟺ 拘束	結合 ⟺ 分離	主観 ⟺ 客観
快楽 ⟺ 苦痛	傑作 ⟺ 駄作	祝賀 ⟺ 哀悼
加害 ⟺ 被害	原因 ⟺ 結果	饒舌(多弁) ⟺ 緘黙(寡黙)
寡作 ⟺ 多作	健康 ⟺ 病気（病弱）	承諾 ⟺ 拒絶
過疎 ⟺ 過密	顕在 ⟺ 潜在	自立 ⟺ 依存
歓喜 ⟺ 悲哀	現実 ⟺ 理想（空想）	進歩 ⟺ 保守
危惧 ⟺ 安堵	現象 ⟺ 本質	親密 ⟺ 疎遠
喜劇 ⟺ 悲劇	原則 ⟺ 例外	睡眠 ⟺ 覚醒
希釈 ⟺ 濃縮	倹約 ⟺ 贅沢(奢侈・浪費)	生産 ⟺ 消費
偽善 ⟺ 偽悪	故意 ⟺ 過失	整然 ⟺ 雑然
起伏 ⟺ 平坦	高価 ⟺ 廉価（安価）	絶対 ⟺ 相対
義務 ⟺ 権利	広義 ⟺ 狭義	全身 ⟺ 局部
急進 ⟺ 漸進	攻撃 ⟺ 防御（守備）	先天 ⟺ 後天

浅慮 ⟺ 深慮	任意 ⟺ 強制	偏在 ⟺ 遍在
早熟 ⟺ 晩成（晩熟）	濃厚 ⟺ 希薄（淡泊）	飽食 ⟺ 飢餓
阻害 ⟺ 助長	能動 ⟺ 受動	放任 ⟺ 統制（干渉）
促進 ⟺ 抑制	能弁（雄弁）⟺ 訥弁	冒頭 ⟺ 末尾
属性 ⟺ 実体	破壊 ⟺ 建設	保守 ⟺ 革新
粗雑 ⟺ 精密	白眼 ⟺ 青眼	未知 ⟺ 既知
粗野 ⟺ 優雅	暴露 ⟺ 隠蔽	無償 ⟺ 有償
緻密 ⟺ 杜撰（散漫）	発熱 ⟺ 解熱	無欲 ⟺ 貪欲（強欲）
中枢 ⟺ 末梢	繁忙 ⟺ 閑散	目的 ⟺ 手段
懲悪 ⟺ 勧善	悲観 ⟺ 楽観	黙秘 ⟺ 供述
陳腐 ⟺ 新奇	彼岸 ⟺ 此岸	唯物 ⟺ 唯心
定時 ⟺ 随時	必然 ⟺ 偶然（蓋然）	落選 ⟺ 当選
点灯 ⟺ 消灯	非凡 ⟺ 平凡	量的 ⟺ 質的
統合 ⟺ 分裂（分化）	俯角 ⟺ 仰角	劣勢 ⟺ 優勢
特殊 ⟺ 一般（普遍）	分析 ⟺ 総合	露骨 ⟺ 婉曲
独創 ⟺ 模倣	文明 ⟺ 未開	和解 ⟺ 決裂

11 対義語・その他

◆重箱読みと湯桶読み

◉重箱読み（音＋訓）

額縁（ガクぶち）・工場（コウば）・台所（ダイどころ）

◉湯桶読み（訓＋音）

雨具（あまグ）・甘食（あまショク）・粗利（あらリ）・遅番（おそバン）

◆二字熟語の構成

①主語＋述語＝地震・日没
②前が後ろを修飾＝静聴・予想
③後ろは前の目的・対象＝消火・就職
④類（同）義漢字を重ねる＝保守・欲求
⑤対義漢字を重ねる＝公私・勝負
⑥接頭語（不・非・無・未）を付して打ち消す＝不足・非常
⑦接尾語（的・化・性・然）を付して意味を添加する＝物的・強化・特性・必然

◆主な部首

イ	にんべん	仁、伊
冫	にすい	准、冴
氵	さんずい	海、渥
扌	てへん	持、挨
阝	こざとへん	阿、院
忄	りっしんべん	快、怪
犭	けものへん	獲、猿
阝	おおざと	郷、郊
隹	ふるとり	雅、雑
欠	あくび	歌、歓
辶、辶	しんにょう	道、逢
亠	なべぶた	京、交
宀	うかんむり	安、宴
艹	くさかんむり	草、茨
癶	はつがしら	発、登

重要度
★★★

現代文の読解

長文読解には、問題文の要旨把握や内容把握、脱落文挿入、段落の並べ替え、空欄穴埋めなどが出題されている。テクニックを覚えて、注意深く読み解く必要がある。

◆評論・批評などには必ず「主張」がある

評論・批評などの文章には明瞭な「主張」があるので、それらの文章の「主張」したいことを読み解く必要がある。

 重要ポイント 要旨把握解法テクニック４か条

① 繰り返される語（句）・文を押さえる。
② 問題を提起した文章を押さえる。
③「例示」は「主張」ではなく「補い」と考える。
④ 逆接語・要約語を押さえる。

⊙なぜ繰り返される語（句）・文を押さえるのか

要旨とは、筆者が最も主張したいことである。筆者が主張したいことは表現を変えて繰り返される傾向があるので、繰り返された語（句）・文がキーワード・キーセンテンスとなる。選択肢がこのキーワードと合致するかどうかを確認するのが効率的である。

⊙問題を提起した文章を押さえる

「～とは何か」「なぜ～だろうか」といった疑問文を文章の中に見かけるときがある。これは筆者の問題提起である場合がほとんどで、その問題意識を読者と共有する意図がある。筆者はそれ以降の文章で、自説を論証すべく論理を展開し、提起した問題に「解答」を与えていく。

問題提起とそれに対する解答という構造は筆者が自分自身の問題意識（自問・自答）を読者に公開していると見てもよいものである。

⊙例示は主張ではない

「例示」は「例えば」という副詞がその例示文の冒頭に書き込まれる場合もあるし、ない場合もあるが、いずれにしろ読者は「ここは論理展開（＝主張の骨子）部分ではなく『例示』なんだな」と認識しながら読み進めることが重要だ。その際忘れてはならないのは、例示は「主張ではない」ということである。「例示」の働きは「主張」をより印象深く読者に送り届けるための「補い」である。

⊙逆接語・要約語を押さえる

「しかし」「だが」などの逆接語の後には、「一般的な意見」などに対して、「しかし」自分の考えは違う、と続くことが多いため、逆接語の後は重要である。

また、「このように」「要するに」などの要約語が段落の冒頭にあった場合、前段ま

での内容の要約がそれ以降に展開されることがわかる。

◎注目すべき表現

逆接語	しかし、だが、ところが、けれども　など
換言語	言い換えると、逆に言えば　など
要約語	このように、つまり、要するに　など
対比構文	A ではなく B 〜、A よりもむしろ B 〜　など（B に注目する）
問題提起	〜とは何か　など（解答となる文章は重要な主張に関わる場合が多い）
強調表現	最も、何よりも、唯一の〜　など

◆問題形式別の解法テクニック

(1) 脱落文挿入問題の解法テクニック

挿入すべき脱落文とそれが入る箇所の前後の文に、語・語句・文意などの〈呼応〉があるので、その〈呼応〉を確かめながら答えを導き出していくのが最良の方法である。

例えば脱落文の中に A という単語があるならば、それが挿入される前後の文の中にも A という単語（または A の同義語）があり、A という単語において〈呼応〉が確かめられるということである。

(2) 空欄穴埋め問題の解法テクニック

漢字二字の熟語やひらがなの接続語や副詞などを挿入させる場合が多いが、これも近隣に必ずその語を入れるべき根拠になる表現があるから、それを探すのが最良の方法となる。「何となく」や根拠のないまま漫然と挿入することは避けなければならない。

(3) 段落整序問題の解法テクニック

(1) で述べた A という単語を媒介にした〈呼応〉を段落ごとに使うのが最良のテクニックである。つまり、前の段落の末尾の一文の中に A という単語があるならば、次の段落の冒頭の一文の中にも A という単語がある場合が多い。こうして決まった段落の末尾と、次の段落の冒頭の一文にはまた同じような〈呼応〉がないかを確かめればよいわけだ。この〈呼応〉の確認を段落の数だけ行えば解答が得られるということになる。

ワン・ポイント　テクニックを知り、それを活用することは大事だが、文章は数式と違い陰影があり生理的なものすらも反映されるものなので、テクニックが活かせない場合もあることは念頭に置いておこう。どんな問題形式であれ最終的に大事なのは、文章としての自然な流れ、ある文意が確かに読み取れる言葉の組み合わせということである。

次の文章を読んで後の問１〜問２に答えよ。

　《僕が言いたいのは、相互扶助・相互支援というのは、平たく言えば、「迷惑をかけ、かけられる」ということなのだから、「迷惑をかけられる」ような他者との関係を原理的に排除すべきではないだろうということです。》

　（ア）たしかに、その人は誰にも迷惑をかけていないのでしょうが、それは他人に迷惑をかけたくないからそうしているのではなく、他人から迷惑をかけられたくないからそうしているのです。自己決定について他人に関与されるのがわずらわしいので、「あなたの生き方にも関与しない」と宣言しているのです。こう宣言することによって、人々は戻り道のない〔　Ａ　〕降下のプロセスを歩み始めます。
　（イ）現代日本人は「迷惑をかけられる」ことを恐怖する点において、少し異常なくらいに敏感ではないかと僕は思います。「迷惑をかけ、かけられる」ような〔　Ｂ　〕な関係でなければ、相互支援・相互扶助のネットワークとしては機能しません。「誰にも迷惑をかけていないんだから、ほっといてくれよ」というのは若い日本人の常套句です。
　（ウ）いるのは、自己決定・自己責任の原理に忠実な弱者だけなのです。そして、日本の教育行政もメディアも、久しく、このような「迷惑をかける相手もかけられる相手も持つことができない」膨大な数の〔　Ｃ　〕弱者をつくり出しつつあるのです。
　（エ）自己決定・自己責任という生き方を貫けるのは強者だけです。そして、リスク社会における「強者」とは、その定義からして、相互扶助・相互支援のネットワークに属しており、そのおかげでリスクをヘッジできているものに限定されるわけですから〔　Ｄ　〕に言えば、リスク社会には自己決定・自己責任を貫けるような強者は存在しないということになります。

（内田樹『下流志向』講談社文庫）

問１　空欄〔Ａ〕〜〔Ｄ〕に入れる言葉の組み合わせとして最も適当なものを選びなさい。

	Ａ	Ｂ	Ｃ	Ｄ
1	社会的	片務的	階層的	変則的
2	社会的	双務的	階層的	論理的
3	社会的	双務的	構造的	論理的
4	心理的	双務的	構造的	変則的
5	心理的	片務的	構造的	論理的

問２　段落（ア）〜（エ）を《　　　》で括った文章につながるように並べ替えるにはどの組み合わせが最も適当か選びなさい。
1　（ア）→（イ）→（ウ）→（エ）
2　（ア）→（イ）→（エ）→（ウ）
3　（イ）→（ア）→（ウ）→（エ）
4　（イ）→（ア）→（エ）→（ウ）
5　（イ）→（エ）→（ア）→（ウ）

《僕が言いたいのは、相互扶助・相互支援というのは、平たく言えば、「迷惑をかけ、かけられる」ということなのだから、「迷惑をかけられる」ような他者との関係を原理的に排除すべきではないだろうということです。》

（ア）たしかに、その人は誰にも迷惑をかけていないのでしょうが、それは他人に迷惑をかけたくないからそうしているのではなく、他人から迷惑をかけられたくないからそうしているのです。自己決定について他人に関与されるのがわずらわしいので、「あなたの生き方にも関与しない」と宣言しているのです。こう宣言することによって、人々は戻り道のない〔　Ａ　〕降下のプロセスを歩み始めます。

（イ）現代日本人は「迷惑をかけられる」ことを恐怖する点において、少し異常なくらいに敏感ではないかと僕は思います。「迷惑をかけ、かけられる」ような〔　Ｂ　〕な関係でなければ、相互支援・相互扶助のネットワークとしては機能しません。「誰にも迷惑をかけていないんだから、ほっといてくれよ」というのは若い日本人の常套句です。

（ウ）いるのは、自己決定・自己責任の原理に忠実な弱者だけなのです。そして、日本の教育行政もメディアも、久しく、このような「迷惑をかける相手もかけられる相手も持つことができない」膨大な数の〔　Ｃ　〕弱者をつくり出しつつあるのです。

（エ）自己決定・自己責任という生き方を貫けるのは強者だけです。そして、リスク社会における「強者」とは、その定義からして、相互扶助・相互支援のネットワークに属しており、そのおかげでリスクをヘッジできているものに限定されるわけですから〔　Ｄ　〕に言えば、リスク社会には自己決定・自己責任を貫けるような強者は存在しないということになります。

【解説】　問1　答：3　　問2　答：4

問1：(2) の応用である。〔　Ａ　〕の前は「自己決定」に関し「あなたの生き方にも関与しない」と宣言しているという文脈だが、宣言とは、外に向かってされているので「社会的」が入る。〔　Ｂ　〕の前に「迷惑をかけ、かけられる」の語句がある。「かけ、かけられる」という両方向的な言葉から「双務的」が入ると考えられる。〔　Ｃ　〕については決定的要素がないので保留。〔　Ｄ　〕は「相互扶助・相互支援のネットワークに属して」いるので「リスクをヘッジできている」のだから「論理的」が入る。よって、〔　Ｃ　〕には「構造的」が入る。

問2：(3) の応用である。まず《　　　》の中の「迷惑をかけられる」という語句が段落（イ）の冒頭の「迷惑をかけられる」と〈呼応〉している。また、段落（イ）の末尾の「若い日本人」は、段落（ア）の「その人」と〈呼応〉している。段落（ア）の末尾は「戻り道のない〜歩み始めます」だが、これは社会的な「弱者」を意味すると考えられる。これは、段落（エ）の冒頭「自己決定・自己責任〜強者だけです」と〈対比〉的につながる。「弱者」→「強者」となっているのである。さらに、段落（エ）の末尾には「強者」の語があり、これが段落（ウ）の冒頭の「弱者」と〈対比〉的につながる。

重要度 ★★★

レッスン **13**

国語常識

ここでは数詞や月、方角など国語の出題に関する常識を確認しておこう。

◆**助数詞**

詩	編
和歌	首（しゅ）
俳句・川柳	句
手紙	通
味噌汁	椀
机・椅子	脚
豆腐	丁
もり（ざる）そば	枚
箸	膳・具・揃（そろ）い
絵	幅（ふく）・点
碁・将棋	局・番
マグロ	尾
イカ	杯
クジラ	頭（とう）
うさぎ	羽（わ）
田	枚・面
墓	基

◆**年齢（数え年）**

志学（しがく）	15 歳
弱冠（じゃっかん）	20 歳
而立（じりつ）	30 歳
不惑（ふわく）	40 歳

知命（ちめい）	50 歳
耳順（じじゅん）	60 歳
還暦（かんれき）	61（満60）歳
古稀（こき）	70 歳
喜寿（きじゅ）	77 歳
傘寿（さんじゅ）	80 歳
米寿（べいじゅ）	88 歳
卒寿（そつじゅ）	90 歳
白寿（はくじゅ）	99 歳

◆**時間**

呼び名	時　刻
子（ね）	（23 〜 01 時）
丑（うし）	（01 〜 03 時）
寅（とら）	（03 〜 05 時）
卯（う）	（05 〜 07 時）
辰（たつ）	（07 〜 09 時）
巳（み）	（09 〜 11 時）
午（うま）	（11 〜 13 時）
未（ひつじ）	（13 〜 15 時）
申（さる）	（15 〜 17 時）
酉（とり）	（17 〜 19 時）
戌（いぬ）	（19 〜 21 時）
亥（い）	（21 〜 23 時）

◆手紙の書き方
◉頭語（書き出し）と結語（結び）

	頭語	結語
一般的な場合	拝啓	敬具・敬白
前文を略す場合は	前略・冠省	草々・不一・不尽

◉時候の挨拶（例）

1月	厳寒の候	寒さ厳しき折から
2月	立春の候	なお厳しい寒さが続きます
3月	春暖の候	梅の蕾もほころび
4月	陽春の候	春たけなわの候
5月	新緑の候	若葉の色も鮮やかな頃
6月	梅雨の候	毎日うっとうしい天気が続きます
7月	盛夏の候	暑中お見舞い申し上げます
8月	残暑の候	朝夕しのぎやすくなってまいりました
9月	初秋の候	さわやかな秋を迎えました
10月	秋冷の候	紅葉の色も鮮やかな頃
11月	晩秋の候	木々の葉も落ちる頃
12月	師走の候	年の瀬を迎え

◉修辞技法

- **直喩（明喩）**…「（あたかも・さながら・たとえば・ちょうど）〜のような、〜のごとき」のように、直接かつ明瞭にたとえる。
  （例）滝のような汗　白魚のごとき指
- **隠喩（暗喩）**…「ような・ごとき」などは用いず、それとなく暗にたとえる。
  （例）滝の汗　白魚の指
- **擬人法**…人間でないものを人間と見立てて表現する。
  （例）夏山が君を手招きしている。
- **倒置法**…本来の語順を逆にすることによって強調を意図する。
  （例）許さないぞ、絶対に。
- **反復法**…語句を同じまま、あるいは多少変更を加えながら繰り返す。
  （例）広大無辺の海原、真っ青な海原
- **対句法**…語形が同じであったり、似ていたりするものを並置することによって対照を際立たせる。
  （例）楽あれば苦あり、苦あれば楽あり

◆古方位

	北	
乾（北西） いぬい		艮（北東＝鬼門） うしとら
西		東
坤（南西＝裏鬼門） ひつじさる		巽（南東） たつみ
	南	

◆陰暦の月の呼称

春	睦月（1月） むつき	秋	文月（7月） ふみづき
	如月（2月） きさらぎ		葉月（8月） はづき
	弥生（3月） やよい		長月（9月） ながつき
夏	卯月（4月） うづき	冬	神無月（10月） かんなづき
	皐月（5月） さつき		霜月（11月） しもつき
	水無月（6月） みなづき		師走（12月） しわす

◆陰暦の月の異名

「春」孟春（1月）仲春（2月）季春（3月）
「夏」孟夏（4月）仲夏（5月）季夏（6月）
「秋」孟秋（7月）仲秋（8月）季秋（9月）
「冬」孟冬（10月）仲冬（11月）季冬（12月）

🚓 重要ポイント　覚えておきたい二十四節気（一部）

春	立春（2月3日）雨水（2月18日） 啓蟄（3月5日）春分（3月20日） 清明（4月4日）穀雨（4月20日）
夏	立夏（5月5日）夏至（6月21日） 大暑（7月22日）
秋	立秋（8月7日）秋分（9月23日）
冬	立冬（11月7日）冬至（12月22日）

※年により異なる。日付は太陽暦、2025年。

文法

レッスン 14

文法に関する問題は様々な形式があり、品詞の意味を問う問題なども出題されている。ここでは名詞・代名詞、副詞・連体詞と、動詞、形容詞、形容動詞の品詞と活用を確認しておこう。

◆名詞・代名詞

活用がなく、主語となり得る。

- 普通名詞…空、川、人　など
- 固有名詞…東京、夏目漱石　など
- 人称代名詞…私、彼、彼女　など
- 指示代名詞…これ、あちら　など

◆副詞・連体詞

活用がなく、主語にもならない。

副詞は主に用言（動詞、形容詞、形容動詞）を修飾し、状態の副詞、程度の副詞、陳述の副詞などがある。

- 状態の副詞…ワンワン（と）（擬声語）、のろのろ（と）（擬態語）　など
- 程度の副詞…非常に、ずいぶん、たいへん　など
- 陳述の副詞…まるで、たぶん、きっと、なぜ、もし、とても　など

連体詞は、体言（名詞、代名詞）のみを修飾する。

- 連体詞…あの、その、とんだ、おかしな、いわゆる、たいした　など

◆動詞の活用例

動詞の活用は、語幹の後に続く主な言葉がある。この言葉をつけてみれば活用形がわかる。

未然形	「〜ない・よう・う」
連用形	「〜ます・た・て」
終止形	言い切る
連体形	「〜とき・ので」
仮定形	「〜ば」
命令形	言い切りで命令する形

⊙五段活用（カ行動詞「聞く」の例）

語幹	未然	連用	終止	連体	仮定	命令
聞	か こ	き い	く	く	け	け

⊙上一段活用（ガ行動詞「過ぎる」の例）

語幹	未然	連用	終止	連体	仮定	命令
過	ぎ	ぎ	ぎる	ぎる	ぎれ	ぎろ ぎよ

⊙下一段活用（マ行動詞「染める」の例）

語幹	未然	連用	終止	連体	仮定	命令
染	め	め	める	める	めれ	めろ めよ

ワン・ポイント 動詞の活用の見分け方

五段、上一段、下一段は、動詞の語幹に「〜ない」をつけて未然形を作り、その活用語尾の音で活用を判定することができる。活用語尾の音がア段なら五段活用、イ段なら上一段活用、エ段なら下一段活用である。
（例）「押す」　⇒「押さ（sa）ない」ア段なので五段活用
　　　「落ちる」⇒「落ち（ti）ない」イ段なので上一段活用
　　　「流れる」⇒「流れ（re）ない」エ段なので下一段活用

14
文法

⊙ **カ行変格活用（カ変動詞「来る」）**

語幹	未然	連用	終止	連体	仮定	命令
（来）	こ	き	くる	くる	くれ	こい

⊙ **サ行変格活用（サ変動詞「する」）**

語幹	未然	連用	終止	連体	仮定	命令
（為）	し せ さ	し	する	する	すれ	しろ せよ

ワン・ポイント カ変動詞は「来る」、サ変動詞は「する」のそれぞれ一語だけである（「する」の複合動詞を除く）。

◆**形容詞と形容動詞の活用**

　形容詞、形容動詞の活用形も、語幹に続く主な言葉がある。

未然形	「〜（かろ）う」
連用形	「〜（かっ）た・なる・ある」
終止形	言い切る
連体形	「〜とき」
仮定形	「〜ば」

◆**形容詞・形容動詞**

　どちらも性質や状態を表し、活用があり、述語となる。
　形容詞は終止形が「い」で終わり、形容動詞は「〜だ（です）」で終わる。
　語尾を「〜だ」の形にできれば形容動詞で、できなければ形容詞である。
（例）きれい→きれいだ（○、形容動詞）
　　　切ない→切ないだ（×、形容詞）

⊙ **形容詞「嬉しい」の活用例**

語幹	未然	連用	終止	連体	仮定	命令
嬉し	かろ	かっ く	い	い	けれ	×

⊙ **形容動詞「静かだ」の活用例**

語幹	未然	連用	終止	連体	仮定	命令
静か	だろ	だっ に で	だ	な	なら	×

敬語

レッスン 15

相手を敬う「尊敬語」と「謙譲語」をセットで確認する。この他、「です」「ます」などの丁寧語や「お酒」「お料理」などの美化語がある。

◆尊敬語

相手側または第三者の行為や事物、動作などに敬意を表す。「〜になる」「〜なさる」「〜（ら）れる」など。名詞の場合は「お」「ご」「御」「貴」などを付ける。

＋アルファ 「寝る→×お寝になる」「着る→×お着になる」など、「お（ご）〜になる」が作れないケースもある。「死ぬ」の尊敬は「お亡くなりになる・亡くなられる」だが、「お死にになる」とはならない。「失敗する」の尊敬表現は「失敗なさる」だが、「御失敗になる」とはならない。

＋アルファ 「お」「御（ご）」以外の尊敬の接頭語には、「御」「貴」「玉」がある（「御地」「貴社」「玉稿」など）。また、「御」とともに「高」「尊」「令」を書き加える場合がある（「御高配」「御尊父（様）」「御令室（様）」など）。

＋アルファ 基本的には係る言葉が和語の場合は「お」、漢語（漢語サ変動詞）の場合が「御（ご）」となる。

◆謙譲語

自分の側の行為や事物、動作などについて、へりくだることによって間接的に敬意を表す。「お（ご）〜する（いたす）」「お（ご）〜いただく」などの他、「参る」「承る」などの特別な動詞を使用する。名詞の場合は、「お」「ご」の他、「拝顔」「愚見」「小社」「弊社」「拙著」などの「拝」「愚」「小」「弊」「拙」を付ける。

 重要ポイント 敬語の注意点

尊敬語は二重敬語にならないように注意する。「召し上がられる」「おっしゃられる」などは二重敬語。また「お客さんが参られました」も「参る」は謙譲語なので「られる」をつけても尊敬表現にはならない。

◎覚えておきたい尊敬語・謙譲語

言 葉	尊敬語（相手側）	謙譲語（自分側）
見る	ご覧になる	拝見する
食べる	召し上がる	いただく
与える（くれる）	くださる	差し上げる
行く	いらっしゃる、おいでになる	伺う、参る
来る	いらっしゃる、お越しになる	参る
いる	いらっしゃる、おいでになる	おる
言う	おっしゃる	申す、申し上げる

言 葉	尊敬語（相手側）	謙譲語（自分側）
聞く	お聞きになる	承る、伺う、拝聴する
読む	お読みになる	拝読する
父	お父様、御尊父様	父
母	お母様、御母堂様	母
会社	御社、貴社	小社、弊社
意見（考え）	御意見、御高察	私見、愚見
家	お宅、御尊宅	拙宅

重要度
★★

レッスン
16

漢文・古文

古文はあまり出題がみられないが、特に重要な言葉や文法について、簡単に確認しておこう。漢文についても、あまり出題が見られない。

◆古文の重要文法

- **え～打ち消しの語**…～することができない
- **いと～打ち消しの語**…それほど～ない
- **よも～じ**…まさか～ないだろう
- **な～そ**…～するな、～しないでくれ
- **もがな**…（願望）～してほしい、～があればなあ

◆古文の重要単語

◉形容詞

あさまし	驚きあきれるほど意外だ
あやし	不思議だ・身分が低い・粗末だ
いとほし	気の毒だ
いみじ	すばらしい・ひどい・とても
うつくし	かわいい
畏し	おそれおおい
かなし	（愛し）かわいい、（悲し・哀し）悲しい
さうざうし	さびしい・物足りない
すさまじ	興ざめだ・殺風景だ
所せし	狭い・窮屈だ
やむごとなし	高貴だ・捨てておけない
ゆかし	見たい・聞きたい・知りたい・何となく心が惹かれる
ゆゆし	不吉だ
らうたし	かわいい
をかし	趣深い・美しい

◉形容動詞

あからさまなり	ついちょっと
徒なり	無駄だ・はかない
徒らなり	空しい・無駄だ
理なり	もっともだ
つれづれなり	退屈だ

◉動詞

飽く	満足する
怠る	病気がよくなる
かしづく	大切に育てる
具す	連れてゆく
ながむ	（眺む）物思いにふける、（詠む）詩歌を吟じる
悩む	病気になる
まもる	じっと見つめる
めづ（愛づ）	ほめる・感心する・愛する

◉名詞

才	学問（特に漢詩）
験	効き目・霊験
つとめて	早朝・翌朝
餞	餞別・送別の宴
文	手紙・書物・学問・漢詩
本意	本来の意志・本来の目的

ワン・ポイント その他、「頭おろす、世を捨つ、世を背く」などは「出家する」ことを表し、「さらぬ別れ」といった場合は「死別」を表す。

レッスン 01 動詞と文型

英語の動詞の2つの働き、自動詞と他動詞の違いを理解する。誤りやすい自動詞と他動詞は出題されやすいところなので、しっかり覚えておきたい。文型は語順に注目して英文を解釈できるようにしよう。

◆自動詞と他動詞

動詞には、自動詞と他動詞がある。自動詞とは、主語（S）が自らその動作をするのに対し、他動詞は、主語が何か他の対象（目的語＝O）に動作を与える。

a) The student didn't move.
　その生徒は動かなかった。

b) The student moved the chair.
　その生徒は椅子を動かした。

a）とb）の文を比べると、どちらもmoveという動詞（V）だが、a）は自動詞で「動く」、b）は他動詞で「～を動かす」、と異なる働きをしている。

 **重要ポイント** b）のように、他動詞として使われる場合には必ず直後に目的語（O）が必要である。

◆間違えやすい自動詞・他動詞

⊙ **marry**（他動詞「～と結婚する」）

　× She *married with* the singer.

　○ She married the singer.　彼女はその歌手と結婚した。

⊙ **discuss**（他動詞「～を議論する」）= **talk about**

　× We *discussed about* the matter.

　○ We *discussed* the matter.（We talked about the matter.）　我々はその問題を議論した。

⊙ **reach**（他動詞「～に到着する、達する」）= **arrive at**

　× We *reached to* our goal.

　○ We reached our goal.（We arrived at our goal.）　我々は目的に達した。

⊙ **enter**（他動詞「～に入る」）= **go into**

　× I *entered into* the house.

　○ I entered the house.（I went into the house.）　私はその家の中に入った。

⊙ **attend**（他動詞 attend「～に出席する」）

　× I'm going to *attend at* the conference.

　○ I'm going to attend the conference.　私は会議に出席するつもりです。

⊙ **agree**（自動詞 agree with「～に同意する」）

　× I don't *agree* you.

○ I don't agree with you.　私はあなたに同意できません。

⦿ **object**（**自動詞 object to「～に反対する」**）

　× The man *objected* our plan.

　○ The man objected to our plan.　男性は我々の計画に反対した。

 ワン・ポイント　自動詞と他動詞で形の違う動詞

lie「（自）横たわる」 ……………*lie* on the bed　ベッドに寝そべっている。
lay「（他）～を横にする」………*lay* a baby in its bed　赤ん坊をベッドに寝かせる。
rise「（自）上がる、昇る」………The sun *rises* in the east.　太陽は東から昇る。
raise「（他）～を上げる」………*Raise* your hand if you have a question.
　　　　　　　　　　　　　　質問があれば挙手を。

原　形	過去形	過去分詞形
lie（自）	lay	lain
lay（他）	laid	laid
rise（自）	rose	risen
raise（他）	raised	raised

◆**文型**

　英文は、主に、主語（S）、動詞（V）、目的語（O）、補語（C）の４つの要素で構成され、動詞の働きに応じて①S＋V、②S＋V＋C、③S＋V＋O、④S＋V＋O＋O、⑤S＋V＋O＋Cの５つの文型がある。

　動詞の直後に目的語を伴わない①、②では自動詞が、動詞（V）の直後に目的語（O）を伴う③、④、⑤では他動詞が使われる。また、補語は、主語や目的語を説明している。ここでは、②SVC、④SVOO、⑤SVOCの動詞の働きについて取り上げる。

（1）SVC

　CはSを説明する。意味上は、C＝Sである。

⦿ **「～のままである、～にしておく」：keep, stay, remain, lie など**

　Please keep warm.　暖かくしておいてください。

　The store stays open until 9:00.　その店は9時まで開いている。

⦿ **「～になる」：become, turn, grow, get など**

　The leaves turn red in autumn.　秋には紅葉する。

⦿ **「～の感じがする」：feel, smell, look, sound, taste など（知覚動詞）**

　Something smells good.　何かいいにおいがする。

　This milk tastes sour.　この牛乳は酸っぱい味がする。

（2）SVOO

　2つの目的語を持ち「～に～を…する」を意味する。1つめの目的語は「人」、2つめの目的語は「もの」である。

　My grandmother bought me a piano.　祖母は私にピアノを買ってくれた。

01
動詞と文型

これは、次のように前置詞を補って SVO で表すこともできる。

My grandmother bought a piano *for* me.

ワン・ポイント SVOO を SVO にするときの前置詞

- 動作の到達点を示す場合は to（give, teach など）
  She gave me a book. → She gave a book to me. 彼女が本をくれた。
- 動作により利益を受けるものを示す場合は for（cook, buy, sing など）
  He cooked me a meal. → He cooked a meal for me. 彼が料理をしてくれた。

(3) SVOC

C は O を説明する。意味上は C ＝ O である。

⊙ 「**O を C の状態にする**」：**make, keep, paint, leave など**

Please keep the door open. ドアを開けたままにしておいてください。

We painted the wall yellow. 我々は壁を黄色に塗った。

⊙ 「**O を C と（に）～する**」：**call, elect, name など**

Everyone calls me Mi-chan. みんなが私をミーちゃんと呼ぶ。

He named the baby Lucy. 彼は赤ん坊をルーシーと名付けた。

⊙ 「**O を C とみなす、考える**」：**find, think, believe など**

I found the film interesting. 私はその映画が面白いと思った。

◆状態動詞と動作動詞

　一定期間継続する状況を表す動詞を「状態動詞」といい、目に見える行為を表す動詞を「動作動詞」という。例えば「愛している」「知っている」は状態動詞、「走る」「勉強する」は動作動詞である。

**重要ポイント** 状態動詞は進行形（be doing）にならない。また、知覚動詞のうち、hear や see は意識せずに自然と聞こえたり見えたりする「状態」を表すため、原則として進行形にならない。

　× *Are* you know*ing* him? →○ Do you know him? 彼を知っていますか。
　× What *is* he hear*ing*? →○ What does he hear? / What is he listening to?
　彼は何を聞いていますか。

出題パターン

　次の英文と和文が同じ意味になるように下線部の語句が用いられているものとして、最も妥当なのはどれか。
(1) A tall man <u>approached to</u> me. 背の高い男性が私に近づいてきた。
(2) Her daughter <u>married with</u> the tall man. 彼女の娘は、その背の高い男性と結婚した。
(3) He <u>lay on</u> the sofa. 彼はソファーに横になった。
(4) The student <u>rised</u> his hand to ask a question. その生徒は質問をするために手を挙げた。
(5) Let's <u>discuss about</u> the project！ プロジェクトについて話し合いましょう。

答（3）

レッスン 02 助動詞

助動詞の出題傾向は、基本的な意味や用法の理解のうえに、発展的な表現や慣用表現の知識が求められる問題が多い。各項目についてしっかり学習しておこう。

◆主な助動詞

◉【許可】"Can I ～""May I ～"「(私が) ～してもいいですか」

May I speak to Julia? (電話で相手を呼び出すとき) ジュリアをお願いします。

Can I take a picture here? ここで写真を撮ってもよいですか。

◉【依頼】"Can you ～""Will you ～"「(あなたは) ～してくれますか」

Will you help me carry this bag? このカバンを運ぶのを手伝ってくれませんか。

Can you close the window? 窓を閉めてくれませんか。

◉【義務】"must""should""have to"「～すべき／～しなければならない」

You must practice a lot. たくさん練習しなければならない。

You should attend the meeting tomorrow. 明日の会議に出るべきだ。

She had to wait for a long time. 彼女は長時間待たなければならなかった。

 重要ポイント can't (～のはずがない) と must (～にちがいない)

She can't be at home now. 彼女は今、家にいるはずがない。

It must be very hot outside. 外はとても暑いにちがいない。

◆様々な助動詞

◉ **had better do** 「～したほうがよい、～しなさい」

You had better go now. 今すぐ行きなさい。

※強い忠告を表すので、目上の人に対しては使わない。

◉ **ought to do** 「～すべきだ、～したほうがよい」

You ought to put on your jacket. ジャケットを着たほうがよい。

※ should とほぼ同じ意味を表す。

◉ **used to do** 「かつては～だった」

There used to be a movie theater on this corner. 以前この角に映画館があった。

◉ **would often do** 「昔はよく～した」

I would often go to see the movies with friends. 友人とよく映画を観に行ったものだ。

 ワン・ポイント 助動詞を否定語にしたときの否定語の位置に注意しよう。

You had better not go now. 今は行かないほうがよい。

You ought not to go outside. 外に出ないほうがよい。

◆助動詞＋ have ＋過去分詞
（1）過去のことについての推量
⊙ **may（might / could）have 過去分詞** 「～したかもしれない」
　He may have left his umbrella.　彼は傘を忘れたかもしれない。
⊙ **must have 過去分詞** 「～したに違いない」
　He must have left his umbrella in the shop.　彼はその店に傘を忘れたに違いない。
⊙ **should have 過去分詞** 「～したはずだ」
　They should have learned by now.　彼らもそろそろわかったはずだ。
⊙ **cannot（couldn't）have 過去分詞** 「～したはずがない」
　He cannot have bought it today.　彼はそれを今日買ったはずがない。
（2）過去のことについての後悔、非難
⊙ **should have ＋過去分詞** 「～すべきだったのに」（実際にはしなかった）
　You should have come to the party.　パーティに来ればよかったのに。
⊙ **need not have ＋過去分詞** 「～する必要はなかったのに」（実際にはしてしまった）
　You need not have bought eggs.　卵を買う必要はなかったのに。

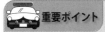

> **重要ポイント**　助動詞は２つ以上重ねて使うことができない。複数の助動詞の意味を表したい場合は、助動詞の同意表現を用いる。
>
> will → be going to　　　can → be able to　　　must → have to
>
> たぶんバスに乗り遅れると思うよ。
> You may will miss the bus. → You may be going to miss the bus.
>
> 君はその試験に合格できるよ。
> You will can pass the exam. → You will be able to pass the exam.
>
> 彼女はもう一度お父さんに電話をしなければいけないだろう。
> She will must call her father again. → She will have to call her father again.

◆助動詞を含む慣用表現
⊙ **would rather do（than ～）** 「（～するよりも）むしろ～したい」
　I would rather stay home than go out.　外出するよりはむしろ家にいたい。
⊙ **may（might）as well** 「～するほうがよいだろう、～してもよい」
　We might as well buy the book today since they'll have sold out soon.
　すぐに売り切れるだろうからその本は今日買っておいたほうがよいだろう。
⊙ **may well** 「多分～だろう／～するのももっともだ」
　She may well get angry. You told her such a thing.
　彼女が怒るのももっともだ。あんなことを言ったのだから。
⊙ **cannot ～ too ～** 「いくら～しても～しすぎることはない」
　You cannot be too careful when you swim.
　水泳の際はいくら注意してもしすぎることはない。

◆判断や意思を表す語に続く that 節内で用いられる should

特定の語の後の that 節の中では、動詞部分が should ＋動詞原形となる。

◉【It is ［感情や感情を含んだ判断を表す語］that 主語 should ＋動詞原形】

It is natural that she should get angry.　彼女が怒るのももっともだ。

It is strange that he should say nothing.　彼が何も言わないなんて不思議だ。

 ワン・ポイント　このような語は他に、right, wrong, a pity, surprising などがある。

◉【It is ［必要、緊急などを表す形容詞］that 主語 should ＋動詞原形】

It is important that you should do your homework today.
あなたが今日宿題をすることは大切だ。

It is essential that he should practice a lot.
彼がたくさん練習することは不可欠だ。

 ワン・ポイント　このような形容詞は他に、necessary, urgent, desirable などがある。

◉【主語［要求、提案など意思と関係のある動詞］that 主語 should ＋動詞原形】

He insisted that he should come with us.　彼は我々と一緒に来ると主張した。

We requested that everyone should read the book.　全員その本を読むよう要求した。

 ワン・ポイント　このような動詞は他に、advise, suggest, demand, recommend, propose, order などがある。

🎽出題パターン

　次の日本語文とその英訳の組合せのうち、英文における助動詞の用法が適切なものとして、最も妥当なものはどれか。
(1) 先生は私がそれを見に行くように求めた。
　　My teacher insisted I might to see it.
(2) 君がその知らせを聞いて驚くのも当然だ。
　　You may well be surprised at the news.
(3) 友を選ぶのに注意しすぎるということはない。
　　You will not be too careful when choosing friends.
(4) 君は髪を切ってもらった方がよい。
　　You had better to have your hair cut.
(5) 私の娘はもう東京に着いているはずなのだが。
　　My daughter will arrive in Tokyo by now.

答（2）

02
助動詞

重要度
★★★

不定詞

不定詞の基本的な用法に加え、原形不定詞になる場合など例外的な用法を理解しておきたい。不定詞を用いた様々な表現や独立不定詞は、必ず覚えよう。

◆形式主語の it

To study English is important. は It is important to study English. のように、it を形式主語として書き換えることができる。

◆不定詞の意味上の主語

不定詞の直前に for（～にとって）を置くことで、不定詞の動作主（不定詞の意味上の主語）を明らかにすることができる。

It is important for her to study English. She will move to the U.K. next month.
彼女にとって英語の勉強は重要だ。来月イギリスに引っ越す予定なのだ。

 重要ポイント 　人の性格など人物評価を表すとき

人物評価を表す形容詞 (kind, clever, nice など) が用いられる場合は for ではなく of を用いる。
It is nice of him to carry my bag.
私のカバンを持ってくれるなんて彼は親切だ。

◆形式目的語の it

SVOC の文型で不定詞が目的語の場合、形式目的語 it を使って表す。

She found it interesting to play the piano. 　彼女はピアノの演奏は面白いと思った。
I think it difficult to speak French. 　私はフランス語を話すのは難しいと思う。

◆原形不定詞

不定詞は to *do* の形が原則であるが、to を伴わない原形不定詞を用いる場合がある。

(1) 使役動詞＋目的語＋原形不定詞

「～させる、してもらう」のような使役動詞の後には原形不定詞を用いる。

⦿ **make O do** 「O に～させる（強制）」

My mother made me clean the room. 　母は私に部屋の掃除をさせた。
× My mother *made* me *to clean* the room.

⦿ **let O do** 「O に～させてやる（許可）」

Her parents let her study abroad. 　彼女の両親は彼女が留学することを許した。
The boy wouldn't let his sister use his toy. 　男の子は妹に彼のおもちゃを使わせなかった。

⦿ **have O do** 「O に～してもらう」

I had the man repair my watch. 　その男性に時計を直してもらった。
You should have a dentist check your teeth. 　歯医者に歯を診てもらったほうがよい。

(2) 知覚動詞＋目的語＋原形不定詞

Oが〜するのを「聞く、見る」のような知覚動詞の文では原形不定詞を用いる。

I didn't notice Lisa go out of the room.
リサが部屋を出て行ったのに気づかなかった。
I saw him dance.　私は彼が踊るのを見た。

不定詞部分を分詞で表すこともできる。

I saw him dancing.　私は彼が踊っているのを見た。

get も「〜してもらう」という使役の意味を持つが、get は to を伴うので注意。

I got Chris to repair my bike.　クリスに自転車を直してもらった。

> **＋アルファ**　原形不定詞を用いる使役動詞／知覚動詞の文は、受動態で表すときには to 不定詞が使われる。
> They made me clean the room.
> I was made to clean the room.
> We saw him dance.
> He was seen to dance.

03 不定詞

◆不定詞の様々な表現

◉〜 enough to do　「…するのに十分〜」

She is clever enough to solve the problem.
彼女はその問題を解けるほど頭がいい。

◉ too 〜 to do　「あまりに〜すぎて、…できない」

The book is too expensive for me to buy.　その本は私には高すぎて買えない。

◉ so 〜 as to do　「…するほど〜だ」

He was so strong as to carry the heavy bag.
彼は、その重いカバンを運べるほど力持ちだった。

◉覚えておきたい独立不定詞

to tell (you) the truth	本当のことを言うと
to be honest	正直に言うと
needless to say	言うまでもないことだが
to make matters worse	さらに悪いことに
to say nothing of 〜	〜は言うまでもなく
so to speak	いわば
to be frank with you	率直に言うと

重要度
★★★

レッスン
04
動名詞

動名詞の基本的な意味、用法に加え、不定詞と動名詞の性質の違いを理解しておきたい。慣用表現のような直接得点につながる知識を確実に覚えよう。

◆動名詞の様々な形
（1）動名詞の意味上の主語
I don't like watching TV.　私は（自分が）テレビを見るのが好きではない。

I don't like my son's watching TV.　私は息子がテレビを見るのを好まない。

重要ポイント　動名詞の意味上の主語を示すとき

動名詞の直前に意味上の主語を置いて、動名詞の意味上の主語を明らかにできる。
意味上の主語が名詞の場合は、所有格またはそのままの形、代名詞の場合は、所有格または目的格の形で置く。

　I don't like my son's watching TV. ／ I don't like my son watching TV.
　I don't like his watching TV. ／ I don't like him watching TV.

（2）動名詞の否定形
動名詞を否定する場合、not や never などの否定語を動名詞の直前に置く。

He apologized for not attending the meeting.

彼は会議に出席できないことを謝った。

（3）動名詞の完了形
文の動詞の時制よりも以前に起きたことを表すには、having ＋過去分詞を用いる。

He is proud of having passed the exam.

彼は試験に合格したのを誇りに思っている。

（4）動名詞の受動態
I don't like being laughed at.　私は笑われるのが嫌だ。

◆動名詞と不定詞の使い分け
動名詞と不定詞は、どちらも「〜すること」という意味を持ち、動詞の目的語になれるが、動詞によっては、使い方や意味が異なる。動名詞、不定詞の性質の違いを理解しておくとよい。

（1）動名詞を目的語とする動詞
〔avoid, mind, finish, put off, practice, give up, enjoy, escape など〕

We enjoy cooking.　（× We enjoy to cook.）

He gave up smoking.　（× He gave up to smoke.）

（2）不定詞を目的語とする動詞
〔want, plan, hope, manage, decide, mean, expect, promise など〕

I decided to study abroad.　（× I decided studying abroad.）

She wants to eat ice cream.　（× She wants eating ice cream.）

(3) 動名詞と不定詞で意味が異なる動詞

〔remember, forget, try, regret など〕

I don't remember meeting him.

彼に会ったことを覚えていません（すでに会っていたことを覚えていない）。

Please remember to meet him.

彼に会うのを覚えておいてください（まだ会ってない）。

04 動名詞

重要ポイント 動名詞と不定詞

動名詞：すでに起きていること、繰り返し行っていることを表す。
不定詞：未来のこと、未実現のこと、頭の中で考えていることを表す。

ワン・ポイント decide（決心する）、want（欲する）のように「これから行う未実現のこと」を表す動詞は、未来のことを表す不定詞とともに用いる。

⦿覚えておきたい動名詞の慣用表現

keep ～ ing	～し続ける
cannot help ～ ing	～せずにはいられない
feel like ～ ing	～したい気がする
worth ～ ing	～する価値がある
It is no use ～ ing	～しても無駄だ
There is no ～ ing	～することはできない
keep (prevent) A from ～ ing	A が～するのを妨げる
on ～ ing	～するとすぐに
look forward to ～ ing	～するのを楽しみにしている

 出題パターン

　次の2つの英文がほぼ同じ意味になるようにするとき、空所に当てはまる語句として、最も妥当なのはどれか。

　It is impossible to tell who can get the prize.

　There is （　　　　　） who can get the prize.

(1) not to tell

(2) nothing to tell

(3) nothing telling

(4) of no telling

(5) no telling

答（5）

レッスン
05

比較

比較級、最上級の基本ルールと不規則変化を確認し、様々な比較表現を覚えておこう。慣用表現には意外な意味を持つものもあるので、正確に覚えておきたい。

◆比較

比較は、形容詞や副詞を比較級（より～、もっと～）や最上級（もっとも～）という形に変化させて表す。

重要ポイント 比較の基本ルール

◎比較級
- -er をつける。
  cold → colder, small → smaller
- 3 音節以上の単語には、more をつける。
  difficult → more difficult

◎最上級
- -est をつける。
  cold → coldest, small → smallest
- 3 音節以上の単語には、most をつける。
  expensive → most expensive

◎不規則変化をする形容詞・副詞
- good（well）- better - best
- bad（ill）- worse - worst
- many（much）- more - most
- little – less - least

◆比較の言い換え表現

「A は一番速く走る」は、「A より速く走る人はいない」「A は誰よりも速く走る」のように他の表現で言い換えることができる。様々な表現方法を覚えておこう。

◉「**彼はクラスで走るのが一番速い**」

He is the fastest runner in the class.

He runs faster than any other students in the class.

He runs fastest in the class.

No other student runs faster than him.

No other student runs as fast as him.

◉「**時間ほど貴重なものはない**」

Nothing is more precious than time.

Nothing is as precious as time.

Time is more precious than anything else.

ワン・ポイント ラテン比較級　than でなく to を使う

senior, junior, superior, inferior などラテン比較級と呼ばれる -or で終わる比較級には than でなく to を用いる。

She is three years senior to her brother.　彼女は弟より3歳年上だ。

Humans are superior to chimpanzees in intelligence.
人間は知性においてチンパンジーより優れている。

◆様々な比較表現

⊙比較級 + and + 比較級　「ますます～だ」

The boy is growing taller and taller.　その少年はますます背が高くなっている。

⊙ the 比較級 SV + the 比較級 SV　「～すればするほど、ますます…」

The higher you climb, the colder you will feel.
高く登れば登るほど、ますます寒いだろう。

⊙倍数 + as ～ as　「…倍～だ」

This pole is twice as long as that one. この棒はあの棒の2倍の長さがある。

⊙序数 + 最上級　「…番目に～だ」

This is the third largest city in Kanagawa.　ここは神奈川で3番目に大きい都市だ。

⊙ one of the 最上級 + 複数名詞　「最も～のうちの一つだ」

Tokyo is one of the busiest cities in the world.
東京は世界で最もにぎやかな都市の一つだ。

◆覚えておきたい比較の慣用表現

- more … than ～　「～というよりもむしろ…」（どちらの性質がより強いかを表す）
  The girl is more beautiful than pretty.　その少女は可愛いというより、美しい。
- not so much ～ as …　「～というよりはむしろ…」
  The story was not so much a tragedy as a comedy.　その話は悲劇というより、喜劇だ。
- as ～ as ever　「相変わらず～」
  She looks as beautiful as ever.　彼女は相変わらず美しい。

出題パターン

次の英文とほぼ同じ意味を表すものとして、最も妥当なものはどれか。
Mt. Fuji is the highest mountain in Japan.
(1) Any other mountain in Japan is as high as Mt. Fuji.
(2) Mt. Fuji is highest than any other mountain in Japan.
(3) No other mountain in Japan is higher than Mt. Fuji.
(4) Mt. Fuji is as high as other mountains in Japan.
(5) Mt. Fuji is higher than no other mountain in Japan.

答 (3)

関係詞

関係代名詞、関係副詞、複合関係詞など、適切な関係詞を用いるには、英文の構造を見てどの要素が欠けているかを把握すればよい。特に関係代名詞 what の文には慣れておきたい。

◆先行詞

　関係詞には、関係代名詞と関係副詞がある。名詞に相当するものが関係代名詞、副詞に相当するものが関係副詞である。関係詞で説明される語句を先行詞という。

> 例 a) Tokyo is *the city* which my parents live in.　東京は両親が住んでいる都市だ。
>   (Tokyo is the city ＋ my parents live in the city)
>
>   b) Tokyo is *the city* where my parents live.　東京は両親が住んでいる都市だ。
>   (Tokyo is the city ＋ my parents live there)

　a)、b) の例文は、いずれも the city が先行詞である。a) では、live in の目的語である the city（名詞）を関係代名詞 which を用いて説明し、b) では、there（副詞）を関係副詞 where を用いて説明している。このように、どの関係詞を用いるかは、先行詞、関係詞が後ろに続く節でどのような役割をしているかで決まる。

◎主な先行詞と関係詞の関係

先行詞	主格（主語の役割）	所有格	目的格（目的語の役割）
人	who	whose	who（whom）
人以外	which	whose	which
人・人以外	that	whose	that

　関係副詞は、先行詞の意味により、where（場所を表す）、when（時を表す）、why（理由を表す）、how（方法を表す）を用いる。

◆関係代名詞 what

　関係代名詞の what は、先行詞を含んでおり、「～するもの、～すること」という意味になる。

What *I bought* at the store is this book.
私がその店で買ったものは、この本だ。
I believe what *you say*.
私は君の言うことを信じるよ。

重要ポイント 関係代名詞 that が使われる場合

関係代名詞 that は which の代わりに使われることが多いが、以下のような場合には、which でなく that を用いる。
- 先行詞が特定できる語（the only, the best, the same, the＋最上級の語）や「すべて」（all, every）などを伴う場合。
- 先行詞が人と人以外である場合。
- 先行詞が疑問詞の what である場合。

◆継続用法

関係代名詞には、先行詞の内容を限定する限定用法と、先行詞の内容について情報や説明を追加する継続用法がある。継続用法は先行詞の後にコンマ（,）を置き、継続して説明を加える。

I had *a book*, which my parents gave me for a present.
私は1冊の本を持っているが、その本は両親がプレゼントしてくれた。

◆複合関係詞

関係詞に -ever がついたものを複合関係詞といい、「どんな～でも」という意味を表す。例えば whoever は anyone who に相当し、先行詞を含んでおり、「どんな人でも、～する人は誰でも」という意味を持つ。

You can eat whatever you like.　好きなものを何でも食べていいよ。

Please tell me whenever you have a problem.
何か問題があったらいつでも言ってね。

However tired she is, she always tries her best.
どんなに疲れていても彼女は最善を尽くす。

Whoever wants to come to our party will be welcome.
パーティに来たい人は誰でも歓迎します。

【例題】　次の文章の空所に入れるのに最も適切な関係詞を下の語群から選びなさい。ただし、語の使用は1回のみとする。
(1) I will visit the city (　　　) my sister lives.
(2) I found a bag (　　　) color is really nice.
(3) My grandfather bought a picture (　　　) was painted by a famous artist.
(4) The singer (　　　) we met three years ago became very popular.
(5) He is the first man (　　　) climbed the mountain.
(6) When you grow up, you will understand (　　　) I told you now.
〔語群〕：【 which　　what　　whose　　whom　　that　　where 】
【答】(1) where　(2) whose　(3) which　(4) whom　(5) that　(6) what
(1) 先行詞は the city であるが、関係代名詞 which が入るためには、my sister lives in the city のように in が必要となる。この文は my sister lives there の副詞（there）に相当する関係副詞 where が入る。
(2) 「色がとても素敵な鞄を見つけた」の意。「その鞄の色」なので whose color。
(5) the first と限定されているため that を用いる。

重要度
★★★

レッスン
07

仮定法

仮定法は、現実には起こりえないことやめったに起こらないことを表す。「現実とは違うこと」を表すために、普通の表現（「直説法」）とは異なる動詞の形を用いる。仮定法独特の動詞の形をしっかり学習しよう。

◆仮定法過去

仮定法過去は現在の事実と異なることを表す。動詞は、現在形ではなく過去形を用いる。

> If + S + V（動詞の過去形），S + （would/could/might）+ V（動詞の原形）
> 「もし～だったら、…だろうに / …できるだろうに / …かもしれないのに」

If I were you, I would accept his offer.

もし私があなたの立場だったら、彼の申し出を受け入れるのに。

If I had a brother, I could play with him.

弟がいたら、一緒に遊べるのに（実際には弟がいない）。

ワン・ポイント 仮定法は現実と異なることを表す

「もし私があなたなら」や、女性が「もし私が男性なら」などという場合は、現実には起こりえないので、このような場合、常に仮定法を使う。

If I am hungry, のように「もし私が空腹だったら」ということは、現実に起こりうることなので直説法で表せる。ただし、実際に「私は今お腹がいっぱい」という現実があるとしたら、仮定法を用いて

If I were hungry, I would eat these cookies. 空腹ならクッキーをいただくのに。

と言うことができる。

また、仮定法では、主語が1人称や3人称単数の場合でも、be 動詞は were を用いる。

○ If she were here ～, × If she was here ～,

◆仮定法過去完了

仮定法過去完了は、過去に起きたことについて事実と異なることを表す。動詞は過去完了形を用いる。

> If + S + V（動詞の過去完了形），S + （would/could/might）+ have + V（過去分詞形）
> 「もし～だったら、…だっただろうに /…できただろうに /…だったかもしれないのに」

If I had left five minutes earlier, I wouldn't have been late for school.

5分早く出ていたら遅刻しなかったのに。

If it had not been raining yesterday, we could have gone on a picnic.

昨日雨が降っていなかったら、ピクニックに行けたのに。

◆ I wish ＋仮定法

I wish の後に仮定法を続けて、実現できない願望や過去に起きた事実と異なること を願うことを表現することができる。

⦿ I wish ＋仮定法過去（現在のことに対する願望）

I wish I were good at singing.　歌がうまければなぁ。

⦿ I wish ＋仮定法過去完了（過去のことに対する願望）

I wish I had learned to play the piano.　ピアノを習っておけばよかったなぁ。

◆ as if ＋仮定法

as if の後に仮定法を続けて、「まるで〜のように」と、事実と異なる空想を表すこ とができる。

⦿ as if ＋仮定法過去（現在のことに関する空想）

He speaks as if he were a friend of the actor.

彼はまるでその俳優の友人であるかのように話す。

⦿ as if ＋仮定法過去完了（過去のことに関する空想）

My mother speaks as if she had seen the accident.

母は、まるでその事故を見たかのように話す。

◆ If の代用表現

⦿「〜があれば」に相当する表現

With time, I could finish my homework.　時間があれば、宿題を終えられるのに。

⦿「〜がなければ」に相当する表現

Without time, I wouldn't finish the project.

時間がなければ、そのプロジェクトは終えられないだろう。

But for music, our life would be very boring.　音楽がなければ、とても退屈だろう。

If it were not for the sun, we couldn't survive on the earth.

太陽がなければ、生きていけないだろう。

If it had not been for his help, she couldn't have passed the exam.

彼の助けがなければ、彼女は試験に合格できなかっただろう。

07
仮定法

出題パターン

次のうち、仮定法の英文表現として、最も妥当なのはどれか。

(1) If you tried more hard, you can certainly pass the entrance examination.

(2) My friend from USA speaks Japanese as if he has been raised in Japan.

(3) If I were you, I won't miss the chance to go to America this summer.

(4) I wish I can speak two or three foreign languages like my English teacher.

(5) Without your help, I might have misunderstood the meaning of the letter.

答（5）

人文科学：英語

レッスン 08 覚えておきたい表現

過去問では知識を問う問題も多く出題されている。様々な慣用表現はできるだけ多く覚えておくと得点につながる。可算名詞と不可算名詞の違い、代名詞の特徴などの英語独特のルールにも注意したい。

◆**慣用的分詞構文**

generally speaking	一般的に言うと
frankly speaking	率直に言うと（= to be frank with you）
strictly speaking	厳密に言うと
weather permitting	天気が良ければ
considering A	A を考慮に入れると
judging from A	A から判断すると

◆**可算名詞と不可算名詞**

　英語では、単数か複数かを強く意識する。単数か複数かによって、冠詞や動詞も変化するので注意が必要である。例えば、water はそれ自体は数えられないが、容器などに入れることで数えられるようになる。例えば、

　　We have to save water.　水を節約すべきである。

では物質としての水なので数えられないが、

　　Can I have a glass of water?　水をグラス一杯いただけますか。

と、入れ物に入れると数えられるようになる。

　数えられる名詞を可算名詞、数えられない名詞を不可算名詞といい、それぞれに結びつく語も違う。特に以下は覚えておきたい。

◎**可算名詞、不可算名詞と結びつく語**

意　味	可算名詞と用いる	不可算名詞と用いる
たくさんの	many	much
	a lot of / lots of	
少し（ある）	a few	a little
ほとんどない	few	little
少なからず	quite a few / not a few	quite a little / not a little

◆代名詞 one, another など

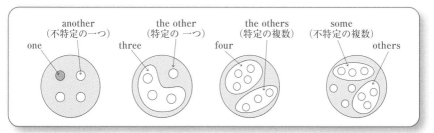

- one … 既出の可算名詞について用いる。「不特定の一つ」について言う。
- another … an（不特定の一つ）＋ other（他の）であり、いくつかある中の「他のもう一つ」を指す。
- the other … the（特定の）＋ other（他の）であり、「特定の他の一つ」を指す。複数あるものの中から、「残りの（特定できる）一つ」について言う。
- the others … the（特定の）＋ others（複数の他のもの）であり、「残りの全部」を表す。
- some … 可算名詞、不可算名詞どちらにも用い、「いくらかの」という意味を持つ。
- others …「不特定の、複数の他のもの」を指す。some 〜, others…の形で用いられることが多い。

◆覚えておきたいつなぎ表現

文章を読むときは、つなぎ表現に注目すると内容を理解しやすい。

◉つなぎ表現の例

意　味	つなぎ表現の例
付加「さらに」	in addition, moreover, additionally, what is more
類似「同様に」	similarly, in the same way
対照「一方で」	while, on the other hand, whereas
譲歩「〜だが」	however, although, though, but, yet, nevertheless
言換え「つまり」	in other words, that is, namely

他に、in conclusion（結論として）、as a matter of face（実際のところ）、for instance（例えば）、actually（実際は）など。

◆覚えておきたいイディオム

イディオムは出題頻度が高いが、覚えているかどうかが得点のポイントとなる。最低限覚えておきたい重要なイディオムをまとめたのでしっかり覚えよう。

◉覚えておきたい動詞のイディオム

put up with	〜を我慢する
make up for	〜の埋め合わせをする、補う
run out of	〜を使い果たす

come up with	～を思いつく
have nothing to do with	～と関係がない
take advantage of	～を利用する、有利に使う
get rid of	～を取り除く
catch up with	～に追いつく
keep up with	～に遅れずについていく
make much of	～を重視する
look up to	～を尊敬する（respect）
do away with	～を廃止する
run into	～に出くわす、偶然会う
turn out	～であるとわかる
put off	～を延期する（postpone）
take after	（親、兄弟などに）似ている
look after	～の面倒を見る（care for）
call off	～を中止する
ask for	～を求める（request）
turn down	～を拒絶する
look for	～を探す
call for	～を必要とする、要求する（require, demand）

◉覚えておきたい名詞のイディオム

by all means	～あらゆる方法で、ぜひとも
out of the question	問題外、不可能（impossible）
on purpose	故意に（intentionally）
in time	間に合って
on time	時間どおりに
by chance	偶然に
in advance	前もって、事前に
for nothing	無料で
on the whole	全体に、概して

in detail	詳細は
in vain	無駄に
out of order	故障中で
at a loss	途方に暮れて
out of date	時代遅れで

⊙覚えておきたいその他のイディオム

up to ～	～次第で
be likely to do	～しそうだ
next to ～	～の隣、ほとんど～
be keen on ～	～に熱中している
be responsible for ～	～に責任がある
be typical of ～	～に典型的である
inside out	裏返しの
upside down	上下逆さまの

◆ことわざ

　ことわざに関する問題も出題されている。主なことわざの表現と意味を確認しておきたい。

Time flies (like an arrow).	光陰矢の如し
Seeing is believing.	百聞は一見に如かず
When (you are) in Rome do as the Romans do.	郷に入っては郷に従え
Necessity is the mother of invention.	必要は発明の母
A friend in need is a friend indeed.	まさかのときの友こそ真の友
It is no use crying over spilt milk.	覆水盆に返らず
The early bird catches the worm.	早起きは三文の得
Practice makes perfect.	習うより慣れよ
A rolling stone gathers no moss.	転石苔生さず

文章理解

重要度 ★★★

英文が難しい場合もあるが、選択肢を読み、本文の対応する部分を丁寧に読めば解答を導くことが可能である。解き方のコツをチェックしよう。

　文章理解で出題される英文は、決して平易な文ではないが、英文を冒頭から丁寧に読む必要はない。単語については、（注）がないものでも大学入試レベルを超えたものが多く、知らない単語に出合うことも多いと思われるが、解答のために、文章すべてを理解する必要はないので、心配はいらない。英文全体の構造をざっとつかみつつ、選択肢から該当箇所を照らし合わせて正誤チェックすることで、解答の選択肢を選びやすくなる。

【出題例】

　次の英文の内容と合致しているものとして、(1)〜(5)のうち最も妥当なのはどれか。

Food gives nutrition*1 to the body. Many people have a habit of brushing their teeth after meals to prevent cavity*2 and gum disease. And some people might pay attention to teeth color and alignment as they know that the appearance of their teeth is important to the impression of their appearance. Japanese young women think that yaeba (double tooth) is cute. By the way, yae means many layers of flower petals*3 or a crowd of people. The cause of the double tooth is the small jaw bones; when a milk tooth changes to a permanent tooth, there is not enough space for a permanent tooth to grow, and it is pushed out as a result.

I think the reason why the Japanese people regard the double tooth as a cute thing is that we see it as a kind of reminiscence*4 of childhood during the transition period from a girl to a woman. But only Japanese think the double tooth is cute. In other countries, especially in the Western world, parents make their children wear braces on their teeth to have their teeth straightened. Irregular teeth are regarded as ill-bread, poor, and illiterate. So, we see many children with orthodontic mouthpieces or metal braces*5.

But those children must be having a tough time. （中略） Recently even in Japan, cosmetic and preventive dentistry are becoming popular, and many people have started to think the double tooth is embarrassing.

If you say, "The double tooth is an expression of personality," people would not understand it in other countries. I'm not trying to make orthodontists*6 profitable, but to make the trend of correcting double tooth more popular, we have to start from changing the Japanese males' sense of beauty. According to a survey on the Internet, 73.6% males still think that double tooth is cute.

（土屋晴仁『［対訳ニッポン双書］現代日本のタブー　その余りにもビミョーな存在 Taboos of Present-day Japan：The Exquisite Subtleness of Being』Only Japanese adores "double tooth"〈IBC パブリッシング〉）

（注）　nutrition[*1] 栄養／ cavity[*2] 虫歯／ petal[*3] 花びら／ reminiscence[*4] 思い出、追憶／ metal brace[*5] 金属製の矯正具／ orthodontist[*6] 歯科矯正医

(1) 食後に歯磨きをする習慣を持つ人が多いのは、虫歯や歯周病予防を考えてのことだが、その際、自分の歯の白さや歯並びを気にする人はあまりいない。
(2) 虫歯になる要因は、アゴの骨が小さくて、乳歯から永久歯に変わる時に生え変わるスペースが無くなり、永久歯が外側に押し出されてしまうことにある。
(3) この八重歯がかわいいと思われてきたのは、少女期から大人になるくらいの時期にまだ子どもらしさの面影のようなものとして見る人が多かったからだろう。
(4) 八重歯をかわいいと言うのは日本人だけではないが、海外、特に欧米では、幼い時から歯並びを矯正する。
(5) 歯科矯正医を儲けさせるつもりはないし、八重歯の矯正の流れを加速させるつもりもないが、日本人男性の美意識を変えるところから始めなければならない。

◆まずは文章の構成を把握する

　英文の文章構成を把握するには、接続詞に注目して文章を読むとよい。

　この英文では、2 行目の "And" 以下は、前の文から話題が続き、追加的な内容であることがわかる。5 行目の "By the way" は「ところで」の意味で、話題が転換していることがわかる。

　また、14 行目にある "So" は、「だから」「そういうわけで」の意味で、前の内容との因果関係を表している。

◆選択肢と本文の該当部分とを照らし合わせて吟味する

　選択肢を順に確認したい。

選択肢 (1)

　後半に「自分の歯の白さや歯並びを気にする人はあまりいない」とあるが、本文の 2 行目の内容 some people might pay attention to teeth color and alignment の部分と合致しない。

　some people ～は、「～な人たちもいる」、might は、may（～かもしれない）の意味がやや弱くなったもの、pay attention to ～は「～に注意を払う」という意味であり、この部分は「歯の色や歯並びを気にする人たちもいる」という意味になるため、合致しているとは言えない。

　選択肢 (1) は誤りである。

選択肢（2）

本文6行目からの内容であるが、The cause of the double tooth と、八重歯の原因の説明をしているのに対し、「虫歯になる要因は」となっている。

　選択肢（2）は誤りである。

選択肢（3）

2段落の最初の文の内容と合致している。

　選択肢（3）が正答である。

選択肢（4）

2段落の3行目のBut only Japanese think the double tooth is cute.の部分を見ると、八重歯をかわいいと考えるのは「日本人だけ」であることがわかる。

　選択肢（4）は誤りである。

選択肢（5）

最後の段落の3行目の文の内容を見ると、to make the trend of correcting double tooth more popular とあり、「八重歯の矯正の流れを加速させるためには、日本人男性の美意識を変えるところから始めなければならない」である。

　選択肢（5）は誤りである。

> **＋アルファ** 選択肢の内容は、一見本文と合致しているように読めるものもあるが、本文の該当箇所と詳細に照らし合わせ、内容を確認しよう。すぐに正解らしき選択肢が見つけられたとしても、念のため、すべての選択肢をチェックすることが正答率を高めるので、焦らずに取り組みたい。

 ワン・ポイント　ディスコースマーカー

英語の文章を読むときに、ディスコースマーカーを知っておくと、文章の流れを理解する手助けとなる。文章の流れを決める目印のような役割をするものである。主なものを覚えておこう。

列挙	初めに	firstly ／ first ／ first of all ／ to begin with
	次に	secondly ／ next
	最後に	finally ／ lastly
否定、逆説	しかし	but ／ yet ／ though ／ however ／ nevertheless
	他方	on the other hand
結果	だから	so ／ that is why ／ because of this
	したがって	hence ／ therefore ／ accordingly ／ as a result
要約	要するに	in brief ／ in short ／ in summary ／ to sum up
例示	たとえば	for example ／ for instance
	実際	actually ／ in fact ／ as a matter of fact

練習問題

No.1　飛鳥時代から平安時代に関する記述について、妥当でないのはどれか。

(1) 推古天皇の摂政であった厩戸王（聖徳太子）は冠位十二階・十七条の憲法を定め、天皇を中心とした政治の実現を図った。

(2) 中大兄皇子と中臣鎌足は、大化の改新後、律令政治の整備に努め、大宝律令を制定した。

(3) 元明天皇は、藤原京から平城京へ都を移し、古事記を完成させ、和同開珎の鋳造などを行った。

(4) 聖武天皇は墾田永年私財法を制定して、開墾した土地の永久私有を認めた。

(5) 桓武天皇は奈良の仏教勢力の影響から離れるために、平安京に遷都した。

正答：(2)

(1) ○　他に中国（隋）の文化を直接取り入れるために、遣隋使を派遣した。

(2) ×　大宝律令は、701年に藤原不比等や刑部親王らによって完成された。

(3) ○　元明天皇は、奈良時代最初の女帝である。

(4) ○　この法律が公地公民制崩壊のきっかけになった。

(5) ○　奈良時代の末から道鏡事件などが起きて、奈良の仏教勢力の影響を排除する狙いがあった。

No.2　鎌倉幕府の成立期に関する記述について、妥当なのはどれか。

(1) 平氏の滅亡後、源頼朝は治安維持のために諸国に守護を、荘園・公領に地頭を置く権利を院に認めさせた。

(2) 幕府は、将軍の補佐役として、朝廷から招いた貴族を執権に就かせ、朝廷との融和を図った。

(3) 幕府は、年貢を納める農民の質素倹約を徹底させるために、御成敗式目を定めた。

(4) 幕府は、朝廷との結びつきを深める有力守護の抑制を図るために、大内氏などを滅ぼした。

(5) 幕府は、武士の視点から武家政権の正統性を訴えた『神皇正統記』を編纂した。

正答：(1)

(1) ○　守護・地頭はいずれも幕府の御家人である。

(2) ×　執権職に就いたのは北条氏である。源氏三代滅亡後は、当初は摂関家の子弟（摂家将軍）、次いで皇族が京都から迎えられて将軍職に就いた。

(3) ×　御成敗式目の対象となるのは武士（御家人）であり、農民ではない。

(4) ×　有力守護大名の抑制を図ったのは、足利義満の室町幕府である。

(5) ×　『神皇正統記』は南北朝時代の歴史書であり、鎌倉時代に成立した歴史書ではない。鎌倉時代に武家方の歴史書として編纂されたのは『吾妻鏡』。

No.3 戦国時代の社会に関する記述として、最も妥当なのはどれか。

(1) 大名が家臣に組み入れた地侍を有力家臣に預ける形で組織化する寄親・寄子制は、戦国大名の軍事力を形成した。

(2) 戦国大名の居城が平野部に進出するようになると、周辺に商工業者が集まって北条氏の小田原や、朝倉氏の一乗谷などの寺内町が各地で建設された。

(3) 戦国大名は、家臣団の統制や領国支配のため、家法・壁書などと呼ばれる武家諸法度を制定した。

(4) 戦国時代においても一部の都市は独立を保ち、とくに博多は「ベニス市の如く」と宣教師のガスパル・ヴィレラに紹介されるなど、平和な自治都市としてヨーロッパにも知られていた。

(5) 戦国大名によって各地で鉱山が開発され、とくに石見や但馬などの金山、甲斐や伊豆などの銀山が有名である。

正答：(1)

(1) ○ 大名は家臣を組織化して統制し、家臣の地位を保障する代わりに軍役を負担させた。

(2) × 北条氏の小田原や朝倉氏の一乗谷は城下町である。

(3) × 戦国大名は家法・壁書などと呼ばれる分国法を制定した。今川氏の今川仮名目録、伊達氏の塵芥集、武田氏の甲州法度之次第などがある。

(4) × 博多も日明貿易で栄えた自由都市であるが、「ベニス市の如く」と紹介されたのは堺である。

(5) × 石見銀山、但馬の生野銀山、甲斐の黒川金山・湯之奥金山、伊豆の土肥金山は代表的な鉱山であった。

No.4 江戸幕府の鎖国政策に関する記述中の、空所 A ～ C に当てはまる語句の組合せとして、最も妥当なのはどれか。

　日本人の渡航と帰国を禁じた第三次鎖国令（1635年）によって、（　A　）貿易は終末を迎えた。さらに、（　B　）後に第五次鎖国令（1639年）が出されて、（　C　）船の入港が禁止された。

	A	B	C
(1)	南蛮船	応永の乱	スペイン
(2)	南蛮船	島原・天草一揆	ポルトガル
(3)	朱印船	応永の乱	イギリス
(4)	朱印船	島原・天草一揆	スペイン
(5)	朱印船	島原・天草一揆	ポルトガル

正答：(5)

A 朱印船　　　　B 島原・天草一揆　　　　C ポルトガル

　江戸時代の初期までは、朱印船貿易が盛んであり、幕府はキリスト教に対する厳しい禁教措置はとっていなかった。しかし、島原・天草一揆以降は、キリスト教に対する徹底的な弾圧が行われ、貿易と布教を一体と考えるポルトガルとの交易も断った。

No.5　大正デモクラシーに関する記述中の、空所 A ～ C に当てはまる人名の組合せとして、最も妥当なのはどれか。

　大正年間には、2 度の護憲運動が起こり、普通選挙運動と女性参政権運動も展開された。第二次護憲運動では護憲三派内閣として（　A　）内閣が成立し、その後しばらくは、政党政治が行われた。言論界も活況を呈し、君主制と民主主義を折衷しようとした（　B　）の民本主義や（　C　）の天皇機関説などが提唱された。

	A	B	C
(1)	加藤高明	美濃部達吉	吉野作造
(2)	加藤高明	吉野作造	美濃部達吉
(3)	犬養毅	美濃部亮吉	吉野作造
(4)	犬養毅	吉野作造	美濃部達吉
(5)	浜口雄幸	尾崎行雄	美濃部亮吉

正答：（2）

A　加藤高明
B　吉野作造
C　美濃部達吉
　加藤高明内閣の下で、普通選挙法と治安維持法が制定された。

No.6　古代ローマに関する記述として、妥当でないのはどれか。
(1) キリスト教は、当初迫害を受けていたが、313 年、ミラノ勅令によって公認された後、392 年に皇帝テオドシウスによって国教とされた。
(2) 紀元前 450 年頃、十二枚の板に旧来の慣習法を明文化した十二表法が制定され、裁判において、貴族と平民の平等が実現した。
(3) 中小農民層の没落は、ポエニ戦争の頃から始まったが、属州で奴隷を使用する大土地所有経営が発展するようになると、没落に拍車がかかった。
(4) 中小農民の没落を防ぐために、紀元前 133 年から護民官のグラックス兄弟による改革が始められたが、元老院の反対にあい挫折した。
(5) 紀元前 367 年に制定されたホルテンシウス法により、コンスル（執政官）の一人を平民から選出し、富裕層の大土地所有を事実上制限した。

正答：（5）
(1) ○　ミラノ勅令は、コンスタンティヌス 1 世とリキニウスが、連名で発布したとされている。
(2) ○　十二表法は、ローマ最古の法典（成文法）とされている。
(3) ○　このような大土地所有経営をラティフンディアという。
(4) ○　グラックス兄弟による改革が挫折した後、オクタウィアヌスがアウグストゥスの称号を得て実質的に帝政が開始されるまでローマは内乱の一世紀に入る。
(5) ×　リキニウス・セクスティウス法である。紀元前 287 年に制定されたホルテンシウス法は、平民会の決議が元老院の承認がなくても国法となることを定めたもので、これにより共和政が完成した。

No.7 16世紀のヨーロッパで起きた宗教改革に関する記述として、最も適当なのはどれか。

(1) フランスでは、1562年のヴァシーでのユグノー虐殺事件（ヴァシーの虐殺）が契機となって、ルター派とカトリック派が相争う内乱状態になった。

(2) イギリスでは、国王ヘンリー8世の離婚問題を契機に、1534年に首長法を議会で制定させ、ローマ教皇にかわってイギリス国王を教会の首長とする宗教改革を断行し、イギリス国教会を創始した。

(3) フランスでは、カトリック派とルター派の諸侯の間で戦闘が続いたが、1555年にアウグスブルクの和議が結ばれ、諸侯の宗派を選択する権利が認められた。

(4) ドイツでは、1598年にアンリ4世がユグノーなどのプロテスタント信徒に対してカトリック信徒とほぼ同じ権利を与えたナントの勅令を出すことで、ユグノー戦争を終結させた。

(5) ルターやカルヴァンなどの宗教改革運動に対して、ローマ教会内部からも教会の改革運動が起こり、ルター派やカルヴァン派と協力して、教会改革を推進した。

正答：(2)

(1) ×　カトリック派と争ったのは、ルター派ではなくカルヴァン派。プロテスタントの中でもドイツ（神聖ローマ帝国）ではルター派、フランスではカルヴァン派が大多数であった。

(2) ○　国王は離婚問題を理由にローマ教皇から破門されていた。

(3) ×　宗派選択の権利が認められたのは、ドイツである。

(4) ×　ユグノー戦争は、フランスである。

(5) ×　ルター派やカルヴァン派などのプロテスタントとは、対決姿勢をとった。

No.8 1890年代から1910年代までの世界に関する記述について、妥当なのはどれか。

(1) イギリスのヴィクトリア女王が、インド皇帝を兼ねることによって、インド帝国が成立した。

(2) 南北戦争の激戦が続く中で、リンカン大統領が、奴隷解放宣言を発表した。

(3) 南下政策をとるロシアとオスマン帝国との間で、露土戦争が起きた。

(4) 普仏戦争がプロイセンの勝利に終わった結果、フランスの第二帝政は崩壊し、ドイツ帝国が誕生した。

(5) オスマン帝国が弱体化したバルカン半島では、ナショナリズムが台頭し、第一次バルカン戦争が起きた。

正答：(5)

(1) ×　インド帝国が成立したのは1877年である。

(2) ×　奴隷解放宣言が出されたのは1863年である。

(3) ×　露土戦争が行われたのは1877～78年である。

(4) ×　ドイツ帝国が成立したのは1871年である。

(5) ○　第一次バルカン戦争が起きたのは1912年。その結果、オスマン帝国はイスタンブールを除くヨーロッパの領土を失った。

No.9　隋と唐に関する記述として、妥当でないのはどれか。

(1) 南北朝時代の終わり、北周から出た楊堅が隋を建国して初代皇帝（文帝）となり、南北朝を統一した。

(2) 隋の第二代皇帝煬帝は、華北と江南を結ぶ大運河を建設し、積極的な外征を行ったが、高句麗の遠征に失敗した。

(3) 唐の第二代皇帝太宗（李世民）は中国統一を果たし、内政・外交とも充実した治世は「貞観の治」と謳われた。

(4) 玄宗の治世の前半は「開元の治」と謳われ、唐の絶頂期であったが、晩年には政治が乱れて安史の乱を招いた。

(5) 唐の時代は、中国史の中でも文化的に最も華やかな時代の一つであり、六朝文化と呼ばれている。

正答：(5)

(1) ○　妥当な記述である。北周の皇帝から禅譲を受けた形で即位した。

(2) ○　妥当な記述である。度重なる遠征と過酷な労役による不満から、各地で反乱が起こり、群雄が割拠する中で隋は滅亡した。

(3) ○　妥当な記述である。房玄齢や杜如晦らの名臣が皇帝を補佐した。

(4) ○　妥当な記述である。これから唐末にかけて、節度使による反乱が相次いだ。

(5) ×　六朝文化とは、華南で興亡した呉（三国時代）、東晋、宋、斉、梁、陳の六王朝時代の文化を総称したものであり、唐の文化ではない。

No.10　土壌名と分布地域に関する記述として、妥当でないのはどれか。

(1) チェルノーゼムは、ウクライナ地方からシベリア南部まで広がる地味豊かな黒色土である。

(2) テラローシャは、ブラジル高原に分布する玄武岩などの火山岩が風化してできた赤色土である。

(3) ポドゾルは、ロシアシベリア地方のタイガ地域などに見られる養分が乏しい灰色の土である。

(4) テラロッサは、インドのデカン高原に分布しており、玄武岩が風化してできた黒色土である。

(5) ラトソル（ラテライト）は、熱帯地方に広く分布する養分の乏しい赤色土である。

正答：(4)

(1) ○　妥当である。成帯土壌の一つである。

(2) ○　妥当である。間帯土壌の一つである。

(3) ○　妥当である。成帯土壌の一つである。

(4) ×　誤りである。テラロッサはデカン高原には分布していない。また、石灰岩が風化して生成した赤色土であり、間帯土壌の一つである。

(5) ○　妥当である。成帯土壌の一つである。

No.11　世界の工業に関する記述として、最も妥当なのはどれか。

(1) アジアNIES（ニーズ）とは、アジアで1970年代以降、輸出指向型の工業化が進んだ韓国、タイ、マレーシア、シンガポールのことをいう。

(2) 経済発展が著しいBRICS（ブリックス）の10カ国は、ユーラシア大陸に分布する。

(3) アメリカ合衆国の大西洋岸沿いにあるシリコンバレーは、エレクトロニクス産業がさかんであり、IT産業の拠点となっている。

(4) コンテンツとは、音声・文字・映像を用いて創作されるものをいい、アニメやゲームなどの生産・販売に関わるコンテンツ産業は大都市に集積されやすい。

(5) 水平分業とは、発展途上国が原料や燃料を輸出し、先進国がそれらの原燃料から工業製品をつくって輸出することで相互に補完する国際分業の形態をいう。

正答：(4)

(1) ×　1970〜80年代にかけて、工業化に成功し、急速な経済成長をとげた国々や地域を新興工業経済地域（NIES）といい、アジアでは韓国、台湾、香港、シンガポールである。

(2) ×　BRICSの10カ国はブラジル、ロシア、インド、中国、南アフリカ共和国、イラン、エジプト、エチオピア、アラブ首長国連邦（UAE）、サウジアラビアである。このうちブラジルは南アメリカ大陸、南アフリカ共和国、エジプト、エチオピアはアフリカ大陸に位置する。

(3) ×　アメリカ合衆国のシリコンバレーは太平洋岸沿いにある。

(4) ○　コンテンツ産業は、多様な人がつながりやすい大都市に集積する傾向にある。

(5) ×　水平分業とは、技術開発や原料調達、組み立て工程などを、複数の企業が得意分野を生かして製品を供給するビジネスモデルのこと。1つの企業が開発から生産、販売などのすべてを受け持つことを垂直統合という。

No.12　次の文章は、南アメリカのある国に関するものであるが、その国名として、最も妥当なのはどれか。

旧宗主国はスペイン、公用語はスペイン語である。ヨーロッパ系白人の比率が高い。パンパと呼ばれる草原地帯が広がり、小麦の栽培や牛の飼育がさかんである。隣国との国境をなすラプラタ川の河口はエスチュアリーをなしている。

(1) アルゼンチン　　　(2) コロンビア　　　(3) ブラジル
(4) ペルー　　　　　　(5) ボリビア

正答：(1)

(1)〜(5) 各国とも南アメリカの国だが、説明はアルゼンチンのものである。アルゼンチンはスペインの植民地であったが1816年に独立した。公用語はスペイン語であり、ヨーロッパ系白人（スペイン、イタリア）の比率が高い。広大な草原パンパでは農業・牧畜業が盛んで、農産加工品や牛肉、小麦やとうもろこしなどの穀物は主要な輸出品である。隣国のウルグアイとの間を流れるラプラタ川の河口は、全幅約270kmの巨大な三角江（エスチュアリー）を形成している。

No.13　次の特徴を有する山地・山脈として、最も妥当なのはどれか。

• 東北地方の北西部に連なっている。
• 世界自然遺産として登録されている。
• 原生的なブナ天然林が、世界最大級の規模で分布している。

(1) 白神山地
(2) 奥羽山脈
(3) 出羽山地
(4) 飛騨山脈
(5) 越後山脈

正答：(1)

　白神山地は、青森県の南西部から秋田県北西部に連なっている。原生的なブナ天然林が、世界最大級の規模で分布していることを評価されて、1993 年、屋久島と共に日本で最初に世界遺産に登録された。

No.14　農業問題に関する記述として、最も妥当なのはどれか。

(1) 食糧管理制度は 1995 年に制定され、食糧の需給が安定するように、国が食糧の生産や流通・販売の管理をおこなっている。
(2) 我が国の食料自給率は、2000 年以降、カロリーベースで 50 パーセントを上回っているものの、食料の多くを海外に依存していることが、食料安全保障上の問題となっている。
(3) 関税化とは、輸入品にかける税金である関税を払えば誰でも輸入できるようにすることをいうが、我が国においてコメは関税化されていない。
(4) 農作物の生産に加えて、加工・流通・販売といった第 2 次・第 3 次産業と一体化して事業を行うことを農業の 4 次産業化という。
(5) トレーサビリティとは、流通履歴を管理して、生産から小売りまでの食品の移動の経路を把握できるようにする制度である。

正答：(5)

(1) ×　食糧管理制度は 1942 年に制定され、1995 年に食糧制度に移行した。
(2) ×　日本の食料自給率は 2000 年以降、カロリーベースで 40％前後でほぼ横ばいに推移している。
(3) ×　コメは、1999 年度に関税化された。
(4) ×　第 1 次産業の農業に、第 2 次・第 3 次産業を一体化して行うことを 6 次産業化という。
(5) ○　食品の移動を把握することで、食品事故等の際にも役立てられている。

No.15 カントの思想に関する記述として、最も妥当なのはどれか。

(1) 幸福を人生や社会の最大目的と考え、社会の幸福は個人の幸福の総計であり、個人の幸福の総計を増大させることが、社会全体の幸福を増大させることになると説いた。

(2) 人間の認識は外部にある対象を受け入れるものだという従来の哲学の常識に対し、人間は物自体を認識することはできず、人間の認識が現象を構成すると説いた。

(3) 疎外の問題を解決するために、生産手段の私有をなくして公有とし、階級の対立を除去して、人間の完全な自由と実質的平等を実現する理想の社会を説いた。

(4) 経験論的思考から学問や科学を正しく認知する方法として、個別的や特殊的な事例から、普遍的な規則や法則を導こうとする帰納法を提唱した。

(5) 人間は自由であり、神によって作られたものではないが、自由ということは、自分の責任で決め、他人に責任を負うことであるとして、社会に参加していくことを提唱した。

正答：(2)

(1) ×　功利主義者のベンサムの思想である。彼はこれを「最大多数の最大幸福」という言葉で表した。

(2) ○　カントの思想である。彼はこれを「コペルニクス的転回」という言葉で表した。

(3) ×　マルクスの唯物史観に基づく思想である。

(4) ×　イギリス経験論のベーコンの思想である。彼はこれを「知は力なり」という言葉で表した。

(5) ×　実存主義のサルトルの思想である。

No.16 次の空所に当てはまる人物として、最も妥当なのはどれか。

12世紀の南宋の儒学者（　　　　）は、万物は理と気からなり、宇宙万物の形成を理と気の一致として説明し、自己と社会、自己と宇宙は、「理」という普遍的原理を通して結ばれ、理への回復を通して社会秩序は保たれると説いた。

(1) 孔子

(2) 孟子

(3) 荀子

(4) 朱子

(5) 王陽明

正答：(4)

（1）、（2）、（3）は春秋戦国時代の儒学者、（5）は明代の儒学者である。

朱子は理気二元論に立って、人間の本性と宇宙の根源を一致させた生き方（性即理）によって、聖人たることを目指した。理は宇宙の根本原理、気は物質を形成する原理を指す。彼の学説は、「大義名分論」と相まって、後世為政者によって秩序維持に必要な理念として説かれるようになった。

No.17　次の古典随筆作品の成立した順番の組合せとして、最も妥当なのはどれか。

(1)『枕草子』→『徒然草』→『方丈記』→『玉勝間』

(2)『枕草子』→『方丈記』→『徒然草』→『玉勝間』

(3)『方丈記』→『徒然草』→『玉勝間』→『枕草子』

(4)『方丈記』→『枕草子』→『玉勝間』→『徒然草』

(5)『徒然草』→『玉勝間』→『枕草子』→『方丈記』

正答：（2）

　『枕草子』（平安時代・清少納言）→『方丈記』（鎌倉時代初期・鴨長明）→『徒然草』（鎌倉時代末期・吉田兼好）→『玉勝間』（江戸時代・本居宣長）の順で、すべて随筆である。なお、『枕草子』、『方丈記』、『徒然草』を「日本三大随筆」と称する。

No.18　次の江戸時代の文学作品のうち、人情本とよばれる作品として妥当なものはどれか。

(1)『椿説弓張月』　　　(2)『春色梅児誉美』

(3)『世間胸算用』　　　(4)『東海道中膝栗毛』

(5)『雨月物語』

正答：（2）

(1)　×　『椿説弓張月』は読本。作者は滝沢馬琴。

(2)　○　『春色梅児誉美』は人情本。作者は為永春水。

(3)　×　『世間胸算用』は浮世草子。作者は井原西鶴。

(4)　×　『東海道中膝栗毛』は滑稽本。作者は十返舎一九。

(5)　×　『雨月物語』は読本。作者は上田秋成。

No.19　次の近代文学作品のタイトルと本文の冒頭の組合せとして、妥当でないのはどれか。

(1)『たけくらべ』：廻れば大門の見返り柳いと長けれど、…

(2)『破戒』：蓮華寺では下宿を兼ねた。瀬川丑松が急に転宿を思ひ立つて…

(3)『城の崎にて』：山の手線の電車に跳ね飛ばされて怪我をした、…

(4)『人間失格』：恥の多い生涯を送って来ました。自分には、人間の生活というものが、見当つかないのです。

(5)『羅生門』：道がつづら折りになって、いよいよ天城峠に近づいたと思う頃、…

正答：（5）

(1)　○　『たけくらべ』の作者は樋口一葉。

(2)　○　『破戒』の作者は島崎藤村。

(3)　○　『城の崎にて』の作者は志賀直哉。

(4)　○　『人間失格』の作者は太宰治。

(5)　×　『羅生門』の作者は芥川龍之介。冒頭は「ある日の暮方の事である。一人の下人が、羅生門の下で雨やみを…」。選択肢の作品は、川端康成の『伊豆の踊子』である。

No.20 次の作品名と作者の組合せとして、最も妥当なのはどれか。

(1) 『金閣寺』───────── 大岡昇平

(2) 『野火』───────── 三島由紀夫

(3) 『父の詫び状』───── 綿矢りさ

(4) 『羊をめぐる冒険』─── 村上春樹

(5) 『インストール』───── 向田邦子

正答：(4)

(1) × 『金閣寺』の作者は三島由紀夫。

(2) × 『野火』の作者は大岡昇平。

(3) × 『父の詫び状』の作者は向田邦子。

(4) ○ 『羊をめぐる冒険』の作者は村上春樹。

(5) × 『インストール』の作者は綿矢りさ。

No.21 次の和歌と作者の組合せとして、最も妥当なのはどれか。

(1) 東の野に炎（かぎろひ）の立つ見えてかへり見すれば月傾きぬ　　在原業平

(2) 田子の浦ゆうち出でて見れば真白にぞ富士の高嶺に雪は降りける　　小野小町

(3) 花の色は移りにけりないたづらにわが身世にふるながめせしまに　　山部赤人

(4) 名にしおははばいざ言とはむ都鳥わが思ふ人はありやなしやと　　柿本人麻呂

(5) 見渡せば花も紅葉（もみじ）もなかりけり
　　浦の苫屋（とまや）の秋の夕暮　　藤原定家

正答：(5)

(1) × 作者は柿本人麻呂。

(2) × 作者は山部赤人。

(3) × 作者は小野小町。

(4) × 作者は在原業平。

(5) ○ 作者は藤原定家。

No.22 次の和歌と同じ技法（掛詞）を使った和歌として最も妥当なものはどれか。

　　花の色は移りにけりないたづらにわが身世にふるながめせしまに　　小野小町

(1) 袖ひちてむすびし水のこほれるを春立つけふの風やとくらむ　　紀貫之

(2) 世の中に絶えて桜のなかりせば春の心はのどけからまし　　在原業平

(3) 春すぎて夏来にけらし白妙の衣ほすてふ天の香具山　　持統天皇

(4) 秋来ぬと目にはさやかに見えねども風の音にぞおどろかれぬる　　藤原敏行

(5) 見渡せば花も紅葉もなかりけり浦の苫屋の秋の夕暮　　藤原定家

正答：(1)

　　袖ひちてむすびし水のこほれるを春立つけふの風やとくらむ（むすび＝掬び（水を掬うの意）・結び、はる＝春・張る、たつ＝立つ・裁つ）

　　「結び／張る／裁つ」は袖に縁の深い言葉（縁語という）であり、掛詞で表している。

No.23 次の外国文学の作品名と作者の組合せとして、最も妥当なのはどれか。
(1) 『猟人日記』——— サルトル
(2) 『嘔吐』————— ツルゲーネフ
(3) 『人形の家』——— ヘッセ
(4) 『車輪の下』——— イプセン
(5) 『怒りの葡萄』——— スタインベック

正答：(5)
(1) × 『猟人日記』の作者はツルゲーネフ。
(2) × 『嘔吐』の作者はサルトル。
(3) × 『人形の家』の作者はイプセン。
(4) × 『車輪の下』の作者はヘッセ。
(5) ○ 『怒りの葡萄』の作者はスタインベック。

No.24 次の俳句の示す季節が妥当でないのはどれか。
(1) 荒海や佐渡に横たふ天の河 ——————— 春
(2) 鳥羽殿へ五六騎いそぐ野分かな ————— 秋
(3) 朝顔やつるべとられてもらひ水 ————— 秋
(4) 大根（だいこ）引き大根で道を教へけり ——— 冬
(5) 卯の花をかざしに関の晴着かな ————— 夏

正答：(1)
(1) × 松尾芭蕉の句で季語は「天の河」で秋。
(2) ○ 与謝蕪村の句で季語は「野分」で秋。
(3) ○ 加賀千代女の句で季語は「朝顔」で秋。
(4) ○ 小林一茶の句で季語は「大根」で冬。
(5) ○ 河合曾良の句で季語は「卯の花」で夏。

No.25 次の故事成語の中から「禍福は糾（あざな）える縄のごとし」と同類の故事成語を選べ。
(1) 羹に懲りて膾を吹く　　(2) 奇貨居くべし
(3) 虎穴に入らずんば虎子を得ず　　(4) 塞翁が馬
(5) 天網恢恢疎にして漏らさず

正答：(4)
　「禍福は糾える縄のごとし」は、人の幸福や不幸はよった縄のようなもので、「常に入れ代わりながら変転している」ということ。
(1) × 「一度の失敗に懲りて過剰な用心をする」ということ。
(2) × 「得がたい機会だから上手にこれを利用しなければならない」ということ。
(3) × 「危険を冒さなければ大きな見返りは得られない」こと。
(4) ○ 「人生の禍福や吉凶は予測するのが難しい」ということ。
(5) × 「悪事を働けば必ず天罰が下る」ということ。

No.26 次の同義、類義関係にあることわざの組合せのうち、妥当でないのはどれか。

(1) 虻蜂とらず ——————— 二兎を追う者は一兎をも得ず
(2) 紺屋の白袴 ——————— 医者の不養生
(3) 月に叢雲花に風 ——— 好事魔多し
(4) 豆腐にかすがい ——— 糠に釘
(5) 鳶が鷹を生む ——————— 瓜の蔓に茄子はならぬ

正答：(5)

　「鳶が鷹を生む」は凡庸な親から優秀な子どもが生まれること。「瓜の蔓に茄子はならぬ」は平凡な親から非凡な子どもは生まれないということ。

No.27 次の慣用句と意味の組合せとして、最も妥当なものはどれか。

(1) 雀の涙 ——————— 弱いものが悲しむこと
(2) 鶴の一声 ——————— 強いものが我を通すこと
(3) 袋の鼠 ——————— つまらないものしか持っていないこと
(4) 眉唾物 ——————— 舌の根がかわかぬうちに嘘をつくこと
(5) 爪に火をともす ——— 過剰に倹約すること

正答：(5)

(1)「雀の涙」は、「ごくわずかにしかない」ことのたとえ。
(2)「鶴の一声」は、「権威ある者の一声で多くの人々がたちまち従う」ことのたとえ。
(3)「袋の鼠」は、「逃れることのできない」状態のこと。
(4)「眉唾物」は、「真偽のほどが疑われる」もの。
(5)「爪に火をともす」は、「過剰に倹約する」こと。

No.28 次のカタカナを漢字にするとき正しいものを選べ。

ア　故人をイタむ。
イ　混乱をオサめる。
ウ　特効薬がキく。
エ　委員会にハカる。

	ア	イ	ウ	エ
(1)	悼	治	聴	諮
(2)	悼	修	利	謀
(3)	悼	収	効	諮
(4)	痛	収	利	謀
(5)	傷	修	効	計

正答：(3)

ア「悼」：故人を追悼するから。
イ「収」：混乱を収拾するから。
ウ「効」：薬の効果があらわれているから。
エ「諮」：意見を求めることを諮問と言う。

No.29 次のカタカナと漢字の組合せのうち、最も妥当なのはどれか。

(1) 盆栽をカンショウする。─────── 観照

(2) 若者の熱心な活動にカンシンする。─── 感心

(3) キセイ事実が着々と積みあげられる。── 規制

(4) 首相の任命責任をツイキュウする。─── 追究

(5) 公金横領の責任を秘書にテンカする。── 転化

正答：(2)

(1) × 「観賞」自然や美しいものを眺め楽しむこと。

(2) ○ 「感心」心に深く感じる。

(3) × 「既成」既に成立している。

(4) × 「追及」責任が追い及ぶ。

(5) × 「転嫁」自分の責任を人になすりつける。

No.30 次の三字熟語とその意味の組合せとして、妥当でないのはどれか。

(1) 下剋上 ───── 身分の下の者が上の者をひきずりおろして権力を握ること

(2) 鉄面皮 ───── 図々しくて恥知らずなこと

(3) 生兵法 ───── 兵隊が武器を持たないで戦うこと

(4) 白眼視 ───── 人を冷たい眼差しで見ること

(5) 門外漢 ───── その分野の専門家ではないこと

正答：(3)

「生兵法」は中途半端な知識や技術を意味する。

No.31 次の熟語の対義語を、下の語群から選べ。

(1) 演繹 ⟺ (　　　　　)

(2) 原則 ⟺ (　　　　　)

(3) 緊張 ⟺ (　　　　　)

(4) 露骨 ⟺ (　　　　　)

(5) 分析 ⟺ (　　　　　)

ア 唯物	イ 帰納	ウ 杜撰	エ 例外	オ 弛緩
カ 婉曲	キ 相対	ク 先天	ケ 総合	コ 実践

正答：(1) **イ**　　(2) **エ**　　(3) **オ**　　(4) **カ**　　(5) **ケ**

その他の熟語の対義語は、「唯物」⟺「唯心」、「杜撰」⟺「緻密」、「相対」⟺「絶対」、「先天」⟺「後天」、「実践」⟺「理論」。

No.32　次の文章の趣旨として、最も妥当なのはどれか。

身体はだれのものか？

おそらく、これまで長くだれもそれについて問題にすることを考えもしなかったようなことがらが、わたしたちのまわりで問題になりはじめている。

脳死体から臓器を摘出することは、どういう条件があれば傷害罪にならないか。いいかえると、ひとの身体はいつそのひと自身ではなくなるか。これは、脳死という状態が人工的に出現させられるようになってはじめて問題となりだしたことがらである。人工的な延命ということがほとんど困難だった時代には、わたしたちは死の瞬間というものにかなり明確なイメージをもっていた。

美容整形をするひと、あるいは身をひさぐ若い女性たちは、じぶんの身体はじぶんのものだから、どうしようと本人の勝手で、そのことを他人にとやかく言われるすじあいはないと「明確に」答える。この理屈の延長線上に、自殺の正当化があり、献体の当人による登録があり、また「臓器売買」という名の商行為としての臓器提供もある。

ここにあるのは、身体の自己所有権という思想であり、つまりはわたしの身体はわたしのものだという考え方である。そして、この身体を本人の同意なしに他人に傷つけられたり、その活動を強制されたりすることがあってはならないというのが、「基本的人権」の核にある理念の一つである。

ところが他方で、身体の自己所有権という思想に異議をとなえるむきも多い。そのとき、しばしば象徴的な文句として引かれるのが「身体髪膚（はっぷ）之を父母に受く。敢へて毀傷（きしょう）せざるは孝の始めなり」という言葉である。日常的には、「あなた、だれのお腹から生まれたと思ってるの。だれにもらった体だと思ってるの」という言葉が、母親から子どもに投げかけられもする。

身体ということをもうすこし広く、身とか身柄という意味でとれば、広く企業体や市民団体の運営責任を負うべき公的な地位についているひとは、じぶんの身体をじぶんだけのものと感じることがむしろ稀であろう。いや、もっと身近なところで、家族生活をいとなむ者はだれでも、じぶんの身体がじぶんだけのものではないことを日々痛いほど感じているはずだ。「じぶんの身体に対する責任」という感情が湧いてくるのも、そういうところからであろう。

（鷲田清一『新編　普通をだれも教えてくれない』ちくま学芸文庫）

(1) 身体は誰のものかということに関して二通りの考え方があり、一つは身体は自己のものという考え方、もう一つは非・自己のものという考え方で、基本的人権の観点から言うまでもなくすぐれている考え方は前者である。

(2) 身体は誰のものかということに関して二通りの考え方があり、一つは身体は自己のものという考え方、もう一つは非・自己のものという考え方で、身体は本来公的なものだから言うまでもなくすぐれている考え方は後者である。

(3) 身体は誰のものかということに関して二通りの考え方があり、一つは身体は自己の所有の対象であるという考え方、もう一つは身体はじぶんだけのものではなく家族や公的なものにも所有されているという考え方であり、どちらとも身体論的には問題から逸脱している。

(4) 身体は誰のものかということに関して二通りの考え方があり、一つは身体は自己の所有の対象であるというもの、もう一つは身体はじぶんだけのものではなくじぶんの周辺のものにも所有されるというもので、じぶんの身体への責任は後者において発生する。

(5) 身体は誰のものかという命題を引き出したのは臓器移植が行われるようになってからで、それまでは死イコールこの世からの消滅であったものが、脳を除く身体部位が生きていて、それは誰に所属するのかという問題が浮上してきた。

正答：(4)

(1) × 「基本的人権の観点から言うまでもなくすぐれている考え方は前者である」の部分が誤り。

(2) × 「身体は本来公的なものだから言うまでもなくすぐれている考え方は後者である」の部分が誤り。

(3) × 「どちらとも身体論的には問題から逸脱している」の部分が誤り。

(4) ○ 二通りの考え方と、それぞれの考え方についての論旨がともに正しい。

(5) × 「臓器移植」にだけ焦点を合わせた文意になっている点が誤り。

No.33　次の文章の下線部の表現法を何というのか選べ。

　それだのに、ほしの大きさは、さっきと少しも変わりません。つくいきはふいごのようです。寒さや霜がまるで剣のようによだかを刺しました。

（宮沢賢治『よだかの星』新潮文庫）

(1) 直喩　　　(2) 隠喩　　　(3) 擬人法　　　(4) 反復法　　　(5) 対句

正答：(1)

　「（まるで）〜のように（な・で）」と「ような」で直接的なたとえを示す表現法を直喩という。

No.34　次の下線部の動詞のうち、活用形が未然形のものとして、最も妥当なのはどれか。

(1) 校歌を歌おう。

(2) 彼の言うことは正しいと思った。

(3) はるかちゃんは絵本を読むことが好きだ。

(4) 梅雨だから雨がよく降る。

(5) 夏が来れば思い出す。

正答：(1)

　未然形は語尾に「〜ない」「よう」「う」などがついた形である。その他、(2) 連用形、(3) 連体形、(4) 終止形、(5) 仮定形である。

No.35 次のア〜ウの文を正しい敬語にする場合の組合せとして、最も妥当なのはどれか。

ア　A様、課長は今社内に<u>いないのです</u>。

イ　先生、どうぞ私の母の手料理を<u>食べてください</u>。

ウ　社長、おられましたら会議室に<u>参ってください</u>。

	ア	イ	ウ
(1)	いらっしゃいません	召し上がってください	伺ってください
(2)	おりません	召し上がってください	いらっしゃってください
(3)	おりません	いただいてください	参られてください
(4)	ご不在です	召し上がってください	いらっしゃってください
(5)	ご不在です	いただかれてください	参られてください

正答：(2)

ア　「おりません」が正しい。上司であっても対外的には身内を敬わない。

イ　「召し上がってください」が正しい。「いただく」は謙譲語。「いただかれてください」は謙譲語に尊敬の助動詞「れ」のついた不必要な二方面敬語である。

ウ　「いらっしゃってください」が正しい。「伺う」は謙譲語、「参られてください」は謙譲語に尊敬の助動詞「れ」のついた不必要な二方面敬語である。

No.36 次の形容詞とその意味の組合せとして、最も妥当でないのはどれか。

(1) やむごとなし――――高貴である

(2) すさまじ――――――興ざめである

(3) をかし――――――――趣のある

(4) いとほし――――――おそれおおい

(5) かなし――――――――かわいい

正答：(4)

　「いとほし」は「気の毒だ」「かわいそうだ」といった意味である。「おそれおおい」は「畏し」。

No.37 次の（　）内の語句に相当する漢字を含む文を、(1)〜(5)のうちから1つ選び、記号で答えなさい。

試行（サクゴ）を繰り返す。

(1) 五か年計画を（サクテイ）する。

(2) 労働者の利益を（サクシュ）する。

(3) 期待と不安が（コウサク）している。

(4) （サクイ）の跡が感じられる。

(5) 不要な文字を（サクジョ）する。

正答：(3)

　「試行錯誤を繰り返す。」となり、「錯」の漢字を含む文は「期待と不安が交錯している。」である。その他、(1) 策定、(2) 搾取、(4) 作為、(5) 削除である。

No.38　次の英文の空所に語を当てはめ、文法的に正しく意味の通る文にするとき、最も妥当なのはどれか。

　She found （　　） difficult to read the book in English.

(1) how

(2) it

(3) very

(4) that

(5) so

正答：(2)

　SVOC の文型である。find ＋ OC で「O が C であるとわかる、気づく」の意味になる。この文では、目的語 O が形式目的語の it となっており、it の内容は to read 以下の不定詞部分「英語で本を読むこと」である。文全体の意味は、「彼女はその本を英語で読むのは難しいと気づいた」となる。

No.39　次の日本語文とその英訳の組合せのうち、英文における助動詞の用法が適切なものとして、最も妥当なのはどれか。

(1) 外出するより家にいたい。

　　I would rather stay home than going out.

(2) 君はここにいないほうがいい。

　　You had not better stay here.

(3) そんな重いカバンを持ってくる必要はなかったのに。

　　You need not bring such a heavy bag.

(4) 彼は私たちと一緒に来ると主張した。

　　He insisted that he come with us.

(5) 彼は 60 歳を超えているにちがいない。

　　He can't be over sixty.

正答：(4)

(1) ×　「would rather ～ than ～」には、どちらも動詞は原形がくることに注意する。正しくは、would rather stay home than go out.

(2) ×　not の位置に注意する。正しくは、You had better not stay here.

(3) ×　「～する必要はなかったのに」は、「need not have *done*」である。正しくは、You need not have brought such a heavy bag.

(4) ○　判断や意思を表す語に続く that 節内で用いられる should は、省略され、「動詞の原形」のみが残る場合がある。次の文でもよい。

　　He insisted that he should come with us.

(5) ×　can't は「～のはずがない」。正しくは、must「～にちがいない」。

No.40 次の英文の空所に入れる語句として、最も妥当なのはどれか。

(   ), you cannot smoke at school.

(1) To be frank with you
(2) So to speak
(3) Needless to say
(4) To say nothing of
(5) Strange to say

正答：(3)

「学校では禁煙です」と続けるには、(3) の「言うまでもなく」が適切である。

(1)「率直に言うと」、(2)「いわば」、(5)「奇妙なことに」では、意味が通らない。

(4) は、To say nothing of mobile phones「携帯電話は言うまでもなく」のように of の後に名詞が必要となるため、このままでは使えない。

No.41 次の英文のうち、不定詞または動名詞の使用法が適切なものとして、最も妥当なのはどれか。

(1) He has decided to study economics at a college.
(2) You should avoid to get involved in such a problem.
(3) Would you mind me to smoke here?
(4) She will never forget buying books at a bookstore tomorrow morning.
(5) I didn't mean hurting you. I am sorry.

正答：(1)

動名詞と不定詞の使い分けに注意したい。

(1) decide、(5) mean は、不定詞を目的語にとる。

(2) avoid、(3) mind は、動名詞を目的語にとる。

(4) forget は「すでに起きたことを忘れる」の意味では動名詞、「～することを忘れる」の意味では不定詞を用いる。

No.42 次の2つの英文が同じ意味になるように、( ) 内の単語を並び替えたとき、その順番として、最も妥当なのはどれか。

Without music, our life would be boring.

```
    ①      ②      ③      ④      ⑤      ⑥
( were / for / it / not / if / music ), our life would be boring.
```

(1) ③－①－④－⑤－⑥－②
(2) ③－②－⑥－⑤－①－④
(3) ⑤－③－①－④－②－⑥
(4) ⑤－⑥－①－④－②－③
(5) ⑤－⑥－③－①－④－②

正答：(3)

　「音楽がなければ、私たちの生活はつまらないものになるだろう」の意味。仮定法の「もし〜がなければ」に相当する表現は、Without 〜、If it were not for 〜、Were it not for 〜がある。If it were not for music, our life would be boring. が正しい語順となる。

No.43　次の2つの英文が同じ意味になるように、空所A〜Eに語を入れたとき、Bに入る語として、最も妥当なのはどれか。

　Mt. Aso is the highest mountain in Kumamoto.
　(　A　)(　B　)(　C　) in Kumamoto is as (　D　) as (　E　).

(1)　high

(2)　Mt. Aso

(3)　other

(4)　mountain

(5)　No

正答：(3)

　正しくは、No other mountain in Kumamoto is as high as Mt. Aso. となる。

　「阿蘇山は熊本県で最も高い山だ」の同意表現として「熊本県の他のどの山も阿蘇山ほど高くない」という文にする。

　No other ＋ 名詞で「他のどの（名詞）よりも」を表すことができるため、Bに入るのは (3) である。Dは前後に as 〜 as があることから (1) が入る 。Eには、比較対象が入るため (2) が入る。

No.44　次の英文の関係詞の用法が適切なものとして、最も妥当なものはどれか。

(1)　Mr. Cary teaches French to students who native language is German.

(2)　This is a lady whom helped me a lot during my stay in Scotland.

(3)　The picture what my sister painted is really beautiful.

(4)　He is the man whom we met on our way home.

(5)　We talked about the man and his dog which we played with in the park.

正答：(4)

(1)　×　whose が正しい。「ケアリー先生は母国語がドイツ語の生徒にフランス語を教えている」

(2)　×　主格であるので who を用いる。「こちらが、スコットランド滞在中に大変御世話になった女性です」

(3)　×　which または that を用いる。「姉が描いた絵はとても美しい」

(4)　○　正しい英文である。「彼は私たちが帰宅途中に会った男性です」

(5)　×　先行詞が人と人以外（犬）なので that を用いる。「公園で一緒に遊んだ男性と犬のことを話した」

No.45 下の英文のうち、（　　）内の語の使用法が、最も妥当なのはどれか。

(1) "Do you have a pen?" "Yes, I have（one）."
(2) Some people like apple,（the others）like orange.
(3) I have three brothers. One is a high school student, and（another）are college students.
(4) "We have two pens. One is red and（one）is yellow."
(5) I don't like this bag. Please show me（the other）.

正答：(1)

(1) ○　one が正しい。「ペンを持っていますか」「はい、1本持っています」
(2) ×　others が正しい。「りんごが好きな人もいれば、オレンジが好きな人もいる」
(3) ×　the others が正しい。「私には3人の兄がおり、1人は高校生で、他は大学生です」
(4) ×　the other が正しい。「2本ペンを持っています。1本は赤で、もう1本は黄色です」
(5) ×　another が正しい。「このバッグは好きではありません。別のものを見せてください」

＋アルファ　外来語の言い換え語を問う問題も出題されます。ここでいくつか覚えてみましょう。

次の外来語とその言い換え語の組合せとして、最も妥当なのはどれか。
(1) アイロニー　――――　機知
(2) インタラクティブ　―　評価
(3) パラドックス　――――　情熱
(4) プロパガンダ　――――　宣伝
(5) コンプライアンス　―　隠喩
正答：(4)
(1) ×　アイロニーは皮肉
(2) ×　インタラクティブは対話型
(3) ×　パラドックスは逆説
(4) ○　プロパガンダは宣伝（政治宣伝とも）
(5) ×　コンプライアンスは法令遵守
　上記のように言い換えられる。なお、その他の外来語の言い換えの例として、機知 ―エスプリ、評価 ― アセスメント、情熱 ― パトス、隠喩 ― メタファーなどがある。

※以前の出題では、外来語と言い換え語の組合せを変えただけでした。しかし、近年の試験では、以下の例のように、そのルールが崩れました。
(例)【以前】ピッチャー ― 一塁手、キャッチャー ― 二塁手、ファースト ― 捕手、セカンド ― 投手、サード ― 三塁手
　　　【近年】ピッチャー ― 審判、キャッチャー ― 外野手、ファースト ― 捕手、セカンド ― 投手、サード ― 三塁手

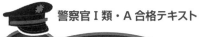
警察官Ⅰ類・A合格テキスト

3章

自然科学

数と式

数学の基礎となる単元である。式の展開と因数分解、無理数の計算、絶対値の入った方程式・不等式が主に出題されている。

◆乗法公式

乗法公式は多項式を展開するときに使われる重要な公式である。

- $(a+b)^2 = a^2 + 2ab + b^2$
- $(a-b)^2 = a^2 - 2ab + b^2$
- $(a+b)(a-b) = a^2 - b^2$
- $(x+a)(x+b) = x^2 + (a+b)x + ab$
- $(ax+b)(cx+d)$
  $= acx^2 + (ad+bc)x + bd$
- $(a+b+c)^2$
  $= a^2 + b^2 + c^2 + 2ab + 2bc + 2ca$
- $(a+b)^3 = a^3 + 3a^2b + 3ab^2 + b^3$
- $(a-b)^3 = a^3 - 3a^2b + 3ab^2 - b^3$
- $(a+b)(a^2 - ab + b^2) = a^3 + b^3$
- $(a-b)(a^2 + ab + b^2) = a^3 - b^3$
- $(a+b+c)(a^2 + b^2 + c^2 - ab$
  $- bc - ca) = a^3 + b^3 + c^3 - 3abc$

 重要ポイント 式を展開するときは（左辺）から（右辺）へ、因数分解は（右辺）から（左辺）へと処理する。

(1) 展開

- 同じかたまりをおきかえる。
- 3つ以上のかっこがあるときは、かける順序や組合せを工夫する。
- 乗法公式を利用する。

(2) 因数分解の手順

- 共通因数があれば、くくり出す。

- 同じかたまりをおきかえる。
- 乗法公式を利用する。
- 文字が複数あるときは、それぞれの次数に注目し、
    - 次数が違う→ 最低次の文字について整理する。
    - 次数が同じ→ どれか1つの文字について整理する。
- 複2次式（4次、2次、定数のみの式）のときは、
    - $x^2 = t$とおいて因数分解する。
    - $(x^2 + \triangle)^2 - (\square x)^2$の形を作る。

◆実数

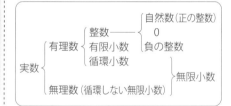

- 有理数とは、$\dfrac{整数}{0 を除く整数}$と表せる数。
- 実数は、有理数または無理数。

◆絶対値

数直線上で、原点と実数aに対応する点の距離をaの絶対値とよび$|a|$と表す。

- $|a| = \begin{cases} a & (a \geq 0 \text{ のとき}) \\ -a & (a < 0 \text{ のとき}) \end{cases}$
- $|a||b| = |ab|$
    $\dfrac{|a|}{|b|} = \left| \dfrac{a}{b} \right| \quad (b \neq 0)$
- $|a|^2 = a^2$

◆平方根

正の数aに対し、2乗するとaになる数をaの平方根とよび、正の平方根を$\sqrt{a}$、負の平方根を$-\sqrt{a}$と表す。

$a > 0$、$b > 0$のとき、

- $(\sqrt{a})^2 = \sqrt{a^2} = a$
- $\sqrt{a^2 b} = a\sqrt{b}$
- $\sqrt{a}\sqrt{b} = \sqrt{ab}$
- $\dfrac{\sqrt{a}}{\sqrt{b}} = \sqrt{\dfrac{a}{b}}$

- $\dfrac{1}{\sqrt{a}} = \dfrac{\sqrt{a}}{a}$ ⎫
- $\dfrac{1}{\sqrt{a} \pm \sqrt{b}} = \dfrac{\sqrt{a} \mp \sqrt{b}}{a - b}$（複号同順）⎬ 分母の有理化

- $\sqrt{a + b \pm 2\sqrt{ab}}$
  $= \sqrt{a} \pm \sqrt{b}$　（複号同順、$a > b > 0$）
  ：二重根号を一重化する。
  →足して二重根号の外の数、かけて二重根号の中の数となる2つの自然数a、bをみつける。

◆対称式

文字を入れかえても変わらない式を対称式とよぶ。すべての対称式は基本対称式で表すことができる。

(1) 2文字のとき、基本対称式は$a + b$、ab

- $a^2 + b^2 = (a + b)^2 - 2ab$
- $a^3 + b^3 = (a + b)^3 - 3ab(a + b)$
- $(a - b)^2 = (a + b)^2 - 4ab$

(2) 3文字のとき、基本対称式は

$a + b + c$、$ab + bc + ca$、abc

- $a^2 + b^2 + c^2$
  $= (a + b + c)^2$
  $\quad - 2(ab + bc + ca)$
- $a^3 + b^3 + c^3$
  $= (a + b + c)$
  $\quad (a^2 + b^2 + c^2 - ab - bc - ca) + 3abc$

◆1次不等式

(1) $a > b$のとき

- $a + c > b + c$
- $a - c > b - c$

　両辺に同じ数を加減するとき、不等号の向きは変わらない。

(2) $a > b$で$k > 0$のとき

- $ak > bk$
- $\dfrac{a}{k} > \dfrac{b}{k}$

　両辺に正の数を乗除するとき、不等号の向きは変わらない。

(3) $a > b$で$k < 0$のとき

- $ak < bk$
- $\dfrac{a}{k} < \dfrac{b}{k}$

　両辺に負の数を乗除するとき、不等号の向きは変わる。

1次不等式の解法は1次方程式と同様だが、負の数をかける（わる）とき、不等号が逆転する。

◆絶対値方程式不等式

$a > 0$に対し、

- $|x| = a$の解は$x = \pm a$
- $|x| < a$の解は$-a < x < a$
- $|x| > a$の解は$x < -a$、$a < x$

🎵出題パターン

絶対値記号を用いた次の2つの1次方程式AとBは、各々2つの解をもつが、そのうち一方の解は共通である。今、AとBの各々の2つの解のうち、共通ではないAの解をa、Bの解をbとしたとき、a − bの値として、正しいのはどれか。

A　$|2x - 5| = -x + 10$
B　$|5x - 9| = 3x + 1$

(1) −10　(2) −6　(3) −4
(4) 4　　(5) 10

答（2）

レッスン 02 ２次関数・２次方程式

数学において最も出題が多い単元である。グラフの移動、最大・最小、２次方程式の解の判別式などが主に出題されている。繰り返し問題を解き、しっかり準備しよう。

◆ ２次関数のグラフ

⦿ $y = ax^2 \ (a \neq 0)$ のグラフ

原点を頂点とし、$x = 0$（y 軸）を軸とする放物線。

$a > 0$ のとき

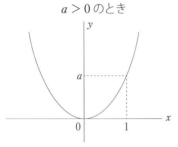

この開き方を**下に凸**とよぶ。

$a < 0$ のとき

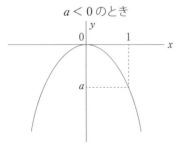

この開き方を**上に凸**とよぶ。

⦿ $y = a(x - p)^2 + q \ (a \neq 0)$ のグラフ

$y = ax^2$ のグラフを x 軸方向に p、y 軸方向に q だけ平行移動したもの。このとき頂点の座標は (p, q)、軸の方程式は $x = p$ となる。

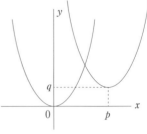

⦿ $y = ax^2 + bx + c \ (a \neq 0)$ のグラフ

$$y = ax^2 + bx + c \quad \text{（} x^2 \text{の係数で} x^2 \text{と} x \text{をくくる）}$$

$$= a\left(x^2 + \frac{b}{a}x\right) + c \quad \text{（} x \text{の係数の半分）}^2 \text{を足して引く}$$

$$= a\left\{x^2 + \frac{b}{a}x + \left(\frac{b}{2a}\right)^2 - \left(\frac{b}{2a}\right)^2\right\} + c$$

$$= a\left\{\left(x + \frac{b}{2a}\right)^2 - \frac{b^2}{4a^2}\right\} + c \quad \text{最初の3項で（　）}^2 \text{を作る}$$

$$= a\left(x + \frac{b}{2a}\right)^2 - \frac{b^2}{4a} + c \quad \{\quad\} \text{を外す}$$

$$= a\left(x + \frac{b}{2a}\right)^2 - \frac{b^2 - 4ac}{4a} \quad \text{定数項を計算する}$$

この式変形を平方完成とよぶ。平方完成することで、

頂点の座標 $\left(-\dfrac{b}{2a}, \ -\dfrac{b^2 - 4ac}{4a}\right)$、

軸の方程式 $x = -\dfrac{b}{2a}$

が求められる。

ワン・ポイント 平方完成は計算ミスの多いところ。途中式を省略しないで丁寧に計算しよう。

◆グラフの移動

（1）対称移動

① x 軸対称：y を $-y$ でおきかえる

$y=f(x) \rightarrow -y=f(x)$

② y 軸対称：x を $-x$ でおきかえる

$y=f(x) \rightarrow y=f(-x)$

③ 原点対称：$\begin{cases} x \text{を} -x \\ y \text{を} -y \text{でおきかえる} \end{cases}$

$y=f(x) \rightarrow -y=f(-x)$

（2）平行移動

$\begin{pmatrix} x \text{軸方向に } p & x \text{を} x-p \\ y \text{軸方向に } q & y \text{を} y-q \end{pmatrix}$ でおきかえる

$y=f(x) \rightarrow y-q=f(x-p)$

◆2次関数の決定

- 頂点 (p, q) または軸 $x=p$ が与えられたとき、最大値、最小値が与えられたとき：

$y=a(x-p)^2+q$ を用いる。

- x 軸との2交点 $(\alpha, 0)$、$(\beta, 0)$ が与えられたとき：

$y=a(x-\alpha)(x-\beta)$ を用いる。

- 通る3点が与えられたとき、通る2点とグラフの平行移動のとき：

$y=ax^2+bx+c$ を用いる。

 ワン・ポイント **平行移動**
平行移動した放物線において x^2 の係数は変わらない。

◆2次関数の最大・最小

まず、$y=ax^2+bx+c$ $(a \neq 0)$ を平方完成し、$y=a(x-p)^2+q$ に変形する。

（1）定義域に制限がないとき

- $a>0$ のとき

$x=p$ で最小値 q、最大値なし

- $a<0$ のとき

$x=p$ で最大値 q、最小値なし

（2）定義域に制限があるとき

軸と定義域の位置関係によって場合分けする。

$a>0$ のとき、$f(x)=a(x-p)^2+q$ $(\alpha \leq x \leq \beta)$ について、

①最小値

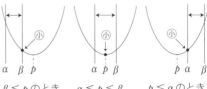

$\beta \leq p$ のとき
$x=\beta$ で
最小値 $f(\beta)$

$\alpha \leq p \leq \beta$
のとき
$x=p$ で
最小値 q

$p \leq \alpha$ のとき
$x=\alpha$ で
最小値 $f(\alpha)$

この場合分けの仕方は、$a<0$ のときの最大値と同様である。

②最大値

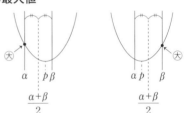

$\dfrac{\alpha+\beta}{2} \leq p$ のとき
$x=\alpha$ で
最大値 $f(\alpha)$

$p \leq \dfrac{\alpha+\beta}{2}$ のとき
$x=\beta$ で
最大値 $f(\beta)$

この場合分けの仕方は $a>0$ のときの最小値も同様である。

重要ポイント **複雑な関数**

同じかたまりを t とおくと、t の2次関数になることがある。このとき、t の変域に注意する。また、条件式があるときに、条件式から1文字を消去すると、残った文字の2次関数になることがある。このとき、消した文字の変域に注意する。

◆ 2 次方程式
⊙ 2 次方程式の解の公式

$ax^2 + bx + c = 0 \ (a \neq 0)$ の解は、

$$x = \frac{-b \pm \sqrt{b^2 - 4ac}}{2a}$$

特に x の係数が偶数のとき
$ax^2 + 2b'x + c = 0 \ (a \neq 0)$ の解は、

$$x = \frac{-b' \pm \sqrt{b'^2 - ac}}{a}$$

⊙ 2 次方程式の解の判別式

$ax^2 + bx + c = 0 \ (a \neq 0$、$a$、$b$、$c$ は実数$)$
に対し、

$D = b^2 - 4ac$ （解の公式 $\sqrt{\ }$ の中身）
を解の判別式とよぶ。

- $D > 0 \leftrightarrow$ 2 次方程式は異なる 2 つの実数解をもつ
- $D = 0 \leftrightarrow$ 2 次方程式は重解 $\left(x = \dfrac{-b}{2a} \right)$ をもつ
- $D < 0 \leftrightarrow$ 2 次方程式は実数解をもたない（異なる2つの虚数解をもつ）

特に、$ax^2 + 2b'x + c = 0 \ (a \neq 0$、$a$、$b'$、$c$ は実数$)$ のときの解の判別式は、

$$\frac{D}{4} = b'^2 - ac$$

と表す。性質は D と同じである。

⊙ 放物線と直線の位置関係

放物線 $C : y = ax^2 + bx + c$ と直線 $l :$ $y = mx + n$ の位置関係は連立させて、

$$ax^2 + bx + c = mx + n$$
$$ax^2 + (b - m)x + c - n = 0$$

この 2 次方程式の判別式 D に対し、

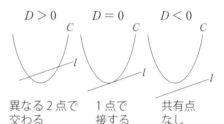

$D > 0$	$D = 0$	$D < 0$
異なる 2 点で交わる	1 点で接する	共有点なし

◎ 2 次方程式・2 次不等式の解

	$D > 0$	$D = 0$	$D < 0$
$y = f(x)$ のグラフ			
$ax^2 + bx + c = 0$ の解	$x = \alpha$、β	$x = \alpha$ （重解）	実数解なし（虚数解をもつ）
$ax^2 + bx + c > 0$ の解	$x < \alpha$、$\beta < x$	α 以外のすべての実数	すべての実数
$ax^2 + bx + c \geqq 0$ の解	$x \leqq \alpha$、$\beta \leqq x$	すべての実数	すべての実数
$ax^2 + bx + c < 0$ の解	$\alpha < x < \beta$	解なし	解なし
$ax^2 + bx + c \leqq 0$ の解	$\alpha \leqq x \leqq \beta$	$x = \alpha$	解なし

◆ 2 次方程式の解の配置

$f(x) = ax^2 + bx + c$（$a > 0$、a、b、c は実数）とし、 2 次方程式 $f(x) = 0$ の解の判別式を D とする。

① $ax^2 + bx + c = 0$ が k より大きい異なる 2 解をもつ

$$\Longleftrightarrow \begin{cases} D > 0 \\ 軸 > k \\ f(k) > 0 \end{cases}$$

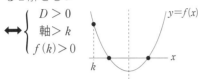

② $ax^2 + bx + c = 0$ が k より小さい異なる 2 解をもつ

$$\Longleftrightarrow \begin{cases} D > 0 \\ 軸 < k \\ f(k) > 0 \end{cases}$$

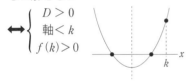

③ $ax^2 + bx + c = 0$ が k より大きい解と、小さい解をもつ

$$\Longleftrightarrow f(k) < 0$$

このとき $f(k) < 0$ は、$D > 0$ よりも強い条件となっているので $D > 0$ を調べる必要はない。

◆ 2 次不等式

$f(x) = ax^2 + bx + c$（$a > 0$、a、b、c は実数）とし、 2 次方程式 $f(x) = 0$ の解の判別式を D、2 つの実数解を α、β（$\alpha \leqq \beta$）とする。このとき、 2 次不等式の解は p.194 の表の通りである。

◆ 絶対不等式

2 次方程式 $ax^2 + bx + c = 0$（a、b、c は実数）の解の判別式を D とする。すべての実数 x に対し、 2 次不等式 $ax^2 + bx + c > 0$ が成り立つ。

$$\Longleftrightarrow \begin{cases} a > 0 \\ D < 0 \end{cases}$$

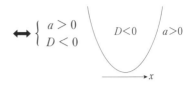

すべての実数 x に対し、
2 次不等式 $ax^2 + bx + c < 0$ が成り立つ。

$$\Longleftrightarrow \begin{cases} a < 0 \\ D < 0 \end{cases}$$

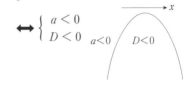

🔔 出題パターン

2 次関数 $y = 3x^2 - 6\sqrt{5}x + 5$ のグラフと座標軸上の原点で点対称となる 2 次関数のグラフを表すものとして、正しいのはどれか。

(1) $y = 3x^2 + 6\sqrt{5}x - 5$

(2) $y = 3x^2 - 6\sqrt{5}x + 25$

(3) $y = -3x^2 + 6\sqrt{5}x - 5$

(4) $y = -3x^2 - 6\sqrt{5}x - 5$

(5) $y = -3x^2 - 6\sqrt{5}x - 25$

答（4）

【解説】

$y = 3x^2 - 6\sqrt{5}x + 5$ のグラフと原点対称のグラフなので、x を $-x$、y を $-y$ でおきかえる。

$-y = 3(-x)^2 - 6\sqrt{5}(-x) + 5$

$= 3x^2 + 6\sqrt{5}x + 5$

よって、

$y = -3x^2 - 6\sqrt{5}x - 5$

レッスン **03** 三角比

図形問題を効率的に解くための単元である。三角比の定義・相互関係だけでなく、様々な公式は「数的推理」の図形問題を解く際にも有効である。

◆**三角比**

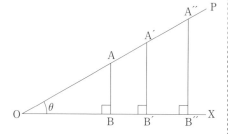

Oを始点とする2本の半直線 OX、OP のなす角 θ は鋭角であるとする。OP 上に点 A、A´、A´´、…をとり、これらの点から OX に下した垂線の足を B、B´、B´´、…とおく。△OAB ∽ △OA´B´ ∽ △OA´´B´´ ∽…となるので、対応する辺の比は、三角形の大きさと関係なく一定である。この比を三角比とよぶ。

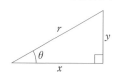

$$\sin\theta = \frac{y}{r}\left(\frac{高さ}{斜辺}\right) : 正弦$$

$$\cos\theta = \frac{x}{r}\left(\frac{底辺}{斜辺}\right) : 余弦$$

$$\tan\theta = \frac{y}{x}\left(\frac{高さ}{底辺}\right) : 正接$$

とよぶ。

◆**三角比の拡張**

原点中心半径 r の円に対し x 軸の正の向きから、半直線 OP（動径とよぶ）まで測った角を θ としたとき、Pの座標 $(x、y)$ に対し、

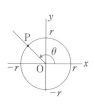

$$\sin\theta = \frac{y}{r}、\quad \cos\theta = \frac{x}{r}、\quad \tan\theta = \frac{y}{x}$$

◆**三角比の相互関係**

任意の角 θ に対し、

- $\sin^2\theta + \cos^2\theta = 1$
- $\sin^2\theta = 1 - \cos^2\theta$
- $\cos^2\theta = 1 - \sin^2\theta$
- $\tan\theta = \dfrac{\sin\theta}{\cos\theta}$
- $\tan^2\theta + 1 = \dfrac{1}{\cos^2\theta}$

◆**余角の三角比**

- $\sin(90° - \theta) = \cos\theta$
- $\cos(90° - \theta) = \sin\theta$
- $\tan(90° - \theta) = \dfrac{1}{\tan\theta}$

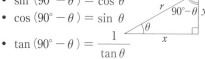

◆**補角の三角比**

- $\sin(180° - \theta) = \sin\theta$
- $\cos(180° - \theta) = -\cos\theta$
- $\tan(180° - \theta) = -\tan\theta$

◎主な角の三角比の値

θ	$0°$	$30°$	$45°$	$60°$	$90°$	$120°$	$135°$	$150°$	$180°$
$\sin\theta$	0	$\dfrac{1}{2}$	$\dfrac{1}{\sqrt{2}}$	$\dfrac{\sqrt{3}}{2}$	1	$\dfrac{\sqrt{3}}{2}$	$\dfrac{1}{\sqrt{2}}$	$\dfrac{1}{2}$	0
$\cos\theta$	1	$\dfrac{\sqrt{3}}{2}$	$\dfrac{1}{\sqrt{2}}$	$\dfrac{1}{2}$	0	$-\dfrac{1}{2}$	$-\dfrac{1}{\sqrt{2}}$	$-\dfrac{\sqrt{3}}{2}$	-1
$\tan\theta$	0	$\dfrac{1}{\sqrt{3}}$	1	$\sqrt{3}$	なし	$-\sqrt{3}$	-1	$-\dfrac{1}{\sqrt{3}}$	0

◆直線の傾き

直線 $y=ax+b$ と x 軸の正の向きとのなす角を θ とすると、傾き $a=\tan\theta$ となる。

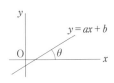

◆三角比と図形

△ABC において、
∠A の対辺 BC $=a$
∠B の対辺 CA $=b$
∠C の対辺 AB $=c$
と表す。

◆正弦定理

△ABC の外接円の半径を R とする。

三角形において、辺の長さと対角の $\sin$ 値は比例する。

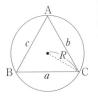

$$\frac{a}{\sin A}=\frac{b}{\sin B}=\frac{c}{\sin C}=2R$$

 ワン・ポイント 正弦定理の主な使い方

- 2辺と1辺が与えられて、辺を求めるとき
- 外接円の半径がでてきたとき

◆余弦定理（第2余弦定理）

$$a^2=b^2+c^2-2bc\cos A$$
↕
$$\cos A=\frac{b^2+c^2-a^2}{2bc}$$

三角形において、
2辺とはさむ角で対辺を表す。

 ワン・ポイント 余弦定理の主な使い方

- 2辺と1角が与えられて、辺を求めるとき
- 3辺（の比）が与えられて、角を求めるとき

◆三平方の定理の拡張

△ABC において、
- $a^2<b^2+c^2 \leftrightarrow \angle A<90°$
- $a^2=b^2+c^2 \leftrightarrow \angle A=90°$
- $a^2>b^2+c^2 \leftrightarrow \angle A>90°$

◆第1余弦定理

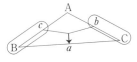

$$a=b\cos C+c\cos B$$

◆三角形の形状問題

与式に正弦定理 $\left(\sin A=\dfrac{a}{2R} \text{ 等}\right)$、余弦定理 $\left(\cos A=\dfrac{b^2+c^2-a^2}{2bc} \text{ 等}\right)$ を代入し、すべて辺に直し因数分解する。その結果、たとえば、
- $a=b \leftrightarrow$ BC $=$ CA の二等辺三角形
- $a^2+b^2=c^2 \leftrightarrow \angle C=90°$ の直角三角形

◆中線定理

三角形において、頂点から対辺の中点に下した線を中線とよぶ。

△ABC において、辺 BC の中点を M とすると、$AB^2+AC^2=2(AM^2+BM^2)$

03
三角比

◆角の二等分線の長さ

△ABCにおいて、∠
A の二等分線と辺 BC
の交点を D とすると、

$$AD^2 = AB \cdot AC - BD \cdot CD$$

◆三角形の面積

三角形の面積は、次のように求めることもできる。

(1) 2辺とはさむ角から求める

△ABC の面積 S に対し、

$$S = \frac{1}{2} bc \sin A$$

$$= \frac{1}{2} ac \sin B$$

$$= \frac{1}{2} ab \sin C$$

仮に 3 辺の長さが分かっていて、角度が分からない場合、余弦定理から角度を求める。

(2) 内接円の半径

内接円の半径は、面積と 3 辺の和から求める。

△ABC の面積を S、内接円の半径を r とすると、

$$S = \frac{1}{2} r(a + b + c)$$

(3) ヘロンの公式

3 辺の長さから直接面積を求めることができる。

$$s = \frac{a + b + c}{2}$$

とすると、△ABCの面積 S は、

$$S = \sqrt{s(s-a)(s-b)(s-c)}$$

図形と方程式

レッスン 04

座標を用いて図形問題を解くための単元である。点の公式、直線の公式、円の公式、そしてそれらの位置関係が主な出題範囲と考えられる。

◆点の公式

(1) 2点間の距離

A (x_1, y_1)、B (x_2, y_2) に対し、

$$AB = \sqrt{(x_2 - x_1)^2 + (y_2 - y_1)^2}$$

特に原点 O と A (x_1, y_1) に対し、

$$OA = \sqrt{x_1^2 + y_1^2}$$

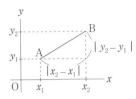

(2) 内分点・外分点

A (x_1, y_1)、B (x_2, y_2) に対し、

①線分 AB を $m : n$ に内分する点 P の座標は、

$$P\left(\frac{nx_1 + mx_2}{m + n}, \frac{ny_1 + my_2}{m + n}\right)$$

特に線分 AB の中点 M の座標は、

$$M\left(\frac{x_1 + x_2}{2}, \frac{y_1 + y_2}{2}\right)$$

②線分 AB を $m : n$ $(m \neq n)$ に外分する点 Q の座標は、

$m > n$ のとき　　　$m < n$ のとき

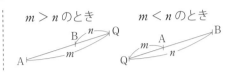

いずれの場合も

$$Q\left(\frac{-nx_1 + mx_2}{m - n}, \frac{-ny_1 + my_2}{m - n}\right)$$

また、内分点の公式において、m か n の一方にだけマイナスをつけると覚えてもよい。

◆三角形の重心

A (x_1, y_1)、B (x_2, y_2)、C (x_3, y_3) に対し、△ABC の重心 G の座標は、

$$G\left(\frac{x_1 + x_2 + x_3}{3}, \frac{y_1 + y_2 + y_3}{3}\right)$$

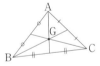

重要ポイント　三角形の面積

原点 O、A (x_1, y_1)、B (x_2, y_2) に対し、△ABC の面積 S は、

$$S = \frac{1}{2}\left|x_1 y_2 - x_2 y_1\right|$$

（x 座標と y 座標をバッテン状にかけて引く）

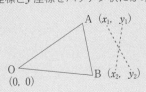

◆直線の公式

(1) 直線の方程式

A (x_1, y_1) を通り、傾き m の直線の方程式は、

$$y - y_1 = m(x - x_1)$$

特に、2 点 A (x_1, y_1)、B (x_2, y_2) を通る直線の方程式は、

- $x_1 \neq x_2$ のとき：傾き $m = \dfrac{y_2 - y_1}{x_2 - x_1}$ とする。

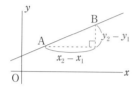

- $x_1 = x_2$ のとき：直線の方程式は $x = x_1$ となる。このとき、傾きは存在しない。

(2) 2 直線の位置関係

2 直線 $\begin{cases} y = mx + n \\ y = m'x + n' \end{cases}$ について、

- 平行である $\leftrightarrow$ $m = m'$
  さらに、$n = n'$ が成り立つときは一致という。
- 垂直である $\leftrightarrow$ $m \cdot m' = -1$

(3) 点と直線の距離

A (x_1, y_1) から直線 $ax + by + c = 0$ に下した垂線の足を H とすると、

$$\mathrm{AH} = \frac{|ax_1 + by_1 + c|}{\sqrt{a^2 + b^2}}$$

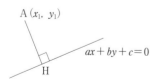

◆円の方程式

点 (a, b) を中心とする半径 r の円の方程式は、

$$(x - a)^2 + (y - b)^2 = r^2$$

特に原点 O を中心とする半径 r の円の方程式は、

$$x^2 + y^2 = r^2$$

また、$x^2 + y^2 + lx + my + n = 0$ が表す図形は、

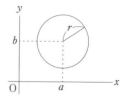

- $l^2 + m^2 - 4n > 0$

  $\leftrightarrow$ 中心 $\left(-\dfrac{l}{2}, -\dfrac{m}{2}\right)$

  半径 $\dfrac{\sqrt{l^2 + m^2 - 4n}}{2}$

  の円である。

- $l^2 + m^2 - 4n = 0$

  $\leftrightarrow$ 1 点 $\left(-\dfrac{l}{2}, -\dfrac{m}{2}\right)$

  （点円とよぶことがある）

- $l^2 + m^2 - 4n < 0$

  $\leftrightarrow$ 表す図形はない

  （虚円とよぶことがある）

◆円と直径の位置関係

半径 r の円の中心と直線との距離を d とする。

・交わる	・接する	・共有点なし
$d < r$	$d = r$	$d > r$

また、円の方程式と直線の方程式を連立させて、x か y の2次方程式を作り、その判別式 D に対し、

- 交わる $\Longleftrightarrow D > 0$
- 接する $\Longleftrightarrow D = 0$
- 共有点なし $\Longleftrightarrow D < 0$

◆円の接線

円 $(x - a)^2 + (y - b)^2 = r^2$ 上の点 $(x_1,\ y_1)$ における接線の方程式は

$(x_1 - a)(x - a) + (y_1 - b)(y - b) = r^2$

特に、円 $x^2 + y^2 = r^2$ 上の点 $(x_1,\ y_1)$ における接線の方程式は、

$$x_1 x + y_1 y = r^2$$

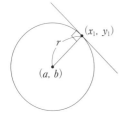

◆曲線束

2曲線 $f(x,\ y) = 0$、$g(x,\ y) = 0$ が共有点をもつとき、共有点を通る曲線は、

$kf(x,\ y) + g(x,\ y) = 0\ (k$ は実数$)$

と表せる。ただし、曲線とは直線も含むものとする。

◆円が切り取る線分の長さ

中心 O 半径 r の円と直線 l が2点 A、B で交わるとき、線分 AB の長さは

$$AB = 2AM = 2\sqrt{r^2 - OM^2}$$

OM は点と直線の距離で求める。

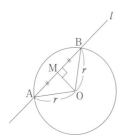

🎵 出題パターン

2つの点 A $(6, 3)$、B $(1, 4)$ と x 軸上を自由に動くことができる点 P がある。線分 AP と線分 BP の長さの和の最小値として、正しいのはどれか。

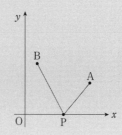

(1) $\sqrt{74}$

(2) $5\sqrt{3}$

(3) $2\sqrt{19}$

(4) $4\sqrt{5}$

(5) 9

答（1）

【解説】

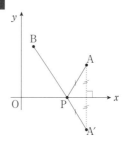

A を x 軸に関して対称移動した点を A′ とすると A′ $(6, -3)$ となる。このとき AP = A′P なので、3点 A′PB が一直線上にあるとき AP + BP = A′P + PB は最小となる。このとき最小値は A′B の長さなので、2点間の距離から

$A'B^2 = (1 - 6)^2 + \{4 - (-3)\}^2$
$\qquad\ = 25 + 49$
$\qquad\ = 74$

よって、
$A'B = \sqrt{74}$

重要度
★★★

レッスン
05

数列

数の規則性の問題を解くための単元である。等差数列・等比数列、階差数列、いろいろな数列の和が主な出題範囲と考えられる。

◆数列と項

数を1列に並べたものを数列とよび、その並べた数を数列の項とよぶ。項は最初から、初項（第1項）、第2項、第3項……とよび、n番目の項を第n項または一般項とよぶ。

また、項の個数が有限である数列を有限数列とよび、その個数を項数、最後の項を末項とよぶ。項の個数が無限である数列は無限数列とよぶ。

数列は $a_1, a_2, \cdots\cdots, a_n \cdots\cdots$ または $\{a_n\}$ と表す。

◆等差数列

各項に一定の数dを加えると次の項の値となるとき、この数列を等差数列とよび、dを公差とよぶ。等差数列 $\{a_n\}$ において、$a_{n+1} = a_n + d$ が成立する。

初項a、公差dの等差数列 $\{a_n\}$ について、

• 一般項は、 $a_n = a + (n-1)d$

• 初項から第n項までの和S_nは、

$$S_n = \frac{n}{2}(a + a_n)$$
$$= \frac{n}{2}\{2a + (n-1)d\}$$

◆等比数列

各項に一定の数rをかけると次の項の値となるとき、この数列を等比数列とよび、rを公比とよぶ。等比数列 $\{a_n\}$ において、$a_{n+1} = ra_n$ が成立する。

初項a、公比rの等比数列 $\{a_n\}$ について、

• 一般項は、 $a_n = ar^{n-1}$

• 初項から第n項までの和S_nは、

$$S_n = \begin{cases} \dfrac{a(1-r^n)}{1-r} = \dfrac{a(r^n-1)}{r-1} & (r \neq 1) \\ na & (r = 1) \end{cases}$$

◆総和記号Σ（シグマ）

$a_1 + a_2 + \cdots\cdots + a_n$ の数式を、

$\displaystyle\sum_{k=1}^{n} a_k$ と表す。これはΣの後ろの○の文字に整数を△から▽まで1つずつ代入し、すべて足せ、という意味の、和の省略記号である。このとき、

• $\displaystyle\sum_{k=1}^{n}(a_k \pm b_k) = \sum_{k=1}^{n}a_k \pm \sum_{k=1}^{n}b_k$（複号同順）

• $\displaystyle\sum_{k=1}^{n}ca_k = c\sum_{k=1}^{n}a_k$（$c$は$k$と無関係な定数）

◆自然数の累乗の和

• $1 + 2 \cdots + n = \displaystyle\sum_{k=1}^{n}k = \frac{1}{2}n(n+1)$

• $1^2 + 2^2 \cdots + n^2 = \displaystyle\sum_{k=1}^{n}k^2 = \frac{1}{6}n(n+1)(2n+1)$

• $1^3 + 2^3 \cdots + n^3 = \displaystyle\sum_{k=1}^{n}k^3 = \left\{\frac{1}{2}n(n+1)\right\}^2$

• $\underbrace{1 + 1 \cdots + 1}_{n個} = \displaystyle\sum_{k=1}^{n}1 = n$

◆階差数列

数列 $\{a_n\}$ に対し、$\underset{(後ろの項)}{a_{n+1}} - \underset{(前の項)}{a_n} = b_n$ で定義される数列 $\{b_n\}$ を、$\{a_n\}$ の階差数列とよぶ。これを用いて、もとの数列 $\{a_n\}$

の一般項は、

$$a_n = a_1 + \sum_{k=1}^{n-1} b_k \ (n \geqq 2)$$

◆数列の和と一般項

数列 $\{a_n\}$ の初項から第 n 項までの和を S_n とすると、

- $S_1 = a_1$
- $S_n - S_{n-1} = a_n \ (n \geqq 2)$

◆階差型の和

$$\sum_{k=1}^{n} \{f(k) - f(k+1)\}$$

$$= f(1) - f(n+1)$$

これを利用する例としては、

- 分数型：$\dfrac{1}{k(k+1)} = \dfrac{1}{k} - \dfrac{1}{k+1}$

- 無理数型：$\dfrac{1}{\sqrt{k}+\sqrt{k+1}} = \sqrt{k+1} - \sqrt{k}$

- 連続整数型：$k(k+1)(k+2)(k+3)$

$$= \frac{1}{5} \{ k(k+1)(k+2)(k+3)(k+4) $$
$$- (k-1)k(k+1)(k+2)(k+3) \}$$

◆群数列

第 n 群に含まれる項数が $f(n)$ 個であるとき、この数列の初項から数えた第 n 群の末項は、

$$\sum_{k=1}^{n} f(k) \ 番目となる。$$

出題パターン

次のような一定の規則に従った数列がある。この数列に属する 2 桁の数値で最大なのはどれか。

1　2　4　8　15　26　42……

(1) 89　(2) 90　(3) 91
(4) 92　(5) 93

答 (5)

【解説】

この数列には下記のような特性がある。この数列を $\{a_n\}$、$\{a_n\}$ の階差数列を $\{b_n\}$、$\{b_n\}$ の階差数列を $\{c_n\}$ とおく。

a_n : 1、 2、 4、 8、 15、 26、 42、……

b_n : 　1、 2、 4、 7、 11、 16、………

c_n : 　　1、 2、 3、 4、 5、………

選択肢は遠くない数字なので、このまま図を書き続けてもよいが、$\{c_n\}$ の一般項は $c_n = n$ より、$\{b_n\}$ の一般項は、

$n \geqq 2$ のとき

$$b_n = b_1 + \sum_{k=1}^{n-1} c_k = 1 + \sum_{k=1}^{n-1} k$$

$$= 1 + \frac{1}{2}(n-1)n$$

$$= \frac{1}{2}n^2 - \frac{1}{2}n + 1 \quad {\scriptsize (n=1 のときも \atop 成立する)}$$

よって、$\{a_n\}$ の一般項は、

$n \geqq 2$ のとき

$$a_n = a_1 + \sum_{k=1}^{n-1} b_k$$

$$= 1 + \sum_{k=1}^{n-1} \left(\frac{1}{2}k^2 - \frac{1}{2}k + 1 \right)$$

$$= 1 + \frac{1}{2} \cdot \frac{1}{6}(n-1)n(2n-1)$$

$$\quad - \frac{1}{2} \cdot \frac{1}{2}(n-1)n + (n-1)$$

$$= \frac{1}{6}n(n^2 - 3n + 8) \quad {\scriptsize (n=1 のときも \atop 成立する)}$$

$$a_8 = \frac{1}{6} \cdot 8(8^2 - 3 \cdot 8 + 8) = 64,$$

$$a_9 = \frac{1}{6} \cdot 9(9^2 - 3 \cdot 9 + 8)$$

$$= 93$$

重要度
★★★

運動と力

物体の運動では、加速度と種々の落下運動の計算問題、力では、いろいろな力のつり合いを理解することが重要である。それぞれにあった公式を見つけ、使いこなせるようにしよう。

◆**速度と加速度**

単位時間あたりの距離の変化量を速さ、速さに向きを含めた量を速度という。

◎**速さを求める式**

$$v \text{ (m/s)} = \frac{x_2 - x_1 \text{(m)}}{t_2 - t_1 \text{(s)}}$$

異なる2つの速度は、平行四辺形の対角線の方向の速度に合成でき、1つの速度は同様に平行四辺形の2辺に分解することができる。また、単位時間あたりの速度の変化量を加速度という。

◎**加速度を求める式**

$$a \text{ (m/s}^2) = \frac{v_2 - v_1 \text{(m/s)}}{t_2 - t_1 \text{(s)}}$$

◆**等加速度直線運動**

一定の加速度で直線上を進む運動を等加速度直線運動といい、その基本公式は以下のとおりである。

重要ポイント **等加速度直線運動の基本式**

変位 x (m)、初速度 v_0 (m/s)、速度 v (m/s)、加速度 a (m/s^2)、時間 t (s) とすると、

$$x = v_0 t + \frac{1}{2}at^2$$
$$v = v_0 + at$$
$$v^2 - v_0^2 = 2ax$$

静止している物体では $v_0 = 0$ とし、減速運動では加速度の値が負の値になる。

◆**落下運動**

物体が落下するときの運動は、鉛直下向きの等加速度直線運動になる。このときの加速度を重力加速度 g (m/s^2) という。重力加速度は物体の質量によらず一定の値となる。

$$g = 9.8 \text{ (m/s}^2)$$

◆**落下運動のパターン**

(1) 自由落下

物体が重力だけで鉛直下向きに落下する運動で、等加速度直線運動の基本式の初速度を0とし、加速度 a を重力加速度 g とする。

$$x = \frac{1}{2}gt^2 \qquad v = gt \qquad v^2 = 2gx$$

(2) 鉛直投げ下げ

初速度 v_0 で鉛直下方向に物体を投げ下げる運動。

$$x = v_0 t + \frac{1}{2}gt^2 \qquad v = v_0 + gt$$
$$v^2 - v_0^2 = 2gx$$

(3) 鉛直投げ上げ

初速度 v_0 で鉛直上方向に物体を投げ上げる運動。上向きを正の方向とし、加速度を、$-g$ とする。

$$x = v_0 t - \frac{1}{2}gt^2 \qquad v = v_0 - gt$$
$$v^2 - v_0^2 = -2gx$$

【**例題**】地面から鉛直上向きに初速度 19.6 (m/s) で物体を投げ上げた。最高地点までの時間と最高地点の高さを求めよ。

【**解説**】鉛直投げ上げの公式を利用する。初速度が 19.6 (m/s) であり、上向きを

+の方向にしているので重力加速度を -9.8（m/s^2）とし、最高地点では速度が 0 になることを利用して、$v = v_0 - gt$ に代入すると

$\quad 0 = 19.6 - 9.8t$

$\quad t = 2.0$（s）

また、最高地点の高さは、$v^2 - v_0^2 = -2gx$ より、

$\quad 0 - 19.6^2 = -2 \times 9.8x$

$\quad\quad x = 19.6$（m）

＋アルファ　速度の分解

1つの速度を平行四辺形の2辺に分解することができる。x 成分、y 成分は、図のように分解できる。

$v_x = v \cos \theta \quad v_y = v \sin \theta$

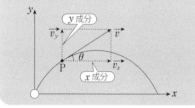

◆力

力とは物体を変形させたり、運動させたりする原因であり、大きさと向きを持つ。力の作用する点を作用点といい、作用点を通って力の向きに伸びる直線を作用線という。

質量 1kg の物体に 1m/s^2 の加速度を生じさせる力の大きさを 1N（ニュートン）と呼ぶ。

2つの力を合成するとき、合力の向きと大きさは、2つの力からできる平行四辺形の対角線の方向と長さに相当する。逆に、1つの力を平行四辺形の規則に従って2つに分解することもできる。

◆力の種類

重　力	物体が地球から受ける引力 質量 m（kg）の物体に働く重力の大きさ $\quad F$（N）$= mg \quad g$：重力加速度
バネの弾性力	伸びたバネが元に戻ろうとするときの力 バネの伸びが x（m）のとき、バネの弾性力は $\quad F$（N）$= kx \quad k$：ばね定数（N/m） これをフックの法則という
摩擦力	物体の動きを妨げる力。摩擦力は垂直抗力 N（N）に比例する 静止時に物体にかかる最大の摩擦力（最大静止摩擦力）は $\quad F$（N）$= \mu N \quad \mu$：静止摩擦係数 運動している物体に働く摩擦力（動摩擦力）は $\quad F$（N）$= \mu' N \quad \mu'$：動摩擦係数

すべての物質の間には、質量の積に比例し、距離の2乗に反比例する万有引力という互いに対する引力が働いている。

用語　**張力**：引かれた糸が、元に戻ろうとして生じる弾性力。張力は1本の糸のどこでも同じ大きさである。
浮力：物質が上向きに受ける力。物体が押しのける液体や気体の重さと等しい。
垂直抗力：物体が床を押すのと同じ力で反対向きに、床が押しかえす力。

◆力のつり合い

物体上に働く合力が 0 になるとき、力が釣り合う。このとき、静止している物質は静止し続け、運動している物質は等速で運動を行う。

◆力のモーメント

物体を回転させる働きの大きさを力のモーメントという。力の大きさを F（N）、回転軸から作用線までの距離を x（m）とすると、力のモーメント M（N·m）は

$\quad M = Fx$

モーメントの単位はN·mであり、モーメントは方向を持つベクトルである。モーメントの合計が 0 になるとき、物体は回転しない。

また、物体の各部に働く重力の合力の作用点を重心という。

自然科学：物理

運動と仕事・エネルギー

レッスン
02

運動の3法則、仕事の定義、種々のエネルギーについて学ぶ。また、力学的エネルギー保存の法則は出題頻度の高い分野であり、要注意である。

◆運動

物体に加わる力が変化すると、物体の速度も変化する。力と運動の関係に関する3つの法則をニュートンの運動の法則という。

また、昇っていたエレベーターが停止するとき、体が浮き上がるように感じる。このような、物体が持つ運動状態を保とうとする性質を慣性という。

重要ポイント 運動の3法則

①慣性の法則：物体に外部から力が働かないとき、または合力が0のとき、静止している物体は静止し続け、運動している物体は等速直線運動を続ける。
②運動の法則：物体に力が働くと力と同じ向きに加速度が生じ、その大きさは力の大きさに比例し、物体の質量に反比例する。
③作用・反作用の法則：2つの物体の間では、同一作用線上で互いに反対の向きに、同じ大きさの力を及ぼし合う。

ワン・ポイント 作用・反作用の力は別々の物体に働く力であるのに対し、力のつり合いは同じ物体に働く力である。

◆運動方程式

運動の法則より、質量 m（kg）の物体に F（N）の力が働くとき加速度 a（m/s^2）が生じると、次の関係が成立する。

$$F = ma$$

これを運動方程式という。

◆仕事

力の大きさ F（N）と、力の向きに移動した距離 s（m）の積を仕事 W という。仕事の単位は J（ジュール）である。

$$W = Fs$$

1N の力で、力の向きに 1m 移動したときの仕事が 1J である。仕事は移動する方向は関係しない。

滑車やてこなどの道具を使っても、仕事の総量は変わらない。これを仕事の原理という。

例 なめらかな斜面で物体を引き上げても、まっすぐ物体を引き上げても仕事の大きさは変わらない。斜面を引き上げる場合、力は小さくなるが、移動距離が長くなるのでその積は、まっすぐ引き上げるときと同じになる。

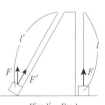

$$F' \times l' = F \times l$$

◆エネルギー

物体の持つ仕事をする能力をエネルギーという。エネルギーの単位は仕事の単位と同じ J（ジュール）である。

◆エネルギーの種類

（1）運動エネルギー

運動している物体が持つエネルギーで質量 m（kg）の物体が速度 v（m/s）で

運動しているときの運動エネルギーは、

$$運動エネルギー = \frac{1}{2}mv^2$$

（2）重力による位置エネルギー

基準点より高い位置にある物体の持つエネルギーで、質量 m（kg）の物体が、高さ h（m）にあるとき、

重力による位置エネルギー＝ mgh

（3）弾性力による位置エネルギー

バネ定数が k（N/m）のバネを x（m）伸ばしたときのバネの持つエネルギーは、

弾性力による位置エネルギー

$$= \frac{1}{2}kx^2$$

ワン・ポイント　仕事率

単位時間 (s) あたりにする仕事の量を仕事率という。仕事率の単位は W（ワット）である。t (s) 間に W (J) の仕事をする。そのときの仕事率 P (W) は

$$P = \frac{W}{t}$$

重要ポイント　力学的エネルギー保存の法則

物体に働く力が、重力や弾性力だけのとき、
位置エネルギー＋運動エネルギー＝一定

◆はねかえり係数（反発係数）

物体を床に落としたとき、衝突直前の速度 v_0 と直後の速度 v の比をはねかえり係数という。

$$はねかえり係数 e = -\frac{v}{v_0}$$

式に－を付けるのは、v_0 と v の向きが逆になり符号が異なるためである。

$e = 1$ のときを弾性衝突といい、$0 < e < 1$ のときを非弾性衝突という。

◆運動量と力積

物体の運動の状態を変える働きの大きさを運動量という。運動量の単位は kg・m/s で、質量と速度をかけた値となる。同じ質量の物質では、速度が速いほど衝突の衝撃は大きく、同じ速度では質量が大きいほど衝撃は大きい。

重要ポイント 運動量の変化を力積という。力積（Ft）は力×時間で求められ、単位はN・sである。

$$Ft = mv - mv_0$$

◆運動量保存の法則

2つの物体が一直線上で衝突するとき、
衝突前の2つの物体の運動量の和
＝衝突後の2つの物体の運動量の和
これを運動量保存の法則という。

 出題パターン

図のような摩擦のない斜面に、ともに10kgの物体 A と B が滑車でつるされ、手で押さえて静止させてある。手を離すと A は斜面を上昇した。このときの加速度を求めよ。

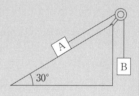

答 2.45（m/s²）

【解説】

斜面の物体 A には、斜め下方向に
$9.8 \times 10 \times \sin30° = 49$（N）
の力が働く。張力を T（N）、加速度を a（m/s²）として、物体 A についての運動方程式は、

$T - 49 = 10a$ … ①

物体 B についての運動方程式は、

$9.8 \times 10 - T = 10a$ … ②

①②より、

$a = 2.45$（m/s²）となる。

重要度
★★★

電気と磁気

ここではオームの法則、回路と電流、電圧、抵抗の関係、電流の作る磁場、誘導電流がポイントとなる。特に、オームの法則に関しては計算問題が頻出である。

◆静電気

帯電した物体（帯電体）では、電荷は物体の表面にとどまる。このときの電荷を静電気という。同符号の電荷どうしは互いに反発し、異符号の電荷どうしは互いに引き合う。電荷間に働く力を静電気力という。

◆静電誘導

絶縁した導体に帯電体を近づけると、近づけた電荷に近い側は逆の符号の電荷を帯び、遠い側は同じ符号の電荷を帯びる。これを静電誘導という。

◆電流

電荷やイオンが移動すると電流が生じる。正電荷の移動する向きを電流の向きと定める。電流の大きさは、導体の断面を1秒間に通過する電気量であり、1秒間に1C（クーロン）の電荷が移動するときを、1A（アンペア）とする。

◆オームの法則

電流の強さ I（A）は、電圧 V（V）に比例し、抵抗 R（Ω）に反比例する。

$$I = \frac{V}{R}$$

◆回路と抵抗、電流、電圧の大きさ

(1) 直列回路

全体の抵抗の大きさは、各抵抗の大きさの和になる。

$$R = R_1 + R_2$$

直列回路では、各抵抗に流れる電流の大きさが同じになり、各抵抗にかかる電圧の合計は、全体の電圧に等しくなる。

$$V = V_1 + V_2$$

(2) 並列回路

全体の抵抗の逆数は、各抵抗の逆数の和に等しい。

$$\frac{1}{R} = \frac{1}{R_1} + \frac{1}{R_2}$$

並列回路では、各抵抗にかかる電圧の大きさが同じになり、各抵抗を流れる電流の大きさの合計が、回路を流れる全体の電流の大きさに等しい。

$$I = I_1 + I_2$$

導線の抵抗の大きさは導線の長さに比例し、太さ（断面積）に反比例する。また、温度が高くなるほど、抵抗の大きさは大きくなる。

＋アルファ　キルヒホッフの法則

第一法則：回路中の1つの分岐点に流れ込む電流の和と、そこから流れ出る電流の和は等しい。
第二法則：任意の一回りの回路について、起電力の代数和は電圧降下の代数和に等しい。

◆電力

電流が1秒間にする仕事を電力といい、その単位は、仕事率の単位と同じW（ワット）である。電力 P（W）、電圧 V（V）、電流 I（A）、抵抗 R（Ω）とし、オームの法則を使うと

$$P = V \cdot I = I^2 \cdot R = \frac{V^2}{R}$$

また、熱量 Q（J）、時間 t（s）とすると

$$P = \frac{Q}{t}$$

が成り立つ。さらに、電流のする仕事の合計を電力量といい、単位は仕事と同じ J（ジュール）である。電力量は電力に時間をかけると求められる。

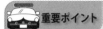

重要ポイント

オームの法則：$I = \dfrac{V}{R}$

電力：$P = V \cdot I = I^2 \cdot R = \dfrac{V^2}{R}$

◆電流と磁場

磁石には N 極と S 極と呼ばれる磁極があり、異種極どうしの間に働く力を磁力という。また N 極から S 極に向かって磁力線が出ている。磁力の働く空間を磁場（磁界）という。電流が流れると磁場が生じる。

(1) 直線電流の作る磁場

直線電流では、導線を中心とする同心円上の磁場を作り、

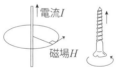

磁力線の向きは電流の流れる方向に対して、右ねじの進む方向である。

(2) コイルの作る磁場

図のように生じる磁場に、右ねじの法則が当てはま

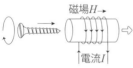

る。コイルに鉄の棒などを入れると、電磁石ができる。

ワン・ポイント 電流の向きを右ねじの進む向きに流すと、磁場の向きは右ねじの回転方向になる。これを右ねじの法則という。

◆電磁力

磁石の磁場がある中に、電流による磁場を作り出すと互いが影響を及ぼし合い電磁力を生じる。電流が磁場から受ける力 F（N）の向きと、磁場 H（A/m）の向き、電流 I（A）の向きは、下図のように左手の 3 本の指を直交させた関係になる。これをフレミングの左手の法則という。

電荷を持つ粒子が、磁場を移動するときに受ける力をローレンツ力という。

◆電磁誘導

コイルに磁石を近づけたり遠ざけたりすると、コイルに電流が流れる現象を電磁誘導といい、流れる電流を誘導電流という。誘導電流は、コイルを通り抜ける磁力線の本数の変化を妨げる方向に発生する。これをレンツの法則という。

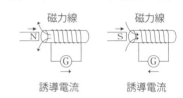

出題パターン

図1のような電圧－電流特性を持つ電球 L、10 Ω の抵抗 R、内部抵抗が無視できる起電力 12V の電池 E を、図2のように接続したとき、電球 L を流れる電流は何 A か。

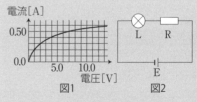

(1) 0.10A　(2) 0.20A　(3) 0.30A
(4) 0.40A　(5) 0.50A

答　(5)

自然科学：物理

重要度
★★☆

レッスン
04 **熱とエネルギー**

熱の３通りの伝わり方、熱量、ジュール熱、消費電力などの計算、およびエネルギー保存に関して理解する。熱力学第一法則についてもしっかり確認する。

◆**熱と温度**

　原子や分子などの粒子の不規則で乱雑な動きを熱運動といい、温度は粒子の熱運動の激しさを表している。セルシウス温度（セ氏温度）は、水の融点を0℃、沸点を100℃とし、その間を100等分した温度目盛りであり、絶対温度（ケルビン温度）は、－273℃を0K（ケルビン）とした温度目盛りである。セ氏温度 t（℃）と絶対温度 T（K）の関係は次のとおり。

　　T（K）$= 273 + t$

　熱の単位はエネルギーの単位と同じ J（ジュール）である。

◆**熱の伝わり方**

伝導	接触している物質間で、直接熱が伝わる現象。 （例）熱したヤカンの取っ手が熱くなる
対流	気体や液体などの流れによって熱が運ばれる現象。 （例）風呂の上層のお湯が熱くなる
放射	光（熱線）の形で熱が伝わる現象。輻射ともいう。 （例）太陽の熱が地球に届く

 アドバイス　熱は温度の高い方から低い方へ移動する。

◆**熱の仕事当量**

　仕事 W（J）と熱量 Q（cal）は比例関係にあり、比例定数 J を熱の仕事当量という。

　　W（J）$= JQ$
　　$J = 4.19$（J/cal）

　また、水1gの温度を1K上げるのに必要な熱量を1cal（カロリー）ともいう。1calの熱量は4.19Jの仕事に相当する。

　1gの物質の温度を1K上げるのに必要な熱量を比熱という。熱量 Q（J）と比熱 c（J/g·K）、質量 m（g）、温度差 t（K）の関係は、

　　Q（J）$= mct$

である。また、物体の温度を1℃上げるのに要する熱量を熱容量という。熱容量 C（J/K）と比熱の関係は、

　　C（J/K）$= mc$

◆**熱量保存の法則**

　物体の熱量の総和は変化せず一定である。これを熱量保存の法則という。これより、

　　高温の物体が失った熱量
　　　＝低温の物体が得た熱量

の関係が成り立つ。

◆**電気と熱量**

　電流が流れるときに生じる熱をジュール熱という。電圧 V（V）、電流 I（A）、時間 t（s）で、ジュール熱は、

　　Q（J）$= VIt$

で求められる。この関係をジュールの法則という。

◆**電力**

　電流が1秒間にする仕事を電力という。電力 P（W）と熱量の関係は、電圧を V、電流を I として、$P = VI$ より、

　　P（W）$= \dfrac{Q}{t}$

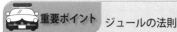

重要ポイント　ジュールの法則

Q（J）$= VIt$

電力　P（W）$= \dfrac{Q}{t}$

◆気体

　温度一定のもとでは、一定量の気体の圧力と体積は反比例する。これをボイルの法則という。また、圧力一定のもとでは、一定量の気体の体積は絶対温度に比例する。この関係をシャルルの法則と呼ぶ。これらを一つの式にまとめたものがボイル・シャルルの法則である。

$$\dfrac{pV}{T} = K\ （一定値）$$

p：圧力、V：体積、T：絶対温度

◆圧力の単位

　単位面積に加わる力の大きさを圧力という。圧力の単位は N/m^2 であり、1N/m^2 が 1Pa（パスカル）である。さらに 100Pa $=$ 1 hPa（ヘクトパスカル）である。

　1 気圧の大気圧は 1013hPa（1.013 × 10^{5}Pa）であり、水銀柱を使った圧力単位では、760mmHg に相当する。

ワン・ポイント　理想気体の状態方程式

気体の圧力 p（Pa）、体積 V（L）、絶対温度 T（K）、物質量 n（mol）の関係を表す式である。

$$pV = nRT$$

　R：気体定数 8.31（J/mol・K）

理想気体とは、状態方程式を完全に満たす仮想の気体のこと。実際の気体は実在気体と呼び、状態方程式に完全には従わない。

◆エネルギーの保存

　物質内部で分子や原子が持つエネルギーを内部エネルギーという。加熱すると粒子の熱運動が活発になり、内部エネルギーは増加する。

◆熱力学第一法則

　気体に外部から熱を加えたり、仕事をしたりすると、気体の内部エネルギーがその分だけ増加する。加えた熱を Q、加えた仕事を W とし、内部エネルギーの増加量を ΔU とすると、

$$\Delta U = Q + W$$

が成り立つ。これを熱力学第一法則という。

＋アルファ　熱力学第二法則は熱が高温物体から低温物体へ移動することを示す。
「熱はひとりでに低温物質から、高温物質に移ることはない」（クラウジウスの原理）
「外部に変化を及ぼさずに、熱をすべて仕事に変えることはできない」（トムソンの原理）

◆エネルギー保存の法則

　エネルギーには、多くの形があり、これらは互いに変換可能である。変換前後のエネルギーの総和は変化しないことをエネルギー保存の法則という。

　このうち、力学的エネルギーだけに注目したものが力学的エネルギー保存の法則であり、熱量だけに注目したものが、熱量保存の法則である。

ワン・ポイント　エネルギーの種類

力学的エネルギー／熱エネルギー／電気エネルギー／化学エネルギー／光・音・電波エネルギー／核エネルギー

出題パターン

　5.0 Ω の電熱線を 100g の水が入ったカップに入れ、10V の直流電源につないで電流を 7 分間流す。水の比熱を 4.2（J/g・K）とし、電気エネルギーがすべて水温上昇に使われるとした場合、上昇する温度は何 K か。

答　20（K）

重要度
★★☆

レッスン
05

音と光

ここでは、音や光の波の種類と性質、種々の現象について理解することと、ドップラー効果の簡単な計算問題に習熟することが大切である。凸レンズによる像についても知っておきたい。

◆波

波が伝わる現象を波動、波の発生源を波源、波を伝える物質を媒質という。波の山から山まで（谷から谷まで）の距離を波長といい、波の山の高さを振幅という。

さらに、1秒間に定点を通過する波の山（もしくは谷）の数を周波数（振動数）といい、波が1往復するのに要する時間を周期という。

波長を λ（m）、周波数を f（Hz）、周期を T（s）、波の速さを v（m/s）とすると、波の関係式は次のようになる。

$$T = \frac{1}{f} \qquad v = f\lambda$$

◆波の種類

波には、媒質の振動方向と波の進行方向が垂直な横波と、媒質の振動方向と波の進行方向が一致する縦波がある。音波は縦波、光は横波である。

> **用 語** **地震波**：地震では主に2種類の波が生じる。観測点に最初に到達する波をP波（primary wave）といい、続く波をS波（secondary wave）という。P波は縦波で、S波は横波である。揺れが激しいのは横波のS波である。

◆波の性質

2つの波の山と山が重なると、振幅は大きくなり、同じ大きさの山と谷が重なると振動しない。波が強めあったり弱めあったりする現象を干渉という。波が物

体の裏側に回り込む現象を回折、波が壁に当たってはね返る現象が反射である。

下図に示す角度が入射角と反射角で、2つの角には、入射角＝反射角の関係がある。これを反射の法則という。さらに、波が異なる媒質の境界を通るとき進行方向が変化する現象を屈折といい、屈折波のなす角を屈折角という。入射角と屈折角の正弦の比を屈折率という。

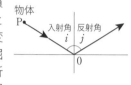

$$屈折率 = \frac{\sin i}{\sin r}$$

（媒質 I に対する媒質 II の屈折率）

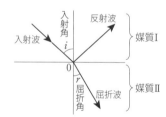

◆音波

振動数が小さいと低い音、大きいと高い音になる。音の大きさは、振幅の大小による。

◆音の速さ

音波は媒質がなければ伝わらないため、真空中では伝わらない。一般に音の伝わる速さは、固体中＞液体中＞気体中の順である。音の速さは気温によって変

化する。気温が1℃上昇するごとに、0.6（m/s）だけ音速は速くなる。気温が t℃の時の音速 v（m/s）の式は次のように表される。

$$v = 331.5 + 0.6t$$

◆ドップラー効果

救急車が近づいてくるときの音は高く、遠ざかってゆくときの音は急に低くなる。この現象をドップラー効果という。音源や観測者が移動するとき、振動数が変化することがその原因である。

（1）音源が移動するとき

音源が移動し、観測者の移動がないとき、音源の振動数を f_0（Hz）とし、音速を V（m/s）、音源の移動速度を v（m/s）とすると、音源が近づくとき観測者に届く音の振動数 f は、

$$f = \frac{V}{V - v} f_0$$

となり、振動数が大きくなる（$f > f_0$）ので音が高く聞こえる。

音源が遠ざかるときは、$v < 0$ であり振動数が小さくなり（$f < f_0$）音は低くなる。

（2）観測者が移動するとき

音源は静止し観測者が遠ざかるとき、観測者に届く音の振動数は、観測者の速度を u（m/s）として、

$$f = \frac{V - u}{V} f_0$$

振動数が小さくなり、音は低く聞こえる。

観測者が近づくとき、$u < 0$ であり振動数が大きくなり、音は高くなる。

これらを音源から観測者に向かう方向を正の方向としてまとめると、次の式となる。

$$f = \frac{V - u}{V - v} f_0$$

◆光

光の速さは真空中で 3.00×10^8（m/s）である。光も波であるので、反射や屈折が生じる。

◆レンズ

レンズに垂直な線を光軸、光軸と平行な光が凸レンズで光軸上の1点に光が集まる点を焦点、レンズの中心から焦点までの距離を焦点距離という。

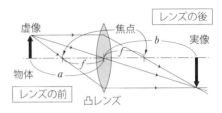

凸レンズで、焦点距離より遠くに像を置くとスクリーンにできる像を実像という。このとき像は上下左右が逆になる。像を焦点に置くと、像はできない。像をレンズから焦点距離より内側に置くと実像はできないが、反対側からレンズをのぞくと、像の後ろの位置に虚像ができる。虫眼鏡で物を見るときの現象である。

◆レンズの公式

凸レンズの中心から物体までの距離を a、実像までの距離を b、レンズの焦点距離を f とすると、次の関係式が成り立つ。これをレンズの公式という。

$$\frac{1}{a} + \frac{1}{b} = \frac{1}{f}$$

物体に対する像の倍率は $\dfrac{b}{a}$ になる。

> **🎺 出題パターン**
>
> 速さ 50m/s の列車が振動数 840Hz の警笛を鳴らしながら駅を通過する。列車が駅を通過する前と通過した後に、駅のホームに立っている人に聞こえる音の振動数はそれぞれいくらか。空気中の音の速さは 350m/s とする。
>
> **答**　980Hz, 735Hz

05
音と光

レッスン 01 物質の構成・物質量

化学の基本分野である、原子の構造・電子配置・物質量について学ぶ。物質量の計算は化学の基礎であり、習熟が必要である。

◆混合物の分離

物質を構成する成分を元素といい、1種類の元素だけでできた物質を単体、2種類以上の元素からできる物質を化合物、これらを純物質という。2種類以上の純物質が混ざり合ったものを混合物という。

◎混合物の分離方法

ろ過	ろ紙によって固体と液体を分ける方法
蒸留	沸点の違いを利用して分離する方法
再結晶	溶解度の違いを利用して、分離する方法
昇華	固体の混合物を加熱して、昇華性のある物質だけを気体にして分離し、その後冷却して再び固体に戻す方法
抽出	溶媒への溶解度の違いを利用して分離する方法

ワン・ポイント 結合の仕方が異なるため性質の違う、同じ元素からなる単体どうしを同素体という。

例

炭素の同素体…ダイヤモンド、黒鉛、フラーレン
酸素の同素体…酸素、オゾン
硫黄の同素体…斜方硫黄、単斜硫黄、ゴム状硫黄
リンの同素体…黄リン、赤リン

◆族と周期

周期表の縦の列を族、横の列を周期という。1、2、11〜18族の元素を典型元素、3〜12族を遷移元素という。典型元素では同族の元素に類似した化学的性質（周期律）が見られる。水素を除く1族の元素をアルカリ金属、2族の元素をアルカリ土類金属、17族をハロゲン、18族を貴ガスという。

> **用語** **周期表**：元素を原子番号の順に並べると、周期的に性質のよく似た元素が現れる。これを元素の周期律といい、その表を周期表という。

◆原子の構造

原子は中心の原子核と、その周りを飛び回る電子からできている。原子核は正の電荷を持つ陽子と電荷を持たない中性子からできる。陽子の数を原子番号、陽子数と中性子数の和を質量数という。陽子と中性子の質量はほぼ等しい。電子は負の電荷を持つ粒子で、質量は陽子の1840分の1程度である。原子番号が同じで、質量数が異なる原子どうしを同位体という。化学的な性質はほぼ同じである。

> **＋アルファ** 原子がα線を放射して他の原子に変わることをα崩壊（壊変）という。このとき、陽子数は2、質量数は4減少する。また、β線を放出して変化することをβ崩壊という。このとき陽子数は1増加し、質量数は変化しない。

◆電子殻

原子は原子核を中心に、電子がその周

りの電子殻を飛び回っている。電子殻は内側から K 殻、L 殻、M 殻…と呼ぶ。

電子は基本的には内側の電子殻から詰まってゆく。電子の場所と数を示すのが電子配置である。

＋アルファ　それぞれの電子殻に入る電子の数には限界があり、これを電子の最大収容数という。K 殻を $n = 1$、L 殻を $n = 2$ とすると、n 番目の電子殻に入る電子の最大数は $2n^2$ で示される。

◆価電子

最外殻にある電子のことを価電子という。価電子は結合に関与する。貴ガスは化学結合をせず、価電子数は 0 とする。

◆イオンの電子配置

電荷を持った粒子をイオンという。貴ガスは安定した原子で、他の原子も貴ガスと同じ電子配置のイオンとなり安定する。Na は価電子を 1 個放出すると貴ガスの Ne と同じ電子配置になる。全体の電荷は＋1 となるので、Na^+ になる。Cl は、電子を 1 個受け取ると貴ガスの Ar と同じ電子配置になり電荷は－1 になるので、Cl^- になる。

◆化学結合

原子は他の原子と結びついて、より安定な状態になる。結合の仕方には、イオン結合、共有結合、金属結合などがある。また、分子からなる物質では分子間力や水素結合といった結合力が働く。

◎化学結合とその特徴

イオン結合	陽イオンと陰イオンが静電気力（クーロン力）で結合する
共有結合	非金属元素どうしが不対電子を出し合い、共有電子対を作って結びつく結合
金属結合	金属原子が自由電子を放出し、自由電子によって生じる結合

用語　**イオン化エネルギー**：気体状態の原子が電子を 1 個放出して、1 価の陽イオンになるのに必要なエネルギー。値が小さいほど陽イオンになりやすい。
電子親和力：気体状態の原子が電子を 1 個受け取って、1 価の陰イオンになるとき放出するエネルギー。値が大きいほど陰イオンになりやすい。

◆結晶の種類と性質

物質が固体状態で、規則正しい配列になっているものを結晶という。

種類	構成粒子	性質
イオン結晶	陽イオン 陰イオン	水溶液や融解液で導電性を生じる
共有結合の結晶	原子	非常に硬く、融点は極めて高い
金属結晶	金属原子 自由電子	延性、展性があり、導電性がある
分子結晶	分子	軟らかく、融点は低い

◆原子量・物質量

^{12}C（質量数 12）を基準とした各原子の質量の比を原子の相対質量といい、各原子の相対質量に同位体の存在比をかけて合計した相対質量の平均値を原子量という。

重要ポイント　^{12}C の炭素 12g に含まれる原子の数は 6.02×10^{23} であり、これをアボガドロ数という。アボガドロ数の同じ粒子の集まりを 1 モル（mol）といい、1 モルを単位として表した粒子の量を物質量という。モル質量は物質 1mol の質量を指し、単位は g/mol である。

＋アルファ　モル質量は、原子量、分子量、式量と同じ値になる。また、1mol の気体の体積は、標準状態（0℃、1 気圧）では、気体の種類に関係なく22.4L である。

自然科学：化学

レッスン02 化学反応式・熱化学方程式・溶液の性質

化学反応式・熱化学方程式・溶液の濃度については計算が大切である。また、希薄溶液の性質についても学ぶ。

◆化学反応式

化学反応は、物質を構成する原子の組み合わせの変化である。化学反応式の左辺の物質を反応物、右辺の物質を生成物という。化学反応式は、どのような反応がどれだけ生じているかを示す式である。

◆化学反応式の量的関係

化学反応式の係数は、反応物、生成物の物質量の比に相当する。気体の反応では、反応前後で同温、同圧であれば、体積の比に等しい。

◆濃度

- **質量パーセント濃度**…溶質の質量を溶液の質量で割り、％で表したもの。

$$質量\%濃度 = \frac{溶質の質量}{溶液の質量} \times 100$$

- **モル濃度**…溶液1L中に含まれる、溶質の物質量を表す。

$$モル濃度 = \frac{溶質の物質量(mol)}{溶液の体積(L)}$$

用語 **溶質**：溶かされる物質。
溶媒：溶質を溶かす液体。
溶液：溶質と溶媒の合計。

◆熱化学方程式

化学反応に伴う熱を反応熱といい、反応熱を含む反応式を熱化学方程式という。
(例) $H_2(気) + \frac{1}{2}O_2(気) \rightarrow H_2O(液)$
　　　$\Delta H = -286kJ$

熱化学方程式では、関係する物質の状態を（気）、（液）、（固）などで記し、反応熱はkJ単位で示す。分数係数も可能

である。反応に伴って熱が放出される反応を発熱反応、熱が吸収される反応を吸熱反応という。

◆反応熱の種類

燃焼熱	物質1molが完全燃焼するときに生じる熱量
生成熱	物質1molをその成分元素の単体から生成するときの熱量
溶解熱	物質1molが水に溶けるときの熱量
中和熱	中和反応で1molの水が生じるときの熱量
結合エネルギー	共有結合1molを断ち切って、原子にするのに必要なエネルギー

◆ヘスの法則

化学反応において反応熱の総和は、始めと終わりの状態だけで決まり、途中の状態は関係しない。これをヘスの法則という。

◎ヘスの法則

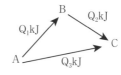

$Q_3 = Q_1 + Q_2$
AからBを経てCを合成しても、Aから直接Cを合成しても、反応熱の合計は等しい。

 **重要ポイント** 化学の基礎法則

質量保存の法則（ラボアジエ）	反応前後で物質の質量合計は変化しない

216

定比例の法則 （プルースト）	同じ物質では、成分元素の質量比は常に一定である
倍数比例の法則 （ドルトン）	複数の元素からできる化合物で、一方の元素の質量を同じにして、他の元素の質量を化合物同士で比較すると、簡単な整数比になる
気体反応の法則 （ゲーリュサック）	気体反応では、関係する気体の体積比は簡単な整数比になる
アボガドロの法則 （アボガドロ）	同温同圧で、同体積の気体は種類によらず、同数個の分子を含む

◆状態変化

　物質は粒子の配列の仕方の違いで、固体、液体、気体の三態をとる。これらの間の変化を状態変化という。

融解	固体から液体への変化。その温度を融点、この時必要な熱量を融解熱という
凝固	液体から固体への変化
蒸発	液体から気体への変化。液体の内部から蒸発が起こるようになる現象を沸騰といい、そのときの温度を沸点という。1molの液体を気体にするのに必要な熱エネルギーを蒸発熱という
凝縮	気体から液体への変化
昇華	固体から直接気体になる変化
凝華	気体から直接固体になる変化

＋アルファ　蒸発は液体表面から気化が起こる現象であり、それぞれの温度で生じる。沸騰は液体の内部から気化が生じる現象で、大気圧と飽和蒸気圧が釣り合うときに生じる。

◆溶液の性質

（1）固体の溶解度

　溶媒100gに溶けうる溶質の最大質量を溶解度という。固体の溶解度は、一般的に温度が高いほど大きい。

（2）蒸気圧降下

　溶媒の蒸気圧に比べて、溶液の蒸気圧は低くなる現象。溶液では溶媒だけのときに比べて、溶媒分子の割合が少なくなるためである。

（3）凝固点降下

　溶液の凝固点は溶媒の凝固点より低くなる。海水が0℃で凍らないのはこの現象による。

（4）浸透圧

　濃度の違う溶液を半透膜で隔てると、濃度の低い溶液から濃度の高い側へ水が移動し液面差が生じる。これを浸透という。この液面差を生じさせないためにかける圧力を浸透圧という。浸透圧は溶液の濃度と絶対温度の積に比例する。

◆コロイド溶液

　直径が$10^{-7}\sim10^{-5}$cm程度の大きさの粒子をコロイド粒子という。コロイド粒子は、表面に帯電している。半透膜を用いてコロイド粒子と他の分子やイオンを分離する操作を透析という。

◎コロイド粒子の性質

チンダル現象	コロイド粒子に光を当てると、光の通路が輝いて見える現象
ブラウン運動	コロイド溶液を限外顕微鏡で観察すると、コロイド粒子に溶媒分子が衝突するため光る点が不規則に動いて見える現象
電気泳動	コロイド溶液を直流電源につなぐと、帯電したコロイド粒子が反対の電荷の電極へ移動する現象
凝析	水和水の少ない疎水コロイドの溶液に少量の電解質を加えると、コロイド粒子が沈殿する現象。電解質のイオンがコロイド粒子の帯電を中和し、粒子間の反発力がなくなり凝集する
塩析	水和水を多く持つ親水コロイド溶液に多量の電解質を加えると、コロイド粒子が沈殿する現象

重要度 ★★★

物質の反応

レッスン 03

酸と塩基、酸化と還元、反応速度について学ぶ。化学反応の重要な部分である。中和滴定や酸化還元滴定では、計算問題が出題されている。

◆**酸と塩基**

(1) 定義

　酸と塩基についてのアレニウスの定義は、水に溶ける物質の場合のみである。

　ブレンステッドは水に溶ける物質以外でも使えるように定義した。また、水に溶ける塩基をアルカリと呼ぶ。

◎**アレニウスの定義**

酸	水に溶けて水素イオン（H^+）を放出する物質
塩基	水に溶けて水酸化物イオン（OH^-）を放出する物質

◎**ブレンステッドの定義**

酸	水素イオン（H^+）を出す物質
塩基	水素イオン（H^+）を受け取る物質

(2) 価数

　酸 1mol が放出する水素イオンの物質量と、塩基 1mol が放出する水酸化物イオンの物質量を価数という。

(3) 電離度

　酸や塩基のうち、電離したものの割合を電離度という。電離度 0 は全く電離していない状態、1 は完全に電離した状態を指す。

 ワン・ポイント　濃度 C（mol/L）の弱酸の電離度が α の場合、水溶液中の水素イオン濃度 $[H^+]$ は、$[H^+] = C\alpha$ となる。

(4) 酸と塩基の強弱

　電離度の大きい酸や塩基を強酸または強塩基、電離度の小さい酸や塩基を弱酸または弱塩基という。

◎**酸・塩基の例**

弱酸	CH_3COOH(酢酸) H_2CO_3（炭酸） H_2S（硫化水素）	弱塩基	NH_3 $Cu(OH)_2$ $Al(OH)_3$
強酸	HCl（塩酸） HNO_3（硝酸） H_2SO_4（硫酸）	強塩基	$NaOH$, KOH $Ca(OH)_2$ $Ba(OH)_2$

◆**酸化物**

(1) 酸性酸化物

　水に溶けて酸性を示したり、塩基と反応する酸化物。主に非金属元素の酸化物である。

例 二酸化炭素（CO_2）、二酸化硫黄（SO_2）、二酸化窒素（NO_2）など

(2) 塩基性酸化物

　水に溶けて塩基性を示したり、酸と反応する酸化物。おもに金属元素の酸化物である。

例 酸化カルシウム（CaO）、酸化ナトリウム（Na_2O）など

(3) 両性酸化物

　両性金属（Al、Zn、Sn、Pb）の酸化物。酸とも強塩基とも反応する酸化物である。

◆**水のイオン積**

　温度が一定のとき、水溶液中の水素イオン濃度 $[H^+]$ と水酸化物イオン濃度

[OH⁻] の積は一定である。

$$[H^+][OH^-] = 1.0 \times 10^{-14}\,(mol/L)^2$$
$$(25℃)$$

この式を利用すると、[OH⁻]から[H⁺]を求めることができる。

◆**水素イオン濃度**

水溶液中の水素イオンのモル濃度を、水素イオン濃度といい、[H⁺]で表す。

(1) pH（水素イオン指数）

水溶液中の水素イオン濃度の逆数の常用対数を取ったものを水素イオン指数という。

$$pH = \log_{10} \frac{1}{[H^+]} = -\log_{10}[H^+]$$

(2) 水の電離

水はわずかに電離し、H⁺とOH⁻のモル濃度は等しい。25℃の水溶液中では$[H^+] = [OH^-] = 1.0 \times 10^{-7}\,(mol/L)$であり、水のpHは7となる。水は中性なので、pHの値が7より小さければ酸性、7より大きければ塩基性（アルカリ性）である。

◆**中和反応**

酸と塩基の反応を中和という。中和反応では、水が生じることが多い。中和反応で生じる酸の陰イオンと塩基の陽イオンからできる物質を塩という。

◆**中和の量的関係**

酸と塩基がちょうど反応するとき、酸から生じる水素イオンの物質量と塩基から生じる水酸化物イオンの物質量が等しくなる。

- 酸の価数×酸のモル濃度×体積
  ＝塩基の価数×塩基のモル濃度×体積

◎**中和反応の計算**

【例題】0.10mol/Lの硫酸10.0mLと過不足なく中和するアンモニアの体積は標準状態で何mLか。
【解説】硫酸は2価の酸なので、アンモ

ニアの体積を x（mL）として、

$$2 \times 0.10 \times \frac{10.0}{1000} = 1 \times \frac{x}{22400}$$
$$x = 44.8\,(mL)$$

＋アルファ 塩の水溶液の液性は、塩の種類によって異なる。
強酸と強塩基の中和で生じる塩：中性
強酸と弱塩基の中和で生じる塩：酸性
弱酸と強塩基の中和で生じる塩：塩基性

◆**酸化・還元**

酸化と還元は、酸素・水素の受け渡し、電子の受け渡しなどで定義される。

◎**酸化・還元**

酸化		還元
化合する	酸素原子	失う
失う	水素原子	化合する
放出する	電子	受け取る
増加する	酸化数	減少する

用語 **酸化数：**原子の酸化の度合いを示す値。酸化数が増加するとその原子（あるいは原子を含む物質）が酸化されたといい、減少すると還元されたという。

◆**酸化数のルール**

①単体中の原子の酸化数は0
②化合物中の酸化数の合計は0
③化合物中でNa、Kは酸化数＋1、Ca、Baは＋2、Hは＋1、Oは－2とする。ただし、過酸化水素 H_2O_2 中のOの酸化数は－1とする
④単原子イオンの酸化数はイオンの価数に等しい
⑤多原子イオンは、イオン中の原子の酸化数合計がイオンの価数に等しくなる

◆酸化剤と還元剤の半反応式

◎酸化剤

KMnO₄（酸性）	$MnO_4^- + 8H^+ + 5e^-$ ➡ $Mn^{2+} + 4H_2O$
H₂O₂（酸性）	$H_2O_2 + 2H^+ + 2e^-$ ➡ $2H_2O$
K₂Cr₂O₇（酸性）	$Cr_2O_7^{2-} + 14H^+ + 6e^-$ ➡ $2Cr^{3+} + 7H_2O$

◎還元剤

H₂S	H_2S ➡ $S + 2H^+ + 2e^-$
SO₂	$SO_2 + 2H_2O$ ➡ $SO_4^{2-} + 4H^+ + 2e^-$
(COOH)₂	$(COOH)_2$ ➡ $2CO_2 + 2H^+ + 2e^-$

 ワン・ポイント **酸化剤・還元剤の**
イオン反応式の作り方

それぞれの半反応式より、電子の数を合わせて消去する。

例 MnO_4^- と $(COOH)_2$ のイオン反応式
$MnO_4^- + 8H^+ + 5e^-$
　➡ $Mn^{2+} + 4H_2O$ … ①
$(COOH)_2$
　➡ $2CO_2 + 2H^+ + 2e^-$ … ②
①×2＋②×5より、
$2MnO_4^- + 6H^+ + 5(COOH)_2$
　➡ $2Mn^{2+} + 10CO_2 + 8H_2O$
となる。これがイオン反応式であり、この式より $KMnO_4$ と $(COOH)_2$ が2：5の物質量比で反応することがわかる。

◆酸化還元反応の量的関係

酸化還元反応は、電子のやり取りをする反応である。そのため授受する電子の物質量が等しいとき過不足なく反応する。

- 酸化剤が受け取る電子の物質量
  ＝還元剤が放出する電子の物質量

◆金属のイオン化傾向

水溶液中で金属単体が陽イオンになろうとする傾向をイオン化傾向、その強さを示したものをイオン化列という。

◎イオン化列

	大← イオン化傾向 →小		
	K Ca Na Mg Al Zn Fe Ni Sn Pb （H₂） Cu Hg Ag Pt Au		
空気中での反応	速やかに酸化される	常温で徐々に酸化される	酸化されない
水との反応	冷水と反応常温で反応	熱水と反応 / 高温水蒸気と反応	反応しない
酸との反応	希酸に溶けて水素発生（Pb は希塩酸希硫酸では難溶性の塩をつくり溶けない）	酸化力のある酸に溶ける	王水にのみ溶ける

左側の金属ほどイオン化傾向が強い。それらの金属ほど陽イオンになりやすく、酸化されやすい。相手を還元する還元力が強いともいえる。

用語 **王水**：濃塩酸と濃硝酸を体積比3：1で混合した液体。強い酸化力がある。

＋アルファ **金属と酸との反応**

イオン化傾向が水素より大きい金属は、希酸と反応して溶け、水素を発生する。ただし、鉛は水素よりイオン化傾向は大きいが、希塩酸や希硫酸には表面に難溶性の塩を生じて溶けない。

イオン化傾向が水素より小さい金属は、希酸には溶けず、酸化力のある酸（熱濃

硫酸、希硝酸、濃硝酸）に溶ける。この
とき生じる気体は水素ではなく、SO_2や
NO、NO_2である。しかし、白金、金は王
水にしか溶けない。

◆電気分解

外部電池を接続し、電子を送り込んで
強制的に酸化還元反応を起こすことを電
気分解という。電池の負極から電解槽の
陰極に電子が流れ込み、還元反応が生じ、
陽極側で酸化反応が生じる。

 重要ポイント　ファラデーの法則

各電極で生じる物質の物質量は、回路を
流れた電気量に比例する。電気量の単位
はクーロン（C）であり、1クーロンは
1Aの電流が1秒間流れるときの電気量
である。また、電子1molの持つ電気量
は9.65×10^4Cである。この値をファラ
デー定数Fという。$F = 9.65 \times 10^4$C/mol

◆反応速度

化学反応とは、粒子の衝突により、物
質を構成する原子の組み合わせが変化す
ることである。しかし緩やかな衝突では
変化が生じず、一定以上のエネルギーで
衝突が起きなければ反応は進まない。

◆反応の速度に影響を与える要因

- **濃度**…濃度が濃いと、粒子どうしの衝
  突回数が増えるため、反応速度は増加
  する。
- **圧力**…気体では圧力が大きいほど単位
  体積中の分子の数が多く、衝突回数も
  多くなる。
- **温度**…温度を上げると、粒子の持つ運
  動エネルギーが大きくなり、反応速度
  が速くなる。一般に温度が10℃上が
  るごとに反応速度は2〜3倍になる。
- **触媒**…それ自身は反応前後で変化せ
  ず、反応の速度を速める物質。

反応が進む途中の、エネルギーの高い
中間的な状態を活性化状態という。この
状態に達するまでに必要なエネルギー
を、活性化エネルギーという。触媒を用
いると、活性化エネルギーが低下し、反
応速度が速くなる。

◆化学平衡

可逆反応において、正反応と逆反応の
反応速度が等しくなるときを化学平衡と
いう。化学平衡に達すると、見かけ上変
化が止まって見える。

化学平衡が成り立っているとき、温度
や濃度などの条件を変えると、その影響
を少なくするように平衡が移動する。こ
れをルシャトリエの原理という。

用語 **可逆反応：**化学反応において、
右向きの反応（正反応）と同時に左向き
の反応（逆反応）も生じる反応。
不可逆反応：燃焼反応や中和反応のよう
に、一方の方向にしか進まない反応。

出題パターン

0.050mol/Lのシュウ酸水溶液10.0mL
に、適当量の希硫酸を加え、過マンガン
酸カリウム水溶液で滴定したところ、終
点までに8.0mLを要した。この実験に
関する記述として、最も妥当なのはどれ
か。
(1) シュウ酸は酸化剤として働く。
(2) 希硫酸は酸化剤として働いている。
(3) シュウ酸と過マンガン酸カリウム
   は、物質量比2：5で反応する。
(4) 過マンガン酸カリウム中のMn原子
   の酸化数は（＋7）から（＋4）へ変
   化する。
(5) 過マンガン酸カリウム水溶液のモル
   濃度は0.025mol/Lである。

答（5）

221

無機化学

気体の発生反応・物質の工業的製法や酸や塩基の製法についても問われている。個々の知識が問われる頻出分野であり、広く浅い知識が必要である。

◆非金属元素

　He や Ne など主に周期表の右上側に位置する元素が非金属元素である。電子を引き付ける傾向（陰性）が強い。

◆ 17 族元素の物質

　周期表の 17 族の元素をハロゲンといい、価電子数は 7 個で、電子を 1 個受け取り、1 価の陰イオンになる。

　塩素水には漂白・殺菌作用がある。ヨウ素はデンプンと反応して、青紫色になる。これをヨウ素デンプン反応という。

(1) 単体の性質

分子式	常温での状態と色	酸化力
F_2	気体　淡黄色	強
Cl_2	気体　黄緑色	↑
Br_2	液体　赤褐色	↓
I_2	固体　黒紫色	弱

(2) ハロゲン化水素

- **フッ化水素酸**（HF の水溶液）…分子間の水素結合により、他のハロゲン化水素より沸点が異常に高く、弱酸性である。また、ガラスを溶かす性質があるので、ポリエチレン容器に保存する。
- **塩化水素**（HCl）…常温で気体である。塩化水素の水溶液を塩酸といい、強酸性である。アンモニアと反応して、NH_4Cl（塩化アンモニウム）の白煙を生じる。

◆ 16 族元素の物質

(1) 単体の性質

　酸素や硫黄の単体には同素体が存在する。酸素の同素体は酸素 O_2 とオゾン O_3 であり、硫黄の同素体は斜方硫黄 S_8、単斜硫黄 S_8、ゴム状硫黄 S_n がある。

(2) 硫黄の化合物

- **硫化水素**（H_2S）…腐卵臭を持つ無色の有毒な気体で、水に溶け酸性を示す。還元力がある。
- **二酸化硫黄**（SO_2）…刺激臭、無色の有毒な気体、水に溶け弱い酸性を示す。還元力を持ち、漂白剤として使われる。
- **硫酸**（H_2SO_4）…硫酸の工業的製法は接触法と呼ばれる。SO_2 から SO_3（三酸化硫黄）をつくり、これを硫酸とする。濃硫酸の性質には、酸化作用、不揮発性、脱水性、吸湿性などがある。希硫酸にはそれらの性質はなく、強酸性を示す。

◆ 15 族元素の物質

(1) 単体の性質

　窒素は不燃性の気体で、空気中に体積割合で約 80％含まれる。リンには同素体が存在する。黄リン P_4 は有毒であり空気中で自然発火するので、水中に保存する。赤リンは無毒、層状高分子である。

(2) 窒素の化合物

- **アンモニア**（NH_3）…塩基性の気体。工業的製法はハーバー・ボッシュ法と呼ばれ、窒素と水素を原料とし、鉄の化合物を触媒として合成する。

- **二酸化窒素**（NO_2）…赤褐色、有毒、水に溶ける気体。水溶液は酸性を示す。
- **硝酸**（HNO_3）…水に溶けやすい無色、発煙性の液体。強酸性を示し、酸化力を持つ。工業的製法はオストワルト法と呼ばれる。

◆ 14 族元素物質の単体の性質

炭素にはダイヤモンド、黒鉛、フラーレンなどの同素体が存在する。ケイ素は酸素に次いで 2 番目に多く地殻中に含まれる元素である。

◆ 金属元素

周期表の左下側に位置する元素が金属元素である。電子を放出して陽イオンになる傾向（陽性）が強い。

◆ アルカリ金属元素の物質

（1）単体の性質

銀白色の固体で、価電子数が 1 個で、1 価の陽イオンになる。水と常温で反応し、水素を発生する。化合物は各元素に特有の色を持つ炎色反応を示す。

（2）ナトリウムの化合物

- **水酸化ナトリウム**（$NaOH$）…白色の固体。水によく溶け、強塩基性を示す。潮解性があり、空気中の水分を吸収して溶ける。
- **炭酸ナトリウム**（Na_2CO_3）…白色固体。水溶液は塩基性（アルカリ性）を示す。工業的製法をアンモニアソーダ法という。
- **炭酸水素ナトリウム**（$NaHCO_3$）…白色固体で水に溶けにくい。加熱すると熱分解して炭酸ナトリウムになる。

◆ 2 族元素の物質

（1）単体の性質

銀白色の固体で、価電子数は 2 個で、2 価の陽イオンになる。アルカリ土類金属元素の化合物も炎色反応をする。主な 1、2 族元素の炎色反応の色は、Na（黄）、K（赤紫）、Ca（橙赤）、Ba（黄緑）。

（2）カルシウムの化合物

- **水酸化カルシウム**（$Ca(OH)_2$）…白色粉末。水溶液は強塩基性を示す。消石灰とも呼ばれ、水酸化カルシウムの水溶液を石灰水という。
- **炭酸カルシウム**（$CaCO_3$）…石灰石の主成分。強熱すると二酸化炭素と、酸化カルシウム（CaO）に分解する。酸化カルシウムは、生石灰とも呼ばれる。

◆ 両性金属

酸とも強塩基とも反応する金属。Al（アルミニウム）、Zn（亜鉛）、Sn（スズ）、Pb（鉛）などがある。

◆ 主な遷移元素（3 ～ 12 族）

- **銅**…赤色の金属、熱伝導性、電気伝導性に優れる。種々の合金がある。
- **銀**…最も電気伝導性の大きい金属。酸化力のある酸に溶け、1 価のイオンになる。
- **鉄**…2 価と 3 価のイオンになる。

重要ポイント　合金

黄銅（ブラス）：Cu + Zn
青銅（ブロンズ）：Cu + Sn
ジュラルミン：Al + Cu + Mg　など
ステンレス：Fe + Cr + Ni　など

出題パターン

アンモニアの工業的製法として、最も妥当なのはどれか。
(1) アンモニアソーダ法
(2) オストワルト法
(3) ハーバー・ボッシュ法
(4) 接触法
(5) 溶融塩電解（融解塩電解）

答 (3)

重要度 ★★★

有機化学

有機化学の基礎と代表的な化合物及びその性質について学ぶ。詳しい内容まで必要としないが、炭化水素の構造式や反応の特徴などを知っておくべきである。

◆有機化学の性質

有機化合物とは炭素の化合物である。主な構成元素は、C、H、O、N などで、次のような特徴がある。

① 主に共有結合による分子で、融点、沸点は低い。

② 異性体があり、構成元素の種類は少ないが、化合物の数は非常に多い。

③ 水に溶けにくい物質が多い。

◆炭素原子の結合による分類

- 鎖式化合物…炭素が鎖のように並んだもので、単結合だけのものを飽和化合物、炭素間に二重結合や三重結合を含むものを、不飽和化合物という。
- 環式化合物…炭素が環状構造を持つもので、その中でベンゼン環を含むものを芳香族化合物という。

◎官能基による分類

官能基	官能基の名前	一般名
R-OH	ヒドロキシ基	アルコール フェノール
R-O-R'	エーテル結合	エーテル
R-CHO	ホルミル基 （アルデヒド基）	アルデヒド
R-CO-R'	ケトン基 （カルボニル基）	ケトン
R-COOH	カルボキシ基	カルボン酸
R-COO-R'	エステル結合	エステル

◆異性体

分子式が同じで、構造式や立体構造の異なるものどうしを異性体という。異性体には構造式が異なる構造異性体と、立体構造の異なる立体異性体があり、さらにシス－トランス異性体と鏡像異性体に区別される。

- **シス－トランス異性体**…炭素の二重結合は回転ができないため、シス型とトランス型がある。
- **鏡像異性体**…不斉炭素原子を持つ化合物のうち、偏光に対する性質の異なる異性体を鏡像異性体という。

| 用 | 語 | **不斉炭素原子**：炭素原子に 4 個結合している置換基の種類が、すべて異なるもの。乳酸など。 |

◆脂肪族炭化水素

アルカンは鎖式飽和炭化水素のグループであり、分子式は C_nH_{2n+2} で表される。反応性が低く、置換反応をする。

アルケンは C＝C 結合を 1 個持つ化合物、アルキンは C≡C 結合を 1 個持つ化合物であり、ともに付加反応をする。

◎代表的な脂肪族炭化水素

アルカン	CH_4（メタン）、C_2H_6（エタン）C_3H_8（プロパン）、C_4H_{10}（ブタン）
アルケン	C_2H_4（エチレン）、C_3H_6（プロペン）
アルキン	C_2H_2（アセチレン）

◆酸素を含む脂肪族化合物

- **アルコール**…炭化水素の H 原子を －OH 基に置き換えた物質をアルコールという。炭素数の少ないアルコール

は水に溶ける。
- **アルデヒド**…ホルミル基を持つ化合物で還元性を持つ。還元性は銀鏡反応（銀の析出）やフェーリング反応（酸化銅（Ⅰ）の沈殿）で確認される。
- **ケトン**…ケトン基を持つ化合物。
- **カルボン酸**…カルボキシ基を持つ化合物で、酸性を示す。ギ酸は還元性も持つ。アルコールとの脱水反応（縮合という）によりエステルになる。
- **エステル**…エステル結合を持つ化合物。水に溶けにくく果実の香りがする。
- **油脂**…グリセリンと高級脂肪酸のエステルを油脂という。常温で固体の油脂が脂肪、液体の油脂が脂肪油である。油脂を水酸化ナトリウム水溶液でけん化すると、グリセリンと脂肪酸のナトリウム塩になる。脂肪酸のナトリウム塩がセッケンである。

用語 ヨードホルム反応： アセトンにヨウ素と水酸化ナトリウムを加えて温めるとヨードホルムの黄色沈殿が発生。アセチル基の検出反応として用いられる。

◆芳香族化合物
　ベンゼン環を持つ化合物を芳香族化合物という。芳香族炭化水素は水に溶けず、有機溶媒に溶ける。主に置換反応を行う。
- **フェノール類**…ベンゼン環に直接 -OH 基がついた化合物。白色の結晶で弱酸性を示し、$FeCl_3$ 水溶液で紫色を呈色する。
- **サリチル酸の化合物**…ナトリウムフェノキシドに高温高圧で二酸化炭素を反応させ、酸性にするとサリチル酸ができる。メタノールを反応させると、消炎湿布剤のサリチル酸メチルが、無水酢酸を反応させると解熱鎮痛剤のアセチルサリチル酸が生じる。

- **アニリン**…無色油状の物質で塩基性を示し、さらし粉で赤紫色を呈色（アニリンの検出反応）する。

◆合成高分子化合物
　いくつもの低分子量の分子が重合して、分子量が非常に大きくなった物質を高分子化合物という。もとになる低分子量の物質を単量体（モノマー）、高分子を重合体（ポリマー）という。
- **付加重合**…付加反応で高分子をつくること。付加重合の例には、水道管などに使われるポリ塩化ビニル、包装材料に使われるポリスチレン、容器、袋に使われるポリエチレンなどがある。
- **縮合重合**…縮合反応で高分子をつくること。縮合重合の例には、合成繊維に使われるナイロン6,6、PET（ポリエチレンテレフタラート）などがある。
- **熱可塑性樹脂**…熱を加えると軟化し、冷えると固まる性質を持つ樹脂。直鎖状の高分子の性質。
- **熱硬化性樹脂**…熱を加えると固くなる樹脂。立体網目構造の高分子が持つ性質。

🔔出題パターン

　炭化水素に関する記述として、最も妥当なのはどれか。
(1) 鎖式炭化水素のうち、飽和炭化水素をアルキンという。
(2) 鎖式炭化水素のうち、二重結合を1個含む不飽和炭化水素をアルキンという。
(3) 鎖式炭化水素のうち、二重結合を1個含む炭化水素をアルケンという。
(4) 鎖式炭化水素のうち、三重結合を1個含む不飽和炭化水素をアルキンという。
(5) 鎖式炭化水素のうち、三重結合を1個含む飽和炭化水素をアルケンという。

答（4）

自然科学：生物

重要度
★★☆

レッスン 01 細胞・細胞分裂

細胞の構成と細胞各部の働き、膜の機能、体細胞分裂の仕組みなどがポイントとなる。

◆細胞の種類

細胞の大きさは数μm～数十μmで、真核細胞と原核細胞に分類される。真核細胞は核と細胞質からなり、核、ミトコンドリア、葉緑体など膜で覆われた構造を内部に持つ。原核細胞は、核膜に包まれた核はなく、遺伝子は細胞質中に存在する。ミトコンドリアや葉緑体はない。原核細胞からなる生物を原核生物といい、細菌類（バクテリア）、シアノバクテリア（ラン藻類）がこれにあたる。

◆細胞の構造

中心体は動物細胞に、細胞壁、色素体、液胞は植物細胞にのみ存在する。

◆細胞各部の働き
（1）核

核は、細胞の働きをコントロールし、遺伝情報を伝える働きをする。

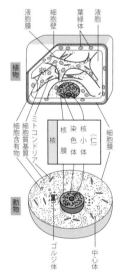

◎核の働き

核膜	核への物質の出入りの調節
染色体	DNAを含み、遺伝情報を伝達
核小体	リボソームRNAを合成

（2）細胞質

細胞質内には生体膜で覆われた細胞小器官が存在する。

◎細胞質の働き

ミトコンドリア	ATP生産にかかわり、エネルギーをつくり出す
小胞体	タンパク質の輸送路
リボソーム	アミノ酸からタンパク質を合成する
ゴルジ体	細胞内小胞の生成
色素体	光合成を行う
リソソーム	細胞内消化酵素を含む
液胞	不要物の貯蔵、分解、解毒。成長した植物細胞で特に発達している

（3）細胞質基質

細胞質の形を保ち、物質の移動、細胞分裂などに重要な役割を持つ液体を細胞質基質という。

◆膜の性質

細胞膜や生体膜は2重の層でできていて、主成分はリン脂質とタンパク質である。これを単位膜という。細胞膜は溶媒は通すが溶質は通さない半透性に近い性質を持つが、特定の分子やイオンだけを選択的に通過させる選択的透過性を持つ。

膜の内外に濃度差があると、濃度の濃い側から薄い側へ分子やイオンが移動する。これを受動輸送といい、エネルギーを要さない。一方、浸透圧に逆らって特定の物質だけを透過させる働きを能動輸送といい、エネルギーを使って必要な物質の吸収、排出を行う。

◆細胞への水の出入り

濃度の異なる水溶液を半透膜を取り付けたU字管の両側に高さが同じになるように入れると、濃度の低い方の水溶液から水分子が移動し、濃度の高い方の溶液の液面が上昇する。このような現象を浸透といい、液面の差が生じないように濃度の高い水溶液側にかける圧力を浸透圧という。2つの溶液の浸透圧が等しいときを等張といい、2つの溶液の浸透圧の大きい側を高張、小さい側を低張という。

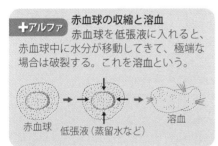

＋アルファ　赤血球の収縮と溶血
赤血球を低張液に入れると、赤血球中に水分が移動してきて、極端な場合は破裂する。これを溶血という。

赤血球　低張液（蒸留水など）　溶血

◆細胞分裂

細胞は細胞分裂により増える。細胞分裂には、生物体を構成する細胞の分裂である体細胞分裂と、生殖細胞をつくる減数分裂がある。体細胞分裂では分裂の前後で染色体の数は変化しないが、減数分裂では半分になる。

◆体細胞分裂

体細胞分裂は、核分裂と細胞質分裂の2つの過程からなる。

◎体細胞分裂の過程

前期	染色体、紡錘体の出現
中期	染色体が赤道面上に並ぶ
後期	染色体が二分して染色分体が両極へ移動
終期	細胞質が分裂し、核膜、核小体が出現

動物細胞と植物細胞の違いは、動物細胞では中心体から紡錘体ができるのに対し、植物細胞には中心体がなく、極帽から紡錘糸ができる。また、終期に動物細胞では赤道面で細胞膜がくびれて細胞質が2つに分かれるが、植物細胞では赤道面の中心に細胞板ができ、これが広がって細胞質が二分される。

◆ヒトの染色体

ヒトの染色体は、22対の相同染色体と、大きさも形も違う1対の性染色体の、合計23対46本の染色体がある。

> **用語　相同染色体：** 高等な動物や植物の体細胞の核には、大きさと型がまったく同じ染色体が2本ずつ入っている。これを相同染色体という。

◆核相

核内の染色体の組の様子を核相という。相同染色体が対になって細胞内に含まれるときを複相といい、染色体数は$2n$と示す。生殖細胞のように相同染色体の片方だけを持つものは単相といい、染色体数はnとなる。

◆細胞周期

細胞分裂から次の分裂の終了までの期間を細胞周期という。分裂期と間期からなり、間期はDNA合成準備期間（G1期）、DNA合成期（S期）、分裂準備期（G2期）に分かれる。

出題パターン

細胞を構成する成分などに関する記述として、最も妥当なのはどれか。
(1) リソソームはタンパク質合成をしている。
(2) 植物細胞の細胞壁の主成分はクロロフィルである。
(3) 染色体はRNAとタンパク質からなる。
(4) 葉緑体の中のストロマには、光合成色素が含まれている。
(5) ミトコンドリアではATPが合成されている。

答 (5)

レッスン 02 生殖・発生

ここでは減数分裂、生殖細胞の形成、動物の発生過程について学ぶ。減数分裂がどのような過程を経て生じるかがポイントである。

◆生殖

生物が新しい個体をつくることを生殖という。生殖には、配偶子によらない無性生殖と配偶子による有性生殖がある。

用語　配偶子：胞子や卵、精子などの生殖細胞のことで、卵は大型で細胞質に栄養を貯えた配偶子で運動性がない。精子は小型でべん毛を持ち、運動性を持つ配偶子である。

◎無性生殖の種類

分裂	体が分かれて増える方法
出芽	体の一部が、芽が出るようにふくらんで、新しい個体ができる方法
胞子生殖	胞子による生殖
栄養生殖	植物の根・茎・葉などの栄養器官から新しい個体ができる方法

◉有性生殖

有性生殖には大きさや形の同じ同形配偶子の接合、大きさや形の違う異形配偶子の接合、卵と精子の受精とがある。

◆減数分裂

精子や卵、胞子などの生殖細胞をつくるときの分裂。

◉減数分裂の過程

第1分裂の前期では相同染色体どうしが対合して、4本の染色分体からなる二価染色体を形成する。中期で二価染色体が赤道面上に並び、紡錘体ができ、後期には4本の染色分体が2本ずつに分かれて両極へ移動し、終期に染色体が両極に達する。

第2分裂は前期が第1分裂の終期と重なるため中期から始まり、染色体が赤道面上に並ぶ。後期には2本の染色分体が縦裂、両極へ移動し、終期で染色体が両極に達し、4つの娘細胞ができる。

用語　二価染色体：2本の相同染色体が対合してできた染色体。

重要ポイント　減数分裂と体細胞分裂の比較

減数分裂	体細胞分裂
生殖細胞をつくる分裂	体細胞を増やす分裂
1つの母細胞から単相（n）の娘細胞4つができて終了する	母細胞と同じ複相（$2n$）の娘細胞ができ分裂を繰り返す
相同染色体が対合し、二価染色体をつくる	相同染色体は対合しない
染色体数が半減する	染色体数は変化しない

◆動物の配偶子の形成

（1）精子の形成

精巣内の始原生殖細胞（$2n$）が精原細胞（$2n$）になり、体細胞分裂によって増加する。これらが一次精母細胞（$2n$）になり、減数分裂により4個の精細胞（n）になる。精細胞は変形して運動性に特化した精子になる。

（2）卵の形成

卵原細胞（$2n$）が卵巣で一次卵母細胞（$2n$）まで増殖、大形化したあと、減数分裂を行う。このとき4個の娘細胞（n）のうち1個だけに多量の細胞質が集中し卵となり、残りは極体になる。

◆動物の発生

受精卵の初期では、特殊な体細胞分裂の卵割が生じる。卵黄は卵割を妨げるので、卵黄の分布の違いにより卵割の仕方が異なる。

◎卵黄の分布と卵割

等黄卵	卵黄量が少なく、均等に卵割が起きる	ウニ、ほ乳類
端黄卵	卵黄が多く、植物極側に偏る。動物極側で卵割が起こり不等割になる	両生類
心黄卵	卵黄が卵の中心部に集中し、表面が分割する	昆虫

ワン・ポイント　端黄卵でも特に卵黄の多いものでは、一部だけが分割される部分割が起きる。これを盤割という。魚類、は虫類、鳥類に見られる。

◆ウニの発生

受精卵は卵割を繰り返し、細胞の数が32～64個のクワの実のような形の胚である桑実胚になる。やがて胞胚腔が生じ胞胚になる。その後、胞胚の植物極側が内部に落ち込んで（陥入）原腸ができ原腸胚となる。原腸の入り口を原口という。原腸胚では、外胚葉、中胚葉、内胚葉に分化する。そして独立生活ができるようになった幼生へ変化する。

◆カエルの発生（原腸胚以降）

カエルの発生も原腸胚までは同様の過程をたどる。その後、外胚葉で神経板ができ、やがて神経管へと変化し、内胚葉からは腸管ができる。この時期の胚を神経胚という。さらに神経胚が伸びて胚の尾（尾芽）ができる時期を尾芽胚という。この時期にさらに分化し、特定の器官へ変化する。

◆発生の仕組み

発生の仕組みに関して前成説と後成説が唱えられたが、現在では後成説が確立している。

- **前成説**…卵や精子の中に初めから個体のもとがあって、それが成長するとした説
- **後成説**…発生の過程で、次第に必要な器官が決まってくるとする説

周囲の部分を特定の器官に分化させる働きを持つものを形成体（オーガナイザー）といい、その働きを誘導という。

＋アルファ　細胞の各部が将来どの器官に分化するかを予定運命という。予定運命の決定時期について、シュペーマンはイモリの胚で予定域の交換移植実験を行い、初期原腸胚では、移植片は移植場所の予定運命に従って分化するが、神経胚初期に入ると、移植片自身の予定運命どおりの組織になることを確かめた。

出題パターン

動物の配偶子形成に関する記述として、最も妥当なのはどれか。
1. 精巣内では、二次精母細胞は減数分裂の第二分裂を行い、精細胞となる。
2. 精細胞が精子になる過程で、細胞質に栄養を蓄える。
3. 1個の始原生殖細胞から、減数分裂によって1個の精原細胞がつくられる。
4. 卵原細胞は一次卵母細胞に変化する際、細胞質を失う。
5. 1個の一次卵母細胞は、体細胞分裂を繰り返し、1個の卵と3個の小さな極体を生じる。

答（1）

レッスン 03 遺伝・遺伝情報

メンデルの遺伝の3法則、種々の遺伝、DNA、RNAの構成物質とタンパク質合成の仕組みなどを学ぶ。特に、遺伝は頻出分野であるので、習熟が必要な部分である。

◆メンデルの遺伝法則

- **顕性の法則**…対立形質を持つ純系の親を交雑すると、雑種第一代（F_1）には顕性形質のみが現れる。
- **分離の法則**…生殖細胞ができるとき、対立遺伝子は互いに分離して別々の配偶子に入る。
- **独立の法則**…2対以上の対立遺伝子がそれぞれ独立して配偶子に入る。独立の法則は各対立遺伝子がそれぞれ異なる染色体上にある場合だけ成立する。

◎二遺伝子雑種の交配

P　F₁　F₂

AABB → AaBb →

	AB	Ab	aB	ab
AB	$AABB$	$AABb$	$AaBB$	$AaBb$
Ab	$AABb$	$AAbb$	$AaBb$	$Aabb$
aB	$AaBB$	$AaBb$	$aaBB$	$aaBb$
ab	$AaBb$	$Aabb$	$aaBb$	$aabb$

aabb

A、B…顕性遺伝子
a、b…潜性遺伝子

F_2の表現
$[AB]:[Ab]:[aB]:[ab]$
　9　:　3　:　3　:　1

◆検定交雑

顕性形質を持つ個体の遺伝子型（AAとAa）は、外見では判別できないので、これを見分けるために潜性ホモ（aa）と掛け合わせる方法を検定交雑という。もし親がAAであれば交雑の結果はすべて顕性形質となるが、Aaでは顕性形質と潜性形質が1:1の比で現れる。

◆遺伝子間の相互関係

- **不完全顕性**…対立形質間で優劣

例　マルバアサガオ

桃 Rr　×　Rr 桃

RR　Rr　rr
赤　　桃　　白
1　:　2　:　1

の差が小さく、ヘテロ型が中間雑種になる。

- **致死遺伝子**…ある遺伝子がホモになると、致死作用を表す遺伝子。致死遺伝子はふつう潜性で潜性ホモになると死ぬ。
- **複対立遺伝子**…1組の対立する形質に、3つ以上の遺伝子が関係する場合、それらを複対立遺伝子という。ヒトのABO式血液型では、A、B遺伝子はともに顕性で、O遺伝子は潜性である。A、Bに優劣はなく、ABの遺伝子型では、血液型はAB型になる。

血液型	遺伝子型
A型	AA、AO
B型	BB、BO
AB型	AB
O型	OO

用語

形質：生物の形や大きさ、色などの性質

対立形質：エンドウの種の「丸」型と「しわ」型のように、対になる形質

遺伝子：形質を伝え、発現するもとになるもの。染色体に含まれる

遺伝子型：個体の遺伝子の組み合わせをアルファベットで表したもの

表現型：個体に現れる形質

ヘテロ：遺伝子の形が違う組み合わせのもの

ホモ：遺伝子の形が同じ組み合わせのもの

顕性形質：ヘテロにおいて発現する側の形質

潜性形質：ヘテロにおいて発現しない側の形質

純系：すべての遺伝子がホモであるもの

一遺伝子雑種：1対の対立形質だけに注目し、交配してできた雑種

二遺伝子雑種：2対の対立形質に注目し、交配してできた雑種
雑種第一代（F_1）：純系の両親（P）の交配で生まれた一代目の雑種
雑種第二代（F_2）：F_1どうしの交配で生まれた二代目の雑種

◆性染色体

多くの生物では雌、雄で形や数の異なる遺伝子があり、これを性染色体と呼ぶ。それ以外の染色体を常染色体という。ヒトはXY型であり、遺伝子型がXXになると女性、XYになると男性になる。

◆伴性遺伝

性染色体にある遺伝子による遺伝を伴性遺伝という。赤緑色覚異常に関係する遺伝子はX染色体にあり、女性では潜性ホモで発現するが、男性ではX染色体に潜性遺伝子があれば発現する。

◆DNA

遺伝子の本体はDNA（デオキシリボ核酸）である。DNAには自己複製と遺伝情報を記録する働きがある。核酸にはDNAとRNA（リボ核酸）がある。

◎DNAとRNAの構造

	構成糖	構成塩基	リン酸
DNA	デオキシリボース	アデニン（A） グアニン（G） シトシン（C） チミン（T）	リン酸
RNA	リボース	アデニン（A） グアニン（G） シトシン（C） ウラシル（U）	リン酸

塩基と五炭糖とリン酸からなる物質をヌクレオチドといい、これが重合したポリヌクレオチドが核酸である。DNAは2本鎖の二重らせんの構造、RNAは1本の鎖でできている。

◆タンパク質の合成

DNAの遺伝情報は、DNAに複製されるか、RNAに転写され、翻訳されてタンパク質ができる。これはすべての生物に共通する原則で、セントラルドグマと呼ばれる。

◆RNAの働き

RNAには、mRNA（messenger RNA）、tRNA（transfer RNA）、rRNA（ribosomal RNA）がある。RNAはDNAの塩基配列を写し取り（転写）、スプライシングによってmRNA（伝令RNA）が合成される。mRNAは核内から細胞質中に移動し、リボソームに付着する。tRNA（運搬RNA）はアミノ酸と結合し、指定されたアミノ酸をリボソームに運ぶ。rRNA（リボソームRNA）は運ばれてきたアミノ酸を結合させる。

03 遺伝・遺伝情報

出題パターン

スイートピーの白色花の株にはいくつかの系統がある。いま、遺伝子型が$CCpp$である系統の白色花と、遺伝子型が$ccPP$である系統の白色花とを交雑したところ、F_1（雑種第一代）ではすべて有色花になり、F_2（雑種第二代）では有色花と白色花がおよそ9：7の分離比で現れた。この現象についての説明として、最も妥当なものはどれか。
(1) 遺伝子Cは遺伝子Pに対して顕性である。
(2) 遺伝子Pは遺伝子Cに対して不完全顕性である。
(3) 遺伝子Pは遺伝子Cが有色の色素をつくる働きを抑制する。
(4) 遺伝子Cは遺伝子Pが有色の色素をつくるのを抑制する。
(5) 遺伝子Cと遺伝子Pの両方を持つ固体だけが有色花になる。

答（5）

レッスン 04 代謝・酵素の働き

異化と同化・内呼吸・光合成・酵素の種類と働きについてまとめる。ATP についても取り上げる。内呼吸に注意が必要である。

◆異化

細胞内での物質の化学変化を代謝といい、代謝には異化と同化がある（同化については後述）。

異化とは有機物を呼吸などで分解して、エネルギーを取り出す過程のことである。異化には 2 つの呼吸があり、酸素と二酸化炭素の交換を行うのが外呼吸、体内で有機物を分解してエネルギーを取り出す働きが内呼吸である。

◆ ATP

塩基のアデニンと五炭糖のリボースが結合したアデノシンに、リン酸が 3 分子結合したアデノシン三リン酸の、高エネルギーリン酸結合が切れて、ADP（アデノシン二リン酸）とリン酸に分かれるときエネルギーが放出される。逆に、呼吸で生じたエネルギーを使って ADP を ATP に変換して生命活動に必要なエネルギーを蓄える。

◆内呼吸

有機物の分解に酸素を用いる過程を好気呼吸といい、酸素を用いないで有機物を分解する過程を嫌気呼吸という。

（1）好気呼吸

好気呼吸は 3 つの過程からなり、合計で 38ATP が生成される。

①解糖系…グルコース 1 分子が 2 分子のピルビン酸に分解される。この反応は細胞質基質内で生じる。酸素が必要な反応で、脱水素酵素などの働きで反応が進む。その際 4 原子の水素原子が生じ、2 分子の ATP が生産される。

②クエン酸回路…2 分子のピルビン酸から 20 個の水素原子と 6 分子の二酸化炭素に分解される。分解の際 2 分子の ATP が生成する。この反応はミトコンドリアのマトリックスで起こる。

③電子伝達系…先の 2 つの段階で発生した水素原子から、酵素反応により 34 分子のATP をつくり出す過程。これはミトコンドリアのクリステで行われる。最終的にグルコース1mol から 38mol の ATP が生じる。

（2）嫌気呼吸

嫌気呼吸には発酵、腐敗、解糖がある。

- **アルコール発酵**…酵母菌の働きで、グルコース 1 分子からエタノール 2 分子と ATP2 分子、二酸化炭素 2 分子が発生する。

- **乳酸発酵**…乳酸菌により、グルコース 1 分子から乳酸 2 分子と ATP2 分子が発生する。

- **解糖**…激しい運動時の筋肉内でグルコースが分解され乳酸ができるまでの過程で、反応過程は乳酸発酵と全く同じである。

 重要ポイント 好気呼吸は細胞質基質とミトコンドリアで行われるが、嫌気呼吸は細胞質基質でのみ行われる。

◆同化

生物が外界から取り入れた物質を、エネルギーを使って、より複雑な有機物に変化させる働きをいう。

◆光合成

植物の葉緑体で二酸化炭素と水を原料に、光エネルギーにより糖やデンプンを合成し、酸素を生成する反応を光合成という。植物の葉緑体は二重膜で包まれていて、膜の内部の空間をストロマ、内の扁平な袋状の構造をチラコイドといい、その中にクロロフィルなどの光合成色素が含まれる。チラコイドが数多く重なった部分をグラナという。

ワン・ポイント　光合成

光合成はチラコイド内で生じる①光化学反応、②水の分解と H^+ 発生、③ ATP の生成反応（光リン酸化）及びストロマ内で生じる CO_2 の固定反応の過程からなる。このうち、ストロマ内での反応をカルビン・ベンソン回路という。

◆酵素

自身は変化せず、化学反応の速度を速めるものを触媒といい、生体内で触媒作用を行う物質を酵素という。主成分はタンパク質である。酵素の働く相手の物質を基質といい、酵素が基質と結合する部分を活性部位という。特定の酵素が特定の基質のみに働くことを基質特異性という。

一般的に酵素が働く最適温度は、35～40℃付近であり、高温になると変性により、その働きを失う。これを失活という。酵素の働く最適な pH は最適 pH といい、酵素によって異なる。たとえば胃で働くペプシンは、胃酸が強酸性なので最適 pH が 2 付近である。

◎代表的な酵素と働き

カタラーゼ	過酸化水素の分解
アミラーゼ	デンプンをマルトースに分解
マルターゼ	マルトースをグルコースに分解
スクラーゼ	スクロースをフルクトースとグルコースに分解
リパーゼ	脂肪をグリセリンと脂肪酸に分解
ペプシン	タンパク質をペプチドに分解
トリプシン	タンパク質をペプチドに分解

用語

内呼吸：好気呼吸と嫌気呼吸がある。有機物を分解して ATP をつくり出す。

光合成：葉緑体内のチラコイドとストロマで行われる。二酸化炭素と水から光エネルギーで ATP を合成する。

ATP：生体内でエネルギーを蓄える働きをする物質。

酵素：生体内で触媒作用を行う物質で、タンパク質が主成分。基質特異性、最適温度、最適 pH を持つ。

出題パターン

次の各文章のうち、間違っているものはどれか。
(1) 異化とは、光合成などで無機物から有機物を取り出すことを指す。
(2) 乳酸発酵では、1 分子のグルコースから 2 分子の乳酸が発生する。
(3) 葉緑体の中のチラコイドには、クロロフィルなどの光合成色素が含まれる。
(4) ATP が ADP に変化するとき、エネルギーが発生する。
(5) 酵素は生体内で触媒作用をする物質であり、主成分はタンパク質である。

答（1）

重要度 ★★★

内部環境と生物の反応

免疫、肝臓と腎臓の働き、自律神経系とホルモンの関連性について学ぶ。免疫の仕組みや血糖値の調整などは重要分野である。

◆**体液と内部環境**

体液には血液、組織液、リンパ液がある。組織液は毛細血管から細胞の間にしみだした血しょうであり、リンパ液はリンパ管を流れる体液で、組織液の一部がリンパ管に入ってリンパしょうになる。

◆**免疫**

特定の病原体や毒素を非自己と識別し、それを排除する現象を免疫という。免疫にはもとから備わっている自然免疫と、後に獲得する適応（獲得）免疫がある。適応免疫には、体液性免疫と、細胞性免疫の2つがある。

（1）体液性免疫

抗原抗体反応によって抗原を無害化し排除する仕組みを体液性免疫という。体液性免疫の抗体産生の仕組みは、①抗原をマクロファージや樹状細胞が細胞内に取り込み（食作用）、②抗原の情報をT細胞に伝える（抗原提示）。次に、③抗原情報をB細胞に伝え、B細胞が活性化し抗体産生細胞に分化する。このとき一部は抗体の情報を記憶する記憶細胞に分化する。

（2）細胞性免疫

T細胞やマクロファージが標的細胞を直接攻撃する免疫を細胞性免疫という。

細胞性免疫の抗体産生の仕組みは、抗原提示がキラーT細胞に伝えられ、標的細胞を攻撃する。このとき一部は抗体の情報を記憶する記憶細胞に分化する。

用語 **抗原**：免疫系によって異物と識別される物質。
抗体：免疫系でつくられる抗原とだけ反応するタンパク質（免疫グロブリン）。
抗原抗体反応：抗体が抗原と結合して、その働きを弱める反応。
免疫記憶：一度抗体を産生すると、その抗体の情報が記憶細胞に記憶され、速やかに抗体を産生できる。
T細胞：骨髄でもとになる細胞ができ、胸腺で増加し成熟する。
B細胞：T細胞によって活性化され、形質細胞（抗体産生細胞）に変化する。

◆**免疫の応用**

・**ワクチン**…毒素を弱めた抗原をワクチンという。あらかじめ接種することで、抗体を形成し病気を予防する。
・**血清療法**…動物に弱毒化した毒素を注射し、抗体をつくらせて、抗体を含む血清を患者に接種する治療法。

◆**腎臓**

体内で生じる老廃物のうち、アンモニアはヒトでは肝臓で尿素に変えて腎臓から尿として排出している。腎臓はソラマメのような形の2つの対称な器官である。皮質、髄質、腎うの3つの部分からなり、皮質には腎小体（マルピーギ小体）が無数にあり、糸球体とボーマン嚢からなる。

糸球体を流れる血管から、血しょう中のタンパク質以外の成分がボーマン嚢にこし出される。これを原尿という。原尿

からはグルコースや塩類など有用な物質が再吸収され、残った成分が腎うに集まって尿となる。

◆**肝臓**

肝臓は、小腸で吸収されたグルコースをグリコーゲンに再合成して蓄え、必要に応じて血液中にグルコースを放出する。さらに、毒性の強いアンモニアをオルニチン回路で毒性の弱い尿素に変える。

他にも、脂肪の消化を助ける胆汁の合成（胆汁は胆囊に蓄えられる）、代謝による体温維持、解毒作用などがある。

◆**ホルモン**

特定の器官（内分泌腺）でつくられ、体液中に分泌され、体の他の部分（標的器官）に作用し調整する物質をホルモンという。

◆**脳下垂体と視床下部**

脳下垂体は間脳の視床下部にある器官で前葉、中葉、後葉の3つの部分からできており、種々のホルモンを分泌する。間脳の視床下部が、これらの分泌をコントロールする。

◆**自律神経系**

内臓、皮膚、血管などに分布し、無意識・自律的に調節する神経。間脳の視床下部で調節される。自律神経系には、交感神経と副交感神経がある。交感神経は体を活動的にさせ、副交感神経は体を疲労回復に向かわせるように対抗的（拮抗的）に働く。

◎**交感神経と副交感神経の作用の例**

交感神経		副交感神経
拡大	瞳孔	縮小
促進	心臓拍動	抑制
上昇	血糖	低下
拡張	膀胱	収縮
上昇	血圧	低下

◆**自律神経系とホルモンの協調**

血液中のグルコースを血糖といい、自律神経とホルモンによって調整されている。

（1）高血糖のとき

視床下部が感知し、副交感神経によりすい臓からインスリンを分泌させる。また、すい臓自身も高血糖を感知しインスリンを分泌する。インスリンは細胞でのグルコースの取り込みを促し、肝臓や筋肉でグルコースをグリコーゲンにつくり変えるよう促し、血糖値が低下する。

（2）低血糖のとき

視床下部が感知し、交感神経により副腎髄質からアドレナリンを分泌させる。アドレナリンは、体に貯蔵されているグリコーゲンをグルコースにつくり変えるよう促す。さらに、脳下垂体前葉を刺激し、副腎皮質刺激ホルモンが分泌され、これが副腎皮質から糖質コルチコイドを分泌させ、タンパク質や脂質をグルコースに変える。

出題パターン

免疫に関する記述として、最も妥当なものはどれか。
（1）免疫にかかわる細胞を総称してリンパ球と呼び、白血球やマクロファージなど多くの種類がある。
（2）免疫機構によって自己にあらざる異物と認識され、リンパ球の作用で排除される物質を抗体と呼ぶ。
（3）抗原抗体反応とは、免疫グロブリンと呼ばれる抗原が抗体に作用して、無害な物質を形成する反応である。
（4）移植手術の際に移植された組織が定着しないで脱着する拒絶反応は、免疫の作用によって起こる。
（5）アレルギーは、体内に取り込まれた異物に対して機能すべき免疫反応が働かないために起こる。

答（4）

重要度 ★★★

レッスン
06 刺激の受容と反応

刺激の受容器と効果器、ヒトの神経系について学ぶ。刺激の伝わり方、脳の構造や神経系の構成が重要ポイントである。

◆刺激の受容と反応

生物を取り巻く環境の変化を刺激という。刺激に対する反応を興奮といい、刺激を受け取る器官を受容器（感覚器）という。目、耳、鼻、舌、皮膚、筋肉などがその例である。刺激は感覚神経を経て中枢神経系に伝わる。

また、中枢神経系からの指令によって刺激され、反応する器官を効果器（作動体）という。効果器には筋肉やべん毛、分泌腺などがある。中枢神経系からの指令は運動神経を経て効果器に伝わる。

◆ヒトの視覚器の構造と働き

光は角膜を通り瞳孔、水晶体、ガラス体を経て網膜の視細胞に達し、興奮は、視神経から大脳へ伝達される。視細胞には光に対する感度は弱いが、色の区別ができる錐体細胞と色の区別はできないが、光に対する感度は大きいかん体細胞がある。

- **明暗順応**…暗い所から明るい所に出ると、一瞬まぶしいが、すぐに慣れる。これを明順応といい、逆に明るい所から暗い所に出てすぐは何も見えなくてもすぐに慣れて見えるようになる。これを暗順応という。

| 用 | 語 | **盲斑（盲点）**：盲斑は視神経の束が出てゆく部分で、視細胞がないので、光を受容できない。 |

◆ヒトの聴覚器の構造と働き

ヒトの耳は外耳、中耳、内耳の３つの部分からなる。耳殻からの音は、外耳道を通り鼓膜を振動させ、耳小骨で増幅され、うずまき管内のリンパ液を振動させる。これが基底膜、コルチ器、聴細胞、大脳を経て音を感じる。また、内耳の中の前庭は傾きの知覚を、半規管は回転方向の知覚に関与する。

◆刺激の伝達

神経細胞をニューロンといい、細胞体、樹状突起、軸索からなる。軸索は神経鞘で覆われ、軸索と神経鞘を合わせて神経線維という。ニューロン間の接続部分をシナプスといい、興奮が軸索の末端まで伝わると、神経伝達物質がシナプス小胞から放出され、シナプス間隙を通って次の神経細胞の細胞膜にある受容体へと伝えられる。

ワン・ポイント 神経伝達物質

アセチルコリン…運動神経や副交感神経の末端から分泌される。
ノルアドレナリン…交感神経の末端から分泌される。

◆興奮の伝達
（1）静止電位

ニューロンも細胞膜で覆われていて、膜の外側は Na^+ が多く、内側は K^+ が多い。膜の内側の K^+ は一部がカリウムチャネルを通って細胞外に流出するため、膜

の内側が－の電荷、外側が＋の電荷になっている。刺激を受けていないときの、膜の内と外の電位差を膜電位といい、静止時の膜電位を静止電位という。

（2）活動電位

刺激を受け興奮が生じると、Na^+ が急激に膜内に流れ込み、電位の＋－が瞬間的に逆転する。この時の電位の変化を活動電位という。活動電位が発生すると興奮部と隣接部の間に電流が流れる。これを活動電流といい、活動電流が次々に伝わることで刺激が伝達される。

（3）限界刺激（閾値）

興奮を引き起こす最小限の刺激の強さを閾値と呼ぶ。これ以下の刺激の強さでは、興奮は起こらない。

（4）全か無かの法則

閾値以下の刺激では興奮は起こらず、それ以上の強さになると興奮が起こる。刺激に対しては、全く反応しないか、一定の大きさで反応するかのどちらかである。

◆ヒトの神経系

（1）中枢神経系

脊椎動物の中枢神経系は脳と脊髄からなり、脳は大脳、間脳、中脳、小脳、延髄に分かれる。脊髄は脊椎骨の中にあり、脳の延髄とつながる。

◎中枢神経の働き

大脳	運動、感覚、思考、記憶、言語などの精神活動の中枢
間脳	自律神経の中枢。血糖値、体温調節の中枢
中脳	眼球の反射など。姿勢を保つ中枢
小脳	体の平衡を保つ中枢
延髄	呼吸、心臓拍動の調節、だ液の分泌
脊髄	脳への刺激の伝達。脊髄反射の中枢

大脳の表面に近い灰色の部分（大脳皮質）は細胞体が集合していて灰白質という。中心部（大脳髄質）は軸索が集合し白色に見える。これを髄質という。

（2）末梢神経系

中枢から出て、体の各部に達する神経であり、働きによって体性神経系と自律神経系に区分される。また、末梢神経系はつくりの上から脳神経と、脊髄神経に分類できる。

- **体性神経系**

運動や感覚に関する神経で、受容器から中枢へ興奮を伝える神経を感覚神経、中枢から体の各部へ興奮を伝える神経を運動神経という。

- **自律神経系**

意思とは関係なく働き、内臓の働きを自立的に調節する神経。自律神経系は交感神経と副交感神経に分かれる。両者は拮抗的に作用する。

◆反射

刺激に対して無意識に起こる反応を反射という。反射は大脳以外の中脳、延髄、脊髄が中枢となる反応で、大脳を経由しない。刺激を受けてから反射が起こるまでの経路を反射弓という。

出題パターン

交感神経の作用に関する記述の空所 A ～ C に当てはまる語句の組合せとして、最も妥当なものはどれか。

交感神経と副交感神経は、一方が促進すれば他方は抑制するというように拮抗的な働きをする。各器官に対して交感神経は、心臓の拍動には（A）作用、すい臓の膵液分泌には（B）作用、胃や腸の運動には（C）作用を及ぼす。

	A	B	C
（1）	促進	促進	促進
（2）	促進	促進	抑制
（3）	促進	抑制	抑制
（4）	抑制	抑制	抑制
（5）	抑制	抑制	促進

答（3）

重要度
★★★

地球の内部構造・地層・岩石

地球の内部構造・地震波・地層の成り立ち・岩石の種類と特徴について学ぶ。
地層や岩石の分野は頻出分野であり、重要度が高い。

◆地球の形

地球は完全な球ではなく、赤道方向に少しふくらんだ回転楕円体であり、地球の大きさは

- 赤道半径…約 6378km
- 極半径…約 6357km
- 表面積…約 5.1×10^8km^2

で、海洋部分が約 70％を占める。地球の表面を平らにならすと、海面で覆われ、その深さは約 2700m になる。地球全体を平均海水面で覆ったときにできる球面で示した地球の形をジオイドという。

◆地震波

観測点に最初に到達する波を初期微動（P 波）という。P 波は縦波で、固体、液体、気体中のすべてで伝わる。主要動（S 波）は横波である。S 波は固体中のみで伝わる。地表付近での速さは、P 波の方が速く、P 波が 5 ～ 6km/s、S 波が 3 ～ 3.5km/s である。

◎地震波

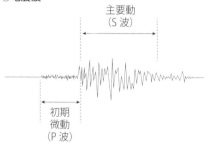

主要動
（S 波）

初期
微動
（P 波）

（1）初期微動継続時間

P 波が到達してから S 波が達するまでの時間を、初期微動継続時間という。P 波の速さを V_p（km/s）、S 波を V_s（km/s）とし、震源から観測点までを d（km）とすると、初期微動継続時間 t（s）は以下の式になる。

$$t = \frac{d}{V_s} - \frac{d}{V_p}$$

（2）震度

地震の揺れの大きさを表す値を震度という。震度は 0 ～ 5 弱、5 強、6 弱、6 強、7 までの 10 段階で表す。

（3）マグニチュード

地震のエネルギーの大きさを表す値をマグニチュードという。数値が 1 大きくなると、地震のエネルギーは約 32 倍になり、2 大きくなると 1000 倍になる。

◆地球の内部構造

地球の内部構造は、表層側から順に、地殻（0 ～ 50km）、マントル（50 ～ 2900km）、外核（2900 ～ 5100km）、内核（5100 ～ 6400km）と続く（km はおおよその目安）。

マントルはかんらん岩質の固体だが流動性がある。外核は高圧、高温のため鉄、ニッケルが融解した液体の層であり、内核は鉄、ニッケルの固体の層である。

ワン・ポイント 地震は震源から地球の中心に向かって広がるが、103 ～ 142°の間では揺れが観測されない。これをシャドーゾーンという。S 波は液体部分を伝わらず、P 波は外核での屈折率がマントル部とは異なるためである。

用語　**モホロビチッチ不連続面**：地殻とマントルの境界面のこと。モホ面ともいう。
グーテンベルク不連続面：マントルと外核の境界面のこと。
レーマン不連続面：外核と内核の境界面のこと。

◆**地殻の構造**

　地殻は大陸地殻と海洋地殻に分けられ、大陸地殻の厚みは、おおよそ 30 ～ 50km である。上層部は花崗岩質、下層部は玄武岩質の岩石からなる。

　海洋地殻での厚みは、5 ～ 10km 程度である。玄武岩質の岩石の層のみからなる。

- **アイソスタシー**…地殻はマントルに浮かんだ状態で、厚みの厚いところと薄いところの重さは釣り合っていると考えられている。これをアイソスタシー（地殻平衡）と呼ぶ。
- **プレートテクトニクス**…地球の表面がプレートと呼ばれる固い岩盤で覆われていて、それぞれのプレートが 1 年に数 cm の速さで移動するという考え方。プレートどうしがぶつかるところでは山脈ができ、沈み込むところでは海溝ができ、規模の大きな地震が生じる。
- **リソスフェア**…地表からマントル上部までの、粘性の大きい部分をリソスフェア、その下側の粘性の小さい部分をアセノスフェアという。プレートはリソスフェアにあたる。
- **マントル対流**…マントルは固体であるが、対流をしている。これがプレートの移動を生じさせている。

◆**日本付近のプレート**

　日本付近にはユーラシアプレート、北米プレート、太平洋プレート、フィリピン海プレートの 4 つのプレートがある。海洋プレートは大陸プレートの下側に沈み込み、大陸プレートも少しずつ引き込まれ歪みのエネルギーが蓄積される。これが限界に達すると、大きなエネルギーが放出され巨大地震が発生する。

◆**火山活動**

　岩石のもとになる地下の溶解した物質をマグマといい、地表に噴出したものが溶岩である。マグマはマントル上部で生じ、上昇して地殻のマグマ溜りに蓄えられる。マグマ溜りの圧力が上昇すると、火山の噴火が生じる。

◆**火成岩**

　マグマが固まってできる岩石を火成岩といい、火山岩と深成岩に分類される。

- **火山岩**…マグマが急激に冷えて固まってできた岩石。細かな結晶やガラス質（石基）の間に、大きな鉱物粒（斑晶）が含まれる。これを斑状組織という。
- **深成岩**…マグマがゆっくりと固まってできる岩石。岩石中の鉱物粒は大きく、大きさがそろっている。これを等粒状組織という。

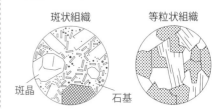

ワン・ポイント　火山岩と深成岩

火山岩	玄武岩	安山岩	流紋岩
深成岩	かんらん岩　斑れい岩	閃緑岩	花崗岩
色	黒っぽい ⟷ 白っぽい		

肉眼で見て岩石の色が白っぽいと酸性岩、黒っぽいと塩基性岩、中間色では中性岩に分類できる。

◆火山噴出物

- **火山ガス**…大半が水蒸気で、二酸化炭素、二酸化硫黄、硫化水素を含む。
- **火山砕屑物**…噴火で飛び散る岩石のことで、火山岩塊、火山れき、火山灰などがある。
- **溶岩**…マグマが地表に噴出したもので、流体として流れ出た溶融物質と、それが固まってできた岩石である。

◆溶岩の性質と噴火の形式

粘性の小さい溶岩では、穏やかな噴火が起こり溶岩流が発生しやすく、溶岩台地や楯状火山を形成する。粘性が大きいと、爆発的な噴火になり、溶岩ドームができることもある。

◆流水の働き

河川の働きには侵食、運搬、堆積の3つがある。

(1) 侵食による地形

勾配の大きい河川の上流部では川底が侵食されV字谷ができる。中流域では、河床が隆起後、川底が侵食されると河岸段丘ができる。下流域では、蛇行が進んだ河川に洪水などで大量の水が流れることがあると、河川は再びまっすぐに流れ、残された部分に三日月湖ができる。

(2) 堆積による地形

山間部から平野部に出る部分には土砂が扇形に堆積した扇状地ができる。下流域では河口付近に三角州ができる。

(3) 堆積岩

風化や侵食でできた岩石が、運搬され堆積して、続成作用により堆積岩になる。堆積物の起源や種類によって砕石岩、生物岩、化学岩に分類される。

(4) 堆積岩の分類と名称

- **砕屑岩**…風化、侵食によってできたれき、砂、泥が堆積した岩石。

れき岩	粒子の直径が 2mm 以上のもの
砂岩	粒子の直径が2〜1/16mm のもの
泥岩	粒子の直径が1/16mm 以下のもの

- **生物岩**…生物の遺骸が堆積した岩石。
- **化学岩**…水中に溶けている成分が沈殿し堆積した岩石。石灰岩、チャートなど。

石灰岩	炭酸カルシウムを主成分とする。貝殻、サンゴ、フズリナなどからできている
チャート	海水中のケイ酸分が主成分。放散虫、珪藻土などからできている
石炭	植物からできている

◆地層

大きな地殻変動がない場合、地層が堆積するとき下から上に重なるので、上側の地層の方が下側より年代が新しい。これを地層累重の法則という。地層と地層の境界面を層理面といい、流れのない水底に地層が堆積する場合、粒の大きいものほど下位になる。こうしてできた層理を級化層理という。細い筋状の模様（ラミナ）が斜めに交わったものをクロスラミナという。

> **用語** ラミナ：葉理と呼ばれる地層中の成層構造の最小単位のこと。類似した葉理が重なり単層を形成し、単層が重なり地層となる。

(1) 整合と不整合

層理が連続して堆積したものを整合、地層が隆起し、風化・侵食をうけた後再び沈降し、新しい地層が堆積するような大きな地殻変動があった場合を不整合という。不整合は陸化があったことを示す。

(2) 基底れき岩

不整合面は地層が隆起したのち、風化・侵食を受けるため不規則な凹凸が生じる。その上のれき岩の層を基底れき岩という。

◆断層

地層が圧力や張力を受けて破壊され、ある面を境にずれたもの。

- **正断層**…水平方向の張力による断層。上盤側がずり落ちている。

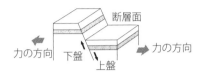

断層面
力の方向　下盤　上盤　力の方向

- **逆断層**…水平方向の圧力による断層。上盤側が他方に乗り上げる。

下盤　上盤

- **横ずれ断層**…水平方向に地層がずれたもの。

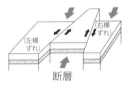

（左横ずれ）　（右横ずれ）
断層

- **褶曲**（しゅうきょく）…地層が、横方向からの圧力で、波状に曲げられたもの。褶曲の波形の谷の部分を向斜、褶曲の波形の山の部分を背斜という。

- **活断層**…数十万年前に動いた断層で、今後も動く可能性のある断層。

重要ポイント　**日本の代表的な活断層**

断層の集まりを構造線という。
中央構造線…関東から西南日本を横断し、九州に至る日本最大級の断層群
糸魚川〜静岡構造線…親不知（新潟県）から諏訪湖を経由し、安倍川（静岡県）に至る巨大な断層

◆化石と地質年代

化石は地質時代の生物の遺物であり、生物の遺体や足跡、糞などの活動の痕跡を含む。示準化石と示相化石がある。

示準化石	特定の時代の地層にだけ発見され、地層の年代の推定に役立つ化石	• 生存期間が短く、数多く発見される • 地理的分布が広い
示相化石	地層が堆積した時代の環境が推定できるような化石	• 現生種と比較して生息環境がある程度推定できる • 流水などで運搬されていない

＋アルファ　**主な示準化石の例**

三葉虫（古生代前期）
フズリナ（古生代後期）
アンモナイト（中生代）
始祖鳥（中生代ジュラ紀）
マンモス（新生代第四紀）

◆造山運動と変成岩

激しい地殻変動が起きている地域を造山帯という。造山運動は大山脈を作るような大規模な地殻変動で、数千万年から数億年の規模で生じる。それを引き起こしているのがプレートの衝突である。

◆変成岩

堆積岩や火成岩が地下で高温、高圧を受けて変化した岩石を変成岩という。細かな板状の鉱物が一定方向に並んだ構造（片理）で板状にはがれる。光沢があり、化石を含まないなどの特徴がある。

（1）接触変成岩

周囲の岩石がマグマの熱で変成作用を受けることを接触変成作用といい、できた岩石を接触変成岩という。泥岩や砂岩が変成作用を受けてできるホルンフェルス、石灰岩が変成作用を受けてできる結晶質石灰岩（大理石）などがある。

（2）広域変成岩

造山運動の際の広域での高圧、高温による変成を広域変成作用という。このときできるのが広域変成岩である。片麻岩、結晶片岩、千枚岩などがある。

重要度
★★★

地球の熱収支

ここでは、大気圏の構造、水の循環について学び、地球全体としての熱のつり合いである地球の熱収支を考える。また、フェーン現象も取り上げる。

◆大気圏

大気の層は高さとともに、気温、密度、組成などが変化する。上空80kmまでは窒素（約80％）、酸素（約20％）、アルゴン、二酸化炭素などを含む。それ以上では、酸素原子とヘリウムが多くなる。

（1）大気圏の構造

- 対流圏…地表〜約11km上空までの範囲。大気の対流が活発で雲や降水などの気象現象が起こる。高度が100m上昇するごとに気温が約0.65℃低下する。
- 成層圏…約11km〜約50kmの範囲。気温は20km付近まではほぼ一定で、その後は上昇する。20km〜30km付近にオゾン層があり、太陽の紫外線が吸収されるためである。
- 中間圏…約50km〜80kmの範囲。高度とともに気温は低下し、80km付近で最低気温（約−85℃）になる。
- 熱圏…約80km〜大気圏の終わり（500km）まで。高度とともに気温は急激に上昇する。大気中の分子や原子が紫外線でイオンになり電波を反射する。これを電離層という。オーロラが出現する。

＋アルファ 熱圏より外側を外気圏、対流圏と成層圏の境目を圏界と呼ぶ。

用語 **オゾン層**：成層圏に存在するオゾン（O_3）の多い層。太陽からの有害な紫外線を吸収し、地表に届かないように保護する役目がある。

（2）太陽放射

太陽のエネルギーは紫外線、可視光線、赤外線の形で地球に伝わるが、そのうち可視光線によるもののエネルギーが最も大きい。

（3）太陽定数

地球大気表面で、太陽光線に垂直な$1m^2$の面積が1秒間に受ける太陽光線のエネルギーを太陽定数という。その値は$1.37kW/m^2$である。

＋アルファ 地球全体が1秒間に受ける太陽エネルギーは、地球の断面積が$1.3 \times 10^{14}m^2$なので、
$$1.37 \times 1.3 \times 10^{14} = 1.78 \times 10^{14}$$
$$\fallingdotseq 1.8 \times 10^{14}kW$$
となる。

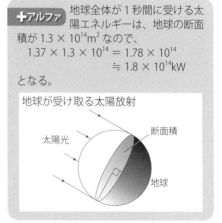

地球が受け取る太陽放射

◆地球の熱収支

地球は赤外線を放射して熱を放出している。これを地球放射という。また、地球の大気や雲も太陽放射を吸収、反射し散乱、熱放射する。このような熱の出入りを熱収支といい、地球の熱収支はつり合っている。入射する太陽放射のうち、地表に吸収されるのは約半分である。

◆熱収支の緯度による違い

緯度によって太陽高度（水平面と太陽のなす角度）が異なるため、単位面積あたりの太陽放射のエネルギーも低緯度地域で多く、高緯度地域で少なくなる。一方、地球の放射するエネルギーは緯度による違いは少ない。そのため緯度ごとの熱収支はつり合わず、低緯度地域では熱が過剰になり、高緯度地域では不足する。これを解消するために、低緯度地域の熱は高緯度地域へ大気の循環、海流、水蒸気（潜熱）によって運ばれる。

◆水の循環

水は固体、液体、気体と状態を変化させるときに熱の出入りを伴う。これが地球上で熱を運ぶ役割をしている。

 ワン・ポイント　状態変化と熱

物質の固体、液体、気体を三態という。状態変化に伴う熱を潜熱といい、気体から液体に変わるとき凝縮熱（凝結熱）が放出され、液体から気体に変わるときには蒸発熱（気化熱）が吸収される。固体から液体への変化では融解熱が吸収され、液体から固体への変化では凝固熱が放出される。

◆飽和水蒸気圧

一定温度で単位体積あたりに含まれる水蒸気が示す最大の圧力を飽和水蒸気圧という。温度と飽和水蒸気圧の関係を示したグラフを蒸気圧曲線という。

◆湿度（相対湿度）

ある温度での飽和水蒸気圧に対する実際の水蒸気圧の割合を湿度といい、空気の湿り具合を示す。

$$\text{相対湿度} \atop (\% \text{RH}) = \frac{\text{実際の水蒸気圧}}{\text{その温度での飽和水蒸気圧}} \times 100$$

◆断熱変化

周囲との熱の出入りなしに、気体の体積を変化させることを断熱変化という。

気体は熱の出入りがなくても、体積が膨張すると温度が下がり、圧縮すると温度が上がる。

水蒸気が不飽和状態の断熱変化で温度が変化する割合を乾燥断熱減率という。100m 高度が上昇すると温度は約 1℃低下する。また、飽和状態の断熱変化で温度が変化する割合を湿潤断熱減率といい、100m 高度が上昇すると温度は 0.5℃低下する。低下の割合が小さくなるのは水蒸気が凝縮し、凝縮熱が放出されるためである。

ワン・ポイント　暖かく湿った空気が山の斜面を上昇すると、ある高度で飽和に達した水蒸気が雨となる。このとき気温は 100m ごとに 0.5℃低下する。雨を降らせた空気は乾燥し、100m 下降するごとに 1.0℃上昇するため、高温の風となって吹き下る。このような現象をフェーン現象という。

◆雲の発生

水蒸気を含む空気が上昇して冷やされると、飽和に達し凝結して水滴や氷晶になる。このような微小な水滴や氷が大気中に浮かんでいるものが雲である。

出題パターン

海抜 0m の A 点から 25℃の空気が山脈に沿って上昇し、高度 1000m の B 点で雲が生じ、雨を降らせながら 2000m の山頂に達した。その後空気は山脈を下り海抜 0m の C 点に達した。乾燥断熱減率を 1℃/100m、湿潤断熱減率を 0.5℃/100m として、C 点での気温を答えよ。
(1) 15℃
(2) 20℃
(3) 25℃
(4) 30℃
(5) 35℃

答　(4)

重要度
★★★

レッスン 03 大気と海洋・環境問題

熱収支に伴う風の流れと海洋の役割について学ぶ。さらに、重要度の高い分野である環境問題について考える。

◆風

単位面積あたりの大気の重さを気圧という。気圧に差が生じると、気圧の高い方から低い方に向かって大気の流れが生じる。これが風である。等圧線の間隔が狭いほど、風は強い。水平方向の2地点の気圧差を気圧傾度といい、その力を気圧傾度力という。

◆熱対流による風

周囲より温度が高い部分では上昇気流が生じ、その下層で空気が流れ込み対流が生じる。このとき風が生じる。

- **海陸風**…日中に海から山に向かって吹き、夜間は山から海に吹く風。水は比熱が大きく、昼間は海より陸地の方が温度が高いため地表付近では海からの風が吹く。一方、夜間は海の方が温度が高いので、陸側から海に風が吹く。
- **季節風**…風は、夏は海から陸へ、冬は陸から海に向かって吹く。夏は陸の方が高温で、冬は海の方が高温になるためである。

◆大気の大循環

地球は低緯度地帯で熱が余り、高緯度地帯で不足している。これによって生じる温度差を解消するため大気の循環によって熱が移動する。大気の大循環は、緯度ごとに生じる3つの循環と考えることができる。

①**緯度0°〜30°付近**…赤道付近（熱帯収束帯）で上昇した大気が緯度30°付近（亜熱帯高圧帯）で下降し、低緯度地帯への北東貿易風（南半球では南東貿易風）が吹く。

②**緯度30°〜60°付近**…亜熱帯高圧帯で下降した大気は、一方で高緯度地帯で偏西風となり、寒帯前線で上昇する。

③**緯度60°〜90°付近**…極高圧帯から東風（極偏東風）が吹き出す。

＋アルファ

3つの循環を①ハドレー循環、②フェレル循環、③極循環と呼ぶ。

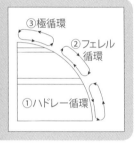
③極循環
②フェレル循環
①ハドレー循環

◆気団と前線

周囲より気圧の高いところを高気圧といい、上空で空気は収束し、下降気流を生じ一般に天気はよい。周囲より気圧の低いところを低気圧といい、上昇気流が生じるため、雲が発達し、天気は悪い。

(1) 気団

大陸や海洋上に長期間とどまる高気圧により、広い範囲で均一な性質を持つ大気のかたまりを気団という。

(2) 前線

2つの異なる気団の境界面にできる、厚さ1kmほどの層を前線面という。前線面と地表面との交線が前線である。

- **温暖前線**…暖かくて軽い空気（暖気）が冷たい空気（寒気）の上をゆるやか

に上昇し、寒気を押しながら移動する前線。前線の寒気側の広い範囲で曇りや雨になり、通過時には、広い範囲で長時間おだやかな雨が降る。前線通過後は気温が上昇し、天気は回復する。

• **寒冷前線**…冷たく重い空気が暖気の下にもぐり込み、暖気を押し上げながら移動する前線。寒冷前線付近では積乱雲が発生し、雷雨や突風を伴い強い雨が狭い範囲に降る。前線の通過後は、気温が急激に下がる。

• **停滞前線**…寒気と暖気の勢力がほぼ等しいとき、両方の気団がほとんど動かず停滞する。

◆台風
　熱帯地方で生じる熱帯低気圧で、10分間の平均で求めた最大風速が17.2m/s以上のものを台風という。

◆日本の天気の特徴

冬	シベリア上空にシベリア高気圧が発達し、日本の東海上に低気圧が生じて、西高東低の気圧配置になる。そのため北西の季節風が吹く。日本海側に大雪が降る一方、太平洋側は乾燥した晴天が続く
春	揚子江付近から移動性高気圧がやって来て、天気は周期的に変化する
梅雨	北のオホーツク海高気圧と南の小笠原高気圧（太平洋高気圧）の間に、梅雨前線が生じ雨が続く。湿った空気が梅雨前線に流れ込むと豪雨になる。小笠原高気圧の勢力が強まり、前線が押し上げられると、梅雨が明ける
夏	小笠原高気圧が日本列島を覆い、南高北低の気圧配置になる。高温多湿で南寄りの風が吹く
秋	春と同じく移動性高気圧と低気圧が交互にやって来て、天気は周期的に変化する

◆海洋の役割・熱の貯蔵
　海水は比熱が大きいため、多くの熱を蓄えている（海洋は大気全体の約30倍の熱量を蓄える）。この熱は海流によって、高緯度地域に運ばれたり、大気を温めたりする。さらに、海洋には多量の二酸化炭素が溶け込み、その量は大気の数十倍といわれる。

ワン・ポイント　ペルー沖の海水温が平年より上昇する現象をエルニーニョ現象という。このとき日本では長い梅雨や、冷夏、暖冬になる。逆に、ペルー沖の海水温が異常に低くなる現象をラニーニャ現象といい、日本では夏が猛暑で寒い冬となる。

◆環境問題
（1）地球温暖化
　人間の活動で放出された二酸化炭素が、地球の温暖化の主な原因とされる。二酸化炭素は赤外線を通過させず、地球の熱放射を遮断するため気温が上昇する。温暖化で海水面が上昇し、低い土地の水没の危険が高まる。さらに勢力の強い台風の発生や、病原となる生物の生存域が広まる危険などがある。

（2）オゾン層の破壊
　冷却剤や洗浄剤に含まれるフロンガスがオゾン層を破壊する。オゾン層に穴（オゾンホール）が開くと紫外線が直接地表に達し、皮膚ガンや目の障害の危険が増す。

（3）酸性雨
　化石燃料の燃焼で生じる硫黄酸化物や窒素酸化物が硫酸や硝酸に変化し、酸性雨となって地表に降り注ぐ。酸性雨の影響で、湖沼のプランクトンが死滅し、生態系が破壊されたり、土壌のアルミニウムなどが溶け出し植物に被害が及ぶ。

（4）森林伐採・砂漠化
　熱帯林が焼畑農業、過剰放牧、伐採などで破壊され、表土の流出などが生じ森林が失われる。

03　大気と海洋・環境問題

自然科学：地学

レッスン 04 地球の自転と公転・太陽系

地球の自転と公転の証拠・太陽と太陽系の惑星の特徴をまとめる。太陽の構成や太陽系の惑星の特徴が頻出分野である。

◆地球の自転と公転

（1）天体の日周運動

天体が約1日の周期で、東から西へ移動することを日周運動という。これは地球の自転による見かけの運動である。

- **南中**…恒星が天の子午線を通過することを南中という。そのとき南の地平線から測った高度を南中高度という。

> **南中高度の求め方（北半球）**
> ①春分、秋分の日の太陽は天の赤道上にあるので、90°－観測点の緯度
> ②夏至の日の太陽は、太陽が天の赤道から23.4°北にずれるので、90°－（観測点の緯度－23.4°）
> ③冬至の日の太陽は、南に23.4°ずれるので、90°－（観測点の緯度＋23.4°）

- **周極星**…地平線に没することなく常に地平線上にある恒星を周極星という。
- **出没星**…東の地平線から出て、西の地平線に没する恒星を出没星という。

> **用語** **天球**：地球を中心とした天体を投影する球
> **天の赤道**：地球の赤道面を拡大してできる天球上の円
> **天の黄道**：天球上で太陽が移動する道筋
> **天の北極**：地球の北極の延長が天球と交わる点
> **天頂**：地上の観測者の真上の点
> **天の子午線**：天の北極、南極、天頂を結ぶ円

◆地球の自転の証拠

地球は地軸を中心に23時間56分4秒で西から東へ1回転する。これを1恒星日という。地軸は地球の公転軌道面と垂直な方向から23.4°傾いている。

（1）フーコーの振り子

長い針金に重い振り子をつるして振ると、北半球では振り子の振動面が時計回りに移動する。これは振り子振動面は回転しないが、観測者が地球の自転で移動しているため、振動面が移動していると感じるからである。赤道上では振動面は回転せず、北極上では1日に1回転する。

（2）コリオリの力

地球の自転により、運動する物体に対して働く見かけの力。転向力ともいう。北半球では運動の向きが右へそれ、偏西風などの原因となる。

◆地球の公転の証拠

地球は太陽の周りを365.25日で公転する。これを1恒星年という。公転の向きは、北極の上空から見て反時計回りである。地球の公転の証拠には次のようなものがある。

- **年周視差**…遠くの恒星の位置は変化しないが近くの恒星は地球の公転によって季節によって見える位置が異な

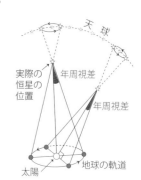

る。このときのずれの最大角の 1/2 を年周視差という。

- **年周光行差**…地球が公転しているので、恒星からの光は実際の方向より、斜め前からくるように見える。恒星の真の方向と、見かけの方向の角度を年周光行差という。

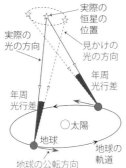

◆太陽

太陽は、大半が水素で、次いでヘリウムからできている。半径は地球の約 109 倍、質量は地球の約 33 万倍である。

太陽の表面部分を光球という。その表面温度は約 6000 K（ケルビン）で、光球面に現れる黒い斑点を黒点といい、周囲より温度は低い（約 4000 K）。

太陽の大気は、光球の外側の厚さ約 2000km の層である彩層、彩層の外側の層のコロナ（温度は 100 万 K 以上）からなり、彩層から出る炎のような突起をプロミネンス（紅炎）という。

> **用語　フレア、デリンジャー現象：** フレアは黒点付近の彩層が急に燃え上がる現象で、多量の紫外線、X 線、荷電粒子などが放出される。地球では電離層が乱れて、通信障害（デリンジャー現象）やオーロラが発生する。

◆恒星・惑星・衛星

自ら光を発する星を恒星という。恒星の周りを公転する星を惑星といい、惑星の周りを公転する星を衛星という。

◆太陽系の惑星

(1) 地球型惑星

水星、金星、地球、火星。惑星は小さく、重力が小さいため軽い大気を引きとめられず、二酸化炭素や窒素が薄い大気層をつくる。

(2) 木星型惑星

木星、土星、天王星、海王星。惑星は大きく、重力が大きい。多くの衛星や環を持ち、水素やヘリウムが厚い大気層をつくる。

◎主な惑星の特徴

水星	大気がなく、昼と夜の温度差が 600℃ 近くになる。表面に多数のクレーターがある
金星	二酸化炭素の雲に覆われ、温室効果のため、表面温度が 470℃ に達する。自転周期は約 243 日である
火星	赤茶けた惑星で大気は薄く、極冠と呼ばれる氷が存在し、かつては水が流れていた。自転周期はほぼ地球と同じ
木星	太陽系最大の惑星。水素とヘリウムを主成分とする大気に覆われている
土星	微細な岩石や氷の粒でできた環を持つ惑星

🔔 出題パターン

太陽に関する記述として、最も妥当なものはどれか。
(1) 太陽の表面に現れる黒点は、周囲よりも温度が 1000 〜 1500K ほど高い部分である。
(2) 太陽の光球外側で見られる巨大な炎のような気体をフレアという。
(3) 太陽表面から放出され電荷を持つ高速の粒子の流れを太陽風という。
(4) 太陽から放出されるエネルギーの源は、ウランの核分裂反応である。
(5) 黒点付近の彩層とコロナの一部が突然明るくなる現象をプロミネンスという。

答（3）

練習問題

No.1 次の式の値として、正しいのはどれか。

$$\left(\frac{\sqrt{2}+1}{\sqrt{2}-1}\right)^3 + \left(\frac{\sqrt{2}-1}{\sqrt{2}+1}\right)^3$$

(1) $\dfrac{18}{7}$　　(2) 34　　(3) 198　　(4) 216　　(5) 234

正答：(3)

まず、$\dfrac{\sqrt{2}+1}{\sqrt{2}-1}$ を x、$\dfrac{\sqrt{2}-1}{\sqrt{2}+1}$ を y、とおいて考える。

分母を有理化すると、

$$x = \frac{(\sqrt{2}+1)^2}{(\sqrt{2}-1)(\sqrt{2}+1)} = \frac{2+2\sqrt{2}+1}{2-1} = 3+2\sqrt{2}$$

$$y = \frac{(\sqrt{2}-1)^2}{(\sqrt{2}+1)(\sqrt{2}-1)} = \frac{2-2\sqrt{2}+1}{2-1} = 3-2\sqrt{2}$$

よって、$x+y = (3+2\sqrt{2}) + (3-2\sqrt{2}) = 6$

$\quad\quad\quad xy = (3+2\sqrt{2})(3-2\sqrt{2}) = 9-8 = 1$

このとき求める値は、

$$x^3 + y^3 = (x+y)^3 - 3xy\,(x+y)$$
$$= 6^3 - 3\cdot1\cdot6 = 198$$

No.2 2次関数 $y=ax^2 + 2ax + a^2$ の最大値が 6 であるとき、a の値として正しいのはどれか。

(1) -3　　(2) -2　　(3) 2　　(4) 3　　(5) 3、-2

正答：(2)

まず、最大値をもつので 2 次関数は上に凸である。

よって $a<0$ となる。このとき平方完成すると、

$$y = a\,(x^2 + 2x) + a^2$$
$$= a\,(x+1)^2 + a^2 - a$$

最大値は 6 なので、

$$a^2 - a = 6$$
$$a^2 - a - 6 = 0$$
$$(a-3)(a+2) = 0$$

よって、$a = 3$、-2

$a<0$ なので、求める a の値は $a = -2$

No.3　AB = 3、BC = 7、CA = 5 の△ ABC において、最も大きい内角の大きさとして正しいのはどれか。

(1) $60°$　　(2) $90°$　　(3) $120°$　　(4) $135°$　　(5) $150°$

正答：(3)

　三角形において、最大の内角は最長辺の対角なので、最大角は∠ A である。よって、余弦定理を用いて、

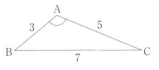

$$\cos A = \frac{b^2 + c^2 - a^2}{2bc} = \frac{5^2 + 3^2 - 7^2}{2 \cdot 5 \cdot 3} = -\frac{1}{2}$$

$$\angle A = 120°$$

No.4　点 C $(4, 3)$ を中心とする半径 1 の円に対し、原点 O から引いた 2 本の接線の接点をそれぞれ A、B とする。このとき、線分 OA と OB の長さの積の値として正しいのはどれか。

(1) $2\sqrt{6}$　　(2) 5　　(3) 12　　(4) 24　　(5) 25

正答：(4)

　まず、円に引いた接線の長さは等しいので OA = OB である。また、OA ⊥ AC なので、△ OAC に三平方の定理を用いて、

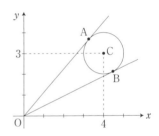

$$OA \times OB = OA^2 = OC^2 - AC^2 \cdots\cdots ①$$

ここで、2 点間の距離より、

$$OC = \sqrt{4^2 + 3^2} = 5$$

円の半径より、

$$AC = 1$$

これらを①に代入して、

$$OA \times OB = 5^2 - 1^2 = 24$$

No.5　数列 3、$\dfrac{3}{2}$、$\dfrac{3}{4}$、$\dfrac{3}{8}$ …… において、項の値が初めて 0.01 より小さくなるのは第何項か、正しいものを選べ。

(1) 第 6 項　　(2) 第 7 項　　(3) 第 8 項　　(4) 第 9 項　　(5) 第 10 項

正答：(5)

　与えられた数列は初項 3、公比 $\dfrac{1}{2}$ の等比数列なので、一般項は、

$$a_n = 3\left(\frac{1}{2}\right)^{n-1} = \frac{3}{2^{n-1}}$$ である。この値が $0.01 = \dfrac{1}{100}$ より小さいとき、

$$\frac{3}{2^{n-1}} < \frac{1}{100} \qquad 2^{n-1} > 300$$

ここで、$2^8 = 256$、$2^9 = 512$ なので、

$$n - 1 = 9$$
$$n = 10$$

No.6 図のように摩擦のない水平面に、5.0kg の物体 A と、10.0kg の物体 B が重さの無視できる丈夫な紐で結ばれて置かれている。図の矢印の方向に 30.0N の力を加えるとき、物体に生じる加速度として、最も妥当なのはどれか。

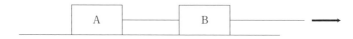

(1) 0.50m/s^2　　(2) 1.0m/s^2　　(3) 1.5m/s^2　　(4) 2.0m/s^2　　(5) 2.5m/s^2

正答：(4)

物体 A についての運動方程式は、糸の張力を T（N）、加速度を a（m/s^2）とすると、

$T = 5.0a$

物体 B については、

$30.0 - T = 10.0a$

よって、

$30.0 - 5.0a = 10.0a$

$30.0 = 10.0a + 5.0a = 15.0a$

$a = 2.0$（m/s^2）

No.7 次の各物質と、その工業的製法の名称の組合せが、妥当なのはどれか。

(1) 硫酸　……………………　オストワルト法
(2) アンモニア……………　接触法
(3) 硝酸　……………………　ハーバー・ボッシュ法
(4) 炭酸ナトリウム　……　ソルベー法
(5) アルミニウム　………　電解精錬

正答：(4)

(1) ×　硫酸の製法は接触法と呼ばれる。二酸化硫黄を、酸化バナジウム（V$_2$O$_5$）を触媒として三酸化硫黄とし、これを発煙硫酸とした後、希硫酸に溶解させる。

(2) ×　アンモニアの製法はハーバー・ボッシュ法という。鉄系の触媒を用いて、窒素と水素から合成する。

(3) ×　硝酸はアンモニアを白金触媒で酸化し、一酸化窒素、二酸化窒素を経て得る。オストワルト法という。

(4) ○　炭酸ナトリウムの製法はアンモニアソーダ法もしくはソルベー法と呼ぶ。塩化ナトリウムの飽和水溶液にアンモニアと二酸化炭素を吹き込み、沈殿する炭酸水素ナトリウムを加熱して炭酸ナトリウムを得る。

(5) ×　アルミニウムはアルミナを溶融塩電解（融解塩電解）して得る。

No.8 次の熱化学方程式を用いて求められるプロパン C_3H_8 の燃焼熱として、最も妥当なのはどれか。

$$C（黒鉛）+ O_2 = CO_2 + 394kJ$$

$$H_2 + \frac{1}{2}O_2 = H_2O（液）+ 286kJ$$

$$3C（黒鉛）+ 4H_2 = C_3H_8（気）+ 105kJ$$

(1) 575kJ/mol　　(2) 785kJ/mol

(3) 1754kJ/mol　　(4) 2221kJ/mol

(5) 2326kJ/mol

正答：(4)

　プロパンの燃焼熱の熱化学方程式は

　　$C_3H_8 + 5O_2 = 3CO_2 + 4H_2O（液）+ Q（kJ）$

　問題の計算式を上から①、②、③とすると、

　①×3＋②×4－③となり、これを計算すると、

　　Q = 2221（kJ/mol）

No.9 肝臓の働きに関する次の記述のうち、最も妥当なのはどれか。

(1) 肝臓では小腸で吸収されたグルコースがデンプンに変えられて貯蔵され、血糖値が低下するとグルコースに分解されて血液中に送り出される。

(2) タンパク質から生じるアンモニアは、肝臓のピルビン回路で毒性の弱い尿素につくり変えられ、腎臓から尿として排出される。

(3) 胆汁を作り十二指腸に分泌する。胆汁には脂肪の分解酵素が含まれる。

(4) アルコールなどの有害物質を、肝細胞で無害な物質に変えて排出する。

(5) 血液タンパクのアルブミン、フィブリノーゲンを合成し、古くなった白血球を破壊する。

正答：(4)

　誤りは以下のとおり。

(1) 肝臓では小腸で吸収されたグルコースがグリコーゲンとして貯蔵される。血糖値が低下したときは、ホルモンの分泌によりグリコーゲンが分解され血糖値が上がる。

(2) アンモニアを尿素に変える反応は、オルニチン回路で行われる。

(3) 胆汁は肝臓で作られるが、胆汁には脂肪の分解酵素は含まれない。胆汁は脂肪を細かい粒にする。これを乳化作用という。

(5) 肝臓では、アルブミンやフィブリノーゲンなどの血液タンパクが作られる。その一方、古くなった赤血球は肝臓で分解される。

No.10 台風に関する記述中の空所 A ～ D に当てはまる語句の組合せとして、最も妥当なのはどれか。

　北太平洋の西部で発生した（　A　）のうち、10分間の平均で求めた最大風速がおよそ17m/s以上のものを日本では台風と呼んでいる。

　台風の内部では、対流圏下層の空気が（　B　）に渦巻きながら中心に吹きこみ、上昇して対流圏上層から（　C　）に回転しながら吹き出す。この上昇気流によって水蒸気が凝結し、巨大な積乱雲が発達する。この時放出される潜熱は上昇流を強めるため、ますます海面での吹きこみが強くなって台風は発達する。

　台風は上空の風に流されて動き、また地球の自転の影響で北へ向かう性質を持っているため、通常東風が吹いている低緯度では西へ流されながら次第に北上し、上空で強い西風が吹いている中・高緯度に来ると台風は速い速度で（　D　）へ進む。

(1)　熱帯低気圧　　反時計回り　　時計回り　　　北西
(2)　熱帯低気圧　　反時計回り　　時計回り　　　北東
(3)　熱帯低気圧　　時計回り　　　反時計回り　　北西
(4)　温帯低気圧　　反時計回り　　時計回り　　　北東
(5)　温帯低気圧　　時計回り　　　反時計回り　　北西

正答：(2)
　台風は赤道付近で発生する熱帯低気圧のうち、最大風速（10分間平均）が17.2m/s以上のものをいう。台風の中心に向かって反時計回りに風が吹き込み、上昇気流となり対流圏上層から時計回りで風を吹き出す。南の海上で発生する台風は湿った空気を多く含み、これが上昇して積乱雲となり激しい雨を降らす。日本付近では偏西風に乗って北東方向に進む。

No.11 地層の堆積構造に関する記述として、最も妥当なものはどれか。
(1) 水や風が向きや速度を変えながら運んだ砂粒が堆積してできた、地層面と斜交した細かな縞模様をリプルマークという。
(2) 砂や泥が一緒になって水中を高速度で移動して静かな水底に形成された海底堆積物を、ソールマークという。
(3) 水流などによって地層の上面にできた周期的な波状の模様を、クロスラミナという。
(4) 1枚の地層の中で下部から上部へ順次粒径が変化していく構造を、タービダイトという。
(5) 地層が堆積したままの状態ならば下位のものほど古く上位のものほど新しいことを、地層累重の法則という。

正答：(5)
(1) ×　クロスラミナの説明である。
(2) ×　タービダイトの説明である。
(3) ×　リプルマークの説明である。
(4) ×　級化層理の説明である。
(5) ○　地層累重の法則の説明である。

警察官Ⅰ類・A合格テキスト

4章

一般知能

レッスン 01 整数問題

整数問題は毎回必ず出題される単元である。約数と倍数（公約数・公倍数）、整数についての方程式、n 進法での計算が主な出題ポイントである。

◆約数と倍数

2 つの整数 a、b に対し、$a = kb$ をみたす整数 k が存在するとき、

- b を a の約数または因数とよぶ
- a を b の倍数とよぶ

また、1 と自分自身しか約数をもたない 2 以上の自然数を素数とよび、素数である約数のことを特に素因数とよぶ。

これに対し、1 と素数以外の自然数は合成数とよび、合成数を素因数の積として表すことを素因数分解とよぶ。

◆公約数

2 つ以上の整数に対し、

- そのすべてに共通する約数を公約数とよぶ
- 公約数の中で最大のものを最大公約数とよぶ

また、2 つの整数 a、b の最大公約数が 1 であるとき、a と b は互いに素であるという。

例

12 の約数は 1、2、3、4、6、12。18 の約数は 1、2、3、6、9、18 なので、公約数は 1、2、3、6 であり、最大公約数は 6 である。

◆公倍数

2 つ以上の整数に対し、

- そのすべてに共通する倍数を公倍数とよぶ
- 公倍数の中で最小のものを最小公倍数

とよぶ

例

12 の倍数は 12、24、36、48、60、72……。

18 の倍数は 18、36、54、72……。よって、12 と 18 の公倍数は 36、72……であり、最小公倍数は 36 である。

重要ポイント　公約数と公倍数

- 公約数は、必ず最大公約数の約数である。
- 公倍数は、必ず最小公倍数の倍数である。

ワン・ポイント　2 つの自然数 a、b の最大公約数を L、最小公倍数を L とすると、$ab = GL$ が成り立つ。

◆倍数の判定法（九去法）

- 2 の倍数：一の位が 2 の倍数（0、2、4、6、8）
- 3 の倍数：各位の数の和が 3 の倍数（3456 → 18、16389 → 27 など）
- 4 の倍数：下 2 桁が 4 の倍数
- 5 の倍数：一の位が 0 か 5
- 6 の倍数：一の位が 2 の倍数かつ各位の数の和が 3 の倍数

- 8の倍数：下3桁が8の倍数
- 9の倍数：各位の数の和が9の倍数

◆割り算と最大公約数

2つの自然数 a、b $(a > b)$ に対し、a を b でわったときの余りを r とすると、

（a と b の最大公約数）

＝（b と r の最大公約数）

が成立する。

 ワン・ポイント ユークリッドの互除法

2つの自然数 a、b $(a > b)$ に対し、a を b でわった余りを r_1 とし、b を r_1 でわった余りを r_2 とし、r_1 を r_2 でわった余りを r_3 とし、…、r_{n-2} を r_{n-1} でわった余りを r_n とし、r_{n-1} が r_n でわり切れたとする。

すると、a と b の最大公約数は r_n となる。つまり、わり切れた式におけるわる数が、もとの2つの数の最大公約数となる。

例

$a = 328$、$b = 14$ の場合、

328 を 14 でわると　余り6

14 を 6 でわると　　余り2

6 を 2 でわると　　余り0

よって、328 と 14 の最大公約数は 2 である。

用語 **整数解**：整数を係数とする x、y の方程式をみたす、整数 (x, y) のこと。

◆1次不定方程式

2つの整数 a、b が互いに素であるとき、

$$ax + by = 1 \quad \cdots\cdots \quad ①$$

をみたす整数 $(x, y) = (x_0, y_0)$ が存在する。これより

$$ax_0 + by_0 = 1 \quad \cdots\cdots \quad ②$$

①−②より

$$a(x - x_0) + b(y - y_0) = 0$$

$$a(x - x_0) = b(y_0 - y)$$

a と b は互いに素であるから

$a(x - x_0)$ が b の倍数 $\Leftrightarrow (x - x_0)$ が b の倍数より、整数 n を用いて $x - x_0 = bn$ と表せる。このとき、

$$y_0 - y = an$$

となる。よって、①の整数解は

$$(x, y) = (bn + x_0, -an + y_0)(n:整数)$$

また、$ax + by = c$（c は整数）の整数解も同様に

$$(x, y) = (bn + cx_0, -an + cy_0)(n:整数)$$

例

$$5x + 3y = 1 \quad \cdots\cdots \quad ①$$

をみたす整数 (x, y) を求める。

まず、1組の解は、

$(x, y) = (-1, 2)$ なので、

$$5(-1) + 3 \cdot 2 = 1 \quad \cdots\cdots \quad ②$$

①−②より、

$$5(x + 1) + 3(y - 2) = 0$$

$$5(x + 1) = 3(2 - y)$$

5と3は互いに素であるから、

5 $(x + 1)$ が3の倍数

$\Leftrightarrow (x + 1)$ が3の倍数より、整数 n を用いて $x + 1 = 3n$ と表せる。

このとき、$2 - y = 5n$

よって、①の整数解は、

$$(x, y) = (3n - 1, -5n + 2)$$

$$(n:整数)$$

 重要ポイント 2つの整数 a、b が互いに素でないとき、a と b の最大公約数 g に対し、整数 c が g の倍数のとき、$ax + by = c$ は整数解をもつ。

◆2次不定方程式の解き方

- （1次式）（1次式）$= c$（c は整数）の形に変形し、かけて c となる組合せを考える
- （1次式）$^2 +$（1次式）$^2 = c$（c は整数）の形に変形し、c 以下の平方数を考える

【例題】 $xy - 2x - y = 1$ を満たす整数 (x, y) を求めよ。

【解説】 $xy - 2x - y = 1$

$x(y - 2) - y = 1$

$x(y - 2) - (y - 2) - 2 = 1$

$(x - 1)(y - 2) = 3$

ここで、x、y は整数なので、$x - 1$ も $y - 2$ も整数である。よって、かけて 3 となる組を考える。

$(x - 1, y - 2) = (1, 3)$、$(3, 1)$、

$(-1, -3)$、$(-3, -1)$

よって $(x, y) = (2, 5)$、$(4, 3)$、

$(0, -1)$、$(-2, 1)$

【例題】 $x^2 - 2xy + 4y^2 = 4$ を満たす整数 (x, y) を求めよ。

【解説】 $x^2 - 2xy + 4y^2 = 4$

$(x - y)^2 + 3y^2 = 4$ ……①

ここで、$(x - y)^2 \geqq 0$ かつ $3y^2 \geqq 0$ で足して 4 なので、

$0 \leqq (x - y)^2 \leqq 4$ かつ $0 \leqq 3y^2 \leqq 4$

$0 \leqq y^2 \leqq \dfrac{4}{3}$

y は整数なので、$y^2 = 0$、1

$y = 0$、± 1

また、x も整数なので、

- $y = 0$ のとき、①より $x^2 = 4$

$x = \pm 2$

- $y = 1$ のとき、①より $(x - 1)^2 = 1$

$x - 1 = \pm 1$

$x = 2$、0

- $y = -1$ のとき、①より $(x + 1)^2 = 1$

$x + 1 = \pm 1$

$x = 0$、-2

よって $(x, y) = (2, 0)$、$(-2, 0)$、

$(2, 1)$、$(0, 1)$、$(0, -1)$、

$(-2, -1)$

ワン・ポイント **3元以上の不定方程式の解き方**

文字が 3 つ以上あるときは、大小関係の条件（なければ仮に設定する）を利用して絞り込み、文字を減らしてゆく。

◆循環小数

小数のうち、小数部分が無限に続くものを無限小数とよび、無限小数のうち、いくつかの数字の配列が繰り返されるものを循環小数とよぶ。

循環小数は有理数である。またこのとき繰り返される文字の個数を循環節とよぶことがある。

例

- $0.111\cdots = 0.\dot{1}$
- $0.1232323\cdots = 0.1\dot{2}\dot{3}$
- $0.123123123\cdots = 0.\dot{1}2\dot{3}$

循環小数を表すときは、循環する数字の上（3 つ以上のときは両端の数字の上）に・をつける。

循環小数を分数に直すときは、循環小数を x として、循環節の長さ k に対し、$10^k x - x$（n 進法のときは $n^k x - x$）を計算し、循環する小数部分を消去する。

例 $x = 0.1232323\cdots\cdots$ とおくと、

$100x = 12.32323\cdots\cdots$ なので、

$100x - x = 12.2$

$99x = 12.2$

$990x = 122$

$x = \dfrac{122}{990} = \dfrac{61}{495}$

また、分数が循環小数となる。

⇔分母の素因数に、2 と 5 以外（n 進法のときは n の素因数以外）の数がある。

◆位取り記数法

各位の数字を上の位から順に並べて数を表す方法を位取り記数法とよぶ。

◆ n 進法

2以上の自然数 n に対し、n を位取りの基礎とする記数法を n 進法とよび、右下に $_{(n)}$ をつけて表す。$101_{(2)}$ は2進法である（10進法の5）。10進法のときの $_{(10)}$ は、普通省略する。

n 進法で各位に用いる数字は0、1、2、……、$n-1$ である。ただし、$n \geqq 11$ のときは、0～9の次にA、B、C、……等の文字を用いる。

＋アルファ n 進法における四則演算は、n が位取りの基礎であることに注意すれば、10進法のときと同様である。

> 例
>
> $$\begin{array}{r} 1101_{(2)} \\ +\ 110_{(2)} \\ \hline 10011_{(2)} \end{array}$$

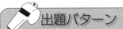

出題パターン

56をわると2余り、75をわると3余るような正の整数のうち、最大のものと最小のものとの差として、正しいのはどれか。

(1) 8
(2) 10
(3) 12
(4) 14
(5) 16

答 (3)

【解説】

まず、56をわると2余るということは、$56-2=54$ をわり切る数字である。同様に、75をわると3余るので、$75-3=72$ をわり切る数字でもある。よって、条件をみたす自然数は54と72の公約数である。それぞれを素因数分解すると、$54=2\cdot3^3$、$72=2^3\cdot3^2$ なので最大公約数は $2\cdot3^2=18$ であり、これが最大のものである。最小のものは、18の約数（1、2、3、6、9、18）のうち、余り3より大きいなかで最小なので6となる。

よって、求める差は $18-6=12$

位取り記数法の例

10^4 の位　10^3 の位　10^2 の位　10 の位　1 の位　$\dfrac{1}{10}$ の位　$\dfrac{1}{10^2}$ の位

↓　　↙　　↙　　↙　　↙　　↙　　↙

1　　2　　3　　4　　5　．　6　　7

$$= 1\times10^4 + 2\times10^3 + 3\times10^2 + 4\times10 + 5\times1 + 6\times\frac{1}{10} + 7\times\frac{1}{10^2}$$

8進法の例

8^4 の位　8^3 の位　8^2 の位　8 の位　1 の位　$\dfrac{1}{8}$ の位　$\dfrac{1}{8^2}$ の位

↓　　↙　　↙　　↙　　↙　　↙　　↙

1　　2　　3　　4　　5　．　6　　7　$_{(8)}$

$$= 1\times8^4 + 2\times8^3 + 3\times8^2 + 4\times8 + 5\times1 + 6\times\frac{1}{8} + 7\times\frac{1}{8^2}$$

重要度 ★★★

レッスン02 平面図形と立体図形

図形問題も毎回必ず出題される単元である。基本的に中学校の範囲の公式で角度・長さ・面積・体積等を求めることができるが、高校の範囲の公式を用いた方が速い場合もあるので、修得しよう。

◆三角形の成立条件

3つの正の数 a、b、c を3辺とする三角形が成立する場合、

$$|b-c| < a < b+c$$

ここで、a が最大数であることが分かっているときは、

$$a < b+c$$

◆三角形の辺と角の大小関係

△ABC において、

$$\angle B < \angle C \Leftrightarrow b < c$$

◆三角形の辺の比

(1) 内分点・外分点

線分 AB 上にあって、$AP:PB = m:n$ をみたす点Pを、線分 AB を $m:n$ に内分する点とよぶ。特に $m = n$ のときは中点とよぶ。

また、線分 AB の延長上にあって（線分 AB 上にはない）$AQ:QB = m:n$ $(m \neq n)$ をみたす点を、線分 AB を $m:n$ に外分する点とよぶ。

$m > n$ のとき　　$m < n$ のとき

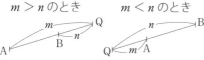

(2) 角の二等分線の性質

△ABC において、∠A の二等分線と辺BCの交点をDとする。

$$\Leftrightarrow BD:DC = AB:AC$$

△ABC において、∠A の外角の二等分線と辺BCの延長との交点をEとする。

$$\Leftrightarrow BE:EC = AB:AC$$

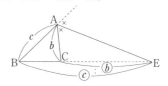

◆メネラウスの定理

△ABC において、1つの直線が3辺 AB、BC、CA またはその延長と頂点以外の点P、Q、Rで交わる。

$$\Leftrightarrow \frac{AP}{PB} \cdot \frac{BQ}{QC} \cdot \frac{CR}{RA} = 1$$

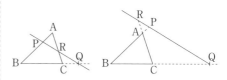

◆チェバの定理

△ABC とその周またはその延長上にない点Mにおいて、3辺 AB、BC、CA またはその延長上の点P、Q、Rに対し、3直線 AQ、BR、CP が1点Mで交わる。

$$\Leftrightarrow \frac{AP}{PB} \cdot \frac{BQ}{QC} \cdot \frac{CR}{RA} = 1$$

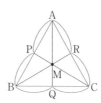
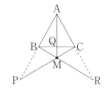

◆三角形の五心

三角形において、重心、内心、外心、垂心、傍心を合わせて五心とよぶ。特に重心、内心、外心を合わせて三心とよぶことがある。

（1）重心

三角形において、3つの中線は1点で交わり、その交点を重心とよぶ。

- 重心は中線を頂点から2:1に内分する点である
- 3つの中線によって作られる6つの小三角形の面積は等しい（重さの中心である）
- 重心は常に三角形の内部にある

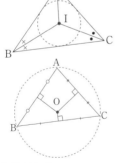

（2）内心

三角形において、3つの内角の二等分線は1点で交わり、その交点を内心とよぶ。

- 内心は、内接円の中心である
- 内心は、常に三角形の内部にある

（3）外心

三角形において、3辺の垂直二等分線は1点で交わり、その交点を外心とよぶ。

- 外心は外接円の中心である
- 外心は
  鋭角三角形では三角形の内部
  直角三角形では斜辺の中点
  鈍角三角形では三角形の外部
  にある

（4）垂心

三角形において、3頂点から対辺またはその延長に下した3本の垂線は1点で交わり、その交点を垂心とよぶ。

- 垂心は
  鋭角三角形では三角形の内部
  直角三角形では直角の頂点
  鈍角三角形では三角形の外部
  にある

（5）傍心

三角形において、1つの頂点の内角の二等分線と残り2頂点の外角の二等分線は1点で交わる。その交点を傍心とよぶ（1つの三角形に対し3つある）。

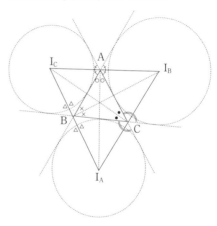

- 傍心は傍接円の中心である
- 傍心は常に三角形の外部にある

◆円周角の定理

1つの弧に対する円周角の大きさは一定であり、その弧に対する中心角の半分である。

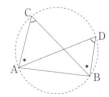

逆に、4点 A、B、C、D において、2点 C、D が直線 AB に対し同じ側にあり、∠ACB ＝∠ADB が成り立つならば、4点 A、B、C、D は同一円周上にある。

◆円に内接する四角形
四角形が円に内接する。

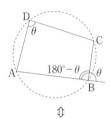

⇕

- 対角の和は 180° である
- 内角は、その対角の外角と等しい

◆円に外接する四角形
四角形 ABCD が円に外接する。

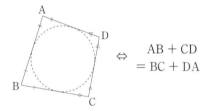

$$\Leftrightarrow \quad AB + CD = BC + DA$$

◆接弦定理
円の弦 AT と、T における接線が作る角 ∠ATX は、弧 AT の円周角 ∠ABT に等しい。

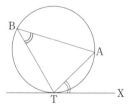

◆方べきの定理
点 P を通る 2 直線 AB、CD において 4 点 A、B、C、D が同一円周上にある。
$$\Leftrightarrow PA \cdot PB = PC \cdot PD$$

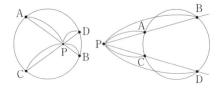

点 P を通る 2 直線 AB、PC において、2 点 A、B を通る円が、点 C で直線 PC と接する。
$$\Leftrightarrow PA \cdot PB = PC^2$$

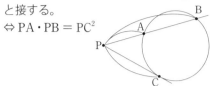

◆空間図形
（1）2 直線の位置関係
空間内の異なる 2 直線 l、m の位置関係は、

また、③のとき、2 直線 l、m のなす角は、m と平行で、l と交わる直線 m' を考え、l と m' が作る大きくない方の角であるとする。

（2）2 平面の位置関係
空間内の異なる 2 平面 α、β の位置関係は、

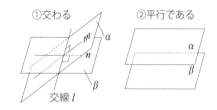

また①のとき、2 平面 α、β の交わりは直線となりこれを交線とよぶ。このとき、α と β のなす角は、交線 l 上の 1 点において l と直交する α 上の直線 m と β 上の直線 n を考え、m と n が作る大きくない方の角であるとする。2 平面がなす角を面角とよぶことがある。

(3) 直線と平面の位置関係

空間内の直線 l と平面 α の位置関係は、

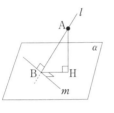

① l は α 上に
ある　②交わる　③平行である

また②において、特に、l が α 上のすべての直線と垂直であるとき、l と α は垂直である、l は α に直交するといい、$l \perp \alpha$ と表す。③のとき、$l /\!/ \alpha$ と表す。

(4) 三垂線の定理

空間内の直線 l
と平面 α が交わる
として、その交点
を B とする。α
上にあって、B に
おいて l と直交す
る直線を m とする。α 上の点 H は、l 上の点 A に対し、AH $\perp$ BH をみたしているとする。すると直線 AH は平面 α と垂直である。

AB $\perp m$、BH $\perp m$、AH $\perp$ BH $\Rightarrow$ AH $\perp \alpha$

このとき、$\angle$ ABH を l と α のなす角とよぶ。

◆オイラーの多面体定理

凸多面体の頂点、辺、面の数をそれぞれ v、e、f とすると、

$$v - e + f = 2$$

が成立する。

用語 **多面体：** 平面で囲まれた立体を多面体とよぶ。特に、へこみのない多面体を凸多面体とよぶ。

◆正多面体

凸多面体において、どの面も合同な正多角形であり、どの頂点に集まる面の数も等しいとき、特に正多面体とよぶ。正

多面体には、正四面体、正六面体（立方体）、正八面体、正十二面体、正二十面体が存在する。

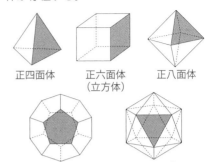

正四面体　　正六面体　　正八面体
　　　　　（立方体）

正十二面体　　　正二十面体

🔔 出題パターン

辺の長さが 80cm、150cm、170cm の三角形がある。この三角形の外接円と内接円の直径の比として、正しいのはどれか。
(1) 17：5　(2) 17：6　(3) 18：7
(4) 19：7　(5) 19：8

答 (2)

【解説】

AB＝80、BC＝150、CA＝170 とおく。まず、$AB^2 + BC^2 = CA^2$ が成り立つので、$\triangle$ ABC は $\angle$B＝90° の直角三角形である。すると斜辺 CA が外接円の直径なので、170。また、内接円の中心を I、半径を r とし、接点を図のように P、Q、R とすると、四角形 IPBR は正方形なので BP＝BR＝r となる。すると、円外の点から引いた接線の長さは等しいので、

AR＝AQ＝$80 - r$、CP＝CQ＝$150 - r$ となる。

すると、斜辺 CA＝CQ＋AQ より
$170 = (150 - r) + (80 - r)$
直径 $2r = 60$ となる。よって、求める比は $170 : 60 = 17 : 6$

場合の数と確率

樹形図や表を用いた、数え上げでは解き難い問題が多いので、場合の数（順列・組合せ）の公式をしっかりマスターしておく必要がある。

◆場合の数

◉和の法則

2つの事柄 A、B は同時に起こらないとする。A の起こり方が m 通り、B の起こり方が n 通りあるとき、A または B の起こる場合の数は $m+n$ 通りある。

◉積の法則

2つの事柄 A、B があり、A の起こり方が m 通り、その各々に対し B の起こり方が n 通りあるとき、A と B がともに起こる場合の数は $m \times n$ 通りある。

◆順列

異なる n 個のものから r 個をとり出し、一列に並べたものを、n 個から r 個とる順列とよび、その総数を ${}_n\mathrm{P}_r$ と表す。

$${}_n\mathrm{P}_r = \underbrace{n(n-1)(n-2)\cdots(n-r+1)}_{r \text{ 個の数の積}}$$

特に、$r=n$ のとき ${}_n\mathrm{P}_n = n!$ と表し、n の階乗とよぶ。

$$n! = n(n-1)(n-2)\cdots\cdots 1$$

これを用いると

$${}_n\mathrm{P}_r = \frac{n!}{(n-r)!}$$

と表せる。ただし、$0! = 1$ と約束する。

◉円順列

異なる n 個のものを円形に並べたものを円順列とよび、その総数は、

$(n-1)!$ 通りである。

◉重複順列

異なる n 個のものから、重複を許して（何回とってもよい、とらなくてもよい）r 個をとり出し、一列に並べたものを重複順列とよび、その総数は、

n^r 通りである。

◆組合せ

異なる n 個のものから r 個をとり出し、順序を考えずに一組にしたものを、n 個から r 個とる組合せとよび、その総数を ${}_n\mathrm{C}_r$ と表す。

$$\begin{aligned}
{}_n\mathrm{C}_r &= \frac{{}_n\mathrm{P}_r}{r!} \\
&= \frac{n(n-1)\cdots(n-r+1)}{r(r-1)\cdots\quad 1} \\
&= \frac{n!}{r!(n-r)!}
\end{aligned}$$

一般に、

- ${}_n\mathrm{C}_r = {}_n\mathrm{C}_{n-r}$
- ${}_n\mathrm{C}_r = {}_{n-1}\mathrm{C}_{r-1} + {}_{n-1}\mathrm{C}_r$

◉同じものを含む順列

n 個のものの中に、p 個、q 個、r 個、……の同じものがあるとき、この n 個すべてを一列に並べる順列の総数は、

$$\frac{n!}{p!\,q!\,r!\cdots} = {}_n\mathrm{C}_p \cdot {}_{n-p}\mathrm{C}_q \cdot {}_{n-p-q}\mathrm{C}_r \cdots \text{通り}$$
$$(p+q+r+\cdots\cdots = n)$$

◉組分け問題

異なるいくつかのものを分ける場合、「同じ個数ずつ」かつ「組の区別なし」が k 組あるときは、$_nC_r$ の積を $k!$ でわる。

> **例** 9人を3人、3人、2人、1人の4グループに分ける方法は、
>
> $$\frac{_9C_3 \cdot {_6C_3} \cdot {_3C_2}}{2!} = 2520\,通り$$

◉重複組合せ

異なる n 個のものから、重複を許して（何回とってもよい、とらなくてもよい）r 個をとり出し、順序を考えずに一組にしたものを重複組合せとよび、その総数を $_nH_r$ と表す。

$$_nH_r = {_{n+r-1}C_r}\,通り$$

【例題】下図のような6段の階段を下から6段目まで上る。階段を1段または2段一度に上がる方法によるとき、その上がり方の数は何通りか。

【解説】2段上りの回数で場合分けする。合計で6段上るので、2段上りは多くて3回である。
  ① 2段上りが3回のとき、上り方は2、2、2（段）の1通り。
  ② 2段上りが2回のとき、上り方は2、2、1、1を一列に並べる並べ方なので、

$$\frac{4!}{2!\,2!} = \frac{4 \cdot 3 \cdot 2 \cdot 1}{2 \cdot 1 \cdot 2 \cdot 1}$$
$$= 6\,通り。$$

  ③ 2段上りが1回のとき、上り方は2、1、1、1、1を一列に並べる並べ方なので、

$$\frac{5!}{1!\,4!} = \frac{5 \cdot 4 \cdot 3 \cdot 2 \cdot 1}{1 \cdot 4 \cdot 3 \cdot 2 \cdot 1} = 5\,通り。$$

  ④ 2段上りが0回のとき、上り方は1段ずつ6段上る1通り。
  ①～④より、求める場合の数は13通り。

◆確率

ある事柄が起こることが期待される程度を表す数値を確率という。

◉試行と事象

同じ状態で何度も繰り返すことができて、その結果が偶然によって決まる実験や観察を試行とよび、その結果起こる事柄を事象とよぶ。

ある試行において、起こり得るすべての場合の集合を全体集合 U とするとき、この試行におけるあらゆる事象は U の部分集合として表すことができる。このとき、

- 全体集合 U で表される事象を全事象とよぶ
- 空集合 ϕ で表される事象を空事象とよぶ
- U の1個の要素からなる集合で表される事象を根元事象とよぶ

◉事象と確率

ある試行において、事象 A の起こることが期待される割合を事象 A の起こる確率とよび、P（A）と表す。

試行における根元事象のどれが起こることも同程度に期待できるとき、これらの根元事象は同様に確からしいとよび、このとき、全事象 U の要素の個数 $n(U)$、事象 A の要素の個数 $n(A)$ に対し、

$$P(A) = \frac{n(A)}{n(U)}$$

重要ポイント 確率の基本性質

- 任意の事象 A に対し、$0 \le P(A) \le 1$
- 空事象 ϕ の確率は $P(\phi) = 0$
- 全事象 U の確率は $P(U) = 1$

⊙確率の加法定理

2つの事象 A、B に対し、A または B が起こるという事象を和事象とよび A ∪ B と表し、A と B がともに起こるという事象を積事象とよび A ∩ B と表す。また、A と B が同時に起こり得ないとき、A と B は互いに排反、互いに排反事象であるという。

$$P(A \cup B)$$
$$= P(A) + P(B) - P(A \cap B)$$

特に A と B が互いに排反であるとき、

$$P(A \cup B) = P(A) + P(B)$$

また、事象 A に対し、A が起こらないという事象を余事象とよび、$\overline{A}$ と表す。

$$P(\overline{A}) = 1 - P(A)$$

◆独立な試行の確率

2つの試行が、互いに他の結果に影響しないとき、この2つの試行は独立であるという。

2つの試行 T_1、T_2 が独立であるとき、T_1 で事象 A が起こり、T_2 で事象 B が起こる確率は、

$$P(A \cap B) = P(A) \cdot P(B)$$

これは3つ以上の独立な試行においても同様である。

$$P(A \cap B \cap C) = P(A) \cdot P(B) \cdot P(C)$$

⊙反復試行の確率

独立な試行を何度も繰り返し行うという試行を反復試行とよぶ。

1回の試行で事象 A の起こる確率が p であるとき、n 回中ちょうど k 回事象 A の起こる確率は、

$$_nC_k p^k (1-p)^{n-k}$$

⊙条件付き確率

2つの事象 A、B に対し A が起こったときに B が起こる確率を、事象 A が起こったときの事象 B が起こる条件付き確率とよび、$P_A(B)$ と表す。

$$P_A(B) = \frac{P(A \cap B)}{P(A)}$$

また、分母を払った式

$$P(A \cap B) = P(A) \cdot P_A(B)$$

を確率の乗法定理とよぶ。

◆確率変数と確率分布

とり得るそれぞれの値に対し、そのときの確率が定まる変数を確率変数とよび、確率変数 X が $X = x_1$、x_2、……x_n の値をとるときの確率をそれぞれ、$P(X = x_k)$ と表し、$X \geqq x_k$ の値をとる確率を $P(X \geqq x_k)$ と表す。

⊙確率分布と期待値

確率変数 X に対し $P(X = x_k) = p_k$ と書くことにすると、x_k と p_k の対応関係は下の表の様になる。

X	x_1 x_2 …… x_n	計
P	p_1 p_2 …… p_n	1

この対応表を X の確率分布または分布とよび、X はこの分布に従うという。このとき確率の基本性質から、

- $0 \leqq p_k \leqq 1$

- $p_1 + p_2 + \cdots\cdots + p_n = \sum_{k=1}^{n} p_k = 1$

が成り立つ。

これに対し、$x_1 p_1 + x_2 p_2 + \cdots\cdots + x_n p_n$ の値を X の期待値または平均とよび、E(X) または m と表す。

$$E(X) = x_1 p_1 + x_2 p_2 + \cdots\cdots + x_n p_n$$
$$= \sum_{k=1}^{n} x_k p_k$$

【例題】1個のサイコロを投げて、奇数の目が出たときは出た目の数と同じ点数、偶数の目が出たときは出た目の数の半分の点数を得るゲームがある。得点0の者が、サイコロを2回投げたとき、得点が6となる確率として、正しいのはどれか。

(1) $\dfrac{1}{9}$　(2) $\dfrac{2}{9}$　(3) $\dfrac{4}{9}$

(4) $\dfrac{5}{9}$　(5) $\dfrac{7}{9}$

【解説】まず、出た目と得点の対応は、

出た目	1	2	3	4	5	6
得点	1	1	3	2	5	3

なので、サイコロを1回投げたときの得点と確率の対応は

得点	1	2	3	5
確率	$\dfrac{1}{3}$	$\dfrac{1}{6}$	$\dfrac{1}{3}$	$\dfrac{1}{6}$

このとき、2回投げて合計点が6点となるには、

① 1点＋5点のとき（1回目、2回目を考慮）、

$$_2C_1 \cdot \frac{1}{3} \cdot \frac{1}{6} = 2 \cdot \frac{1}{3} \cdot \frac{1}{6} = \frac{1}{9}$$

② 3点＋3点のとき、

$$\left(\frac{1}{3}\right)^2 = \frac{1}{9}$$

①、②は互いに排反なので、求める確率は、

$$\frac{1}{9} + \frac{1}{9} = \frac{2}{9}$$

答（2）

出題パターン

○、☆、□、△、●、◎の6つの記号が1つずつ書かれたカードを無作為に選び、左から順番に一列に並べるとき、○の隣が☆または□である確率として、正しいのはどれか。ただし、同じカードを複数回使うことはないものとする。

(1) $\dfrac{3}{10}$　(2) $\dfrac{2}{5}$　(3) $\dfrac{1}{2}$

(4) $\dfrac{3}{5}$　(5) $\dfrac{2}{3}$

答（4）

【解説】
まず、全事象は異なる6枚のカードを一列に並べるので6！通り。このうち、条件をみたす並べ方を求める。
○の隣が☆となる並べ方は、○と☆を1つと考えて、○☆、□、△、●、◎の5枚を一列に並べて5！通り、それぞれの並べ方に対して○☆の並べ方が2！通りなので5！×2！通りとなる。○の隣が□となる並べ方も同様に5！×2！通りである。
これらのうち、○の隣が☆かつ□となる並べ方がダブっているのでこれも求める。○と☆と□を1つと考えて、☆○□、△、●、◎の4枚を一列に並べて4！通り、それぞれの並べ方に対して☆、○、□の並べ方は、☆○□と□○☆の2通りなので4！×2通りである。
よって、求める確率は、確率の加法定理より、

$$\frac{5!\times2!}{6!} + \frac{5!\times2!}{6!} - \frac{4!\times2}{6!}$$

$$= \frac{\overset{1}{\cancel{5\cdot4\cdot3\cdot2\cdot1}}\times\overset{1}{\cancel{2}}\cdot1}{\underset{3}{\cancel{6}\cdot\cancel{5\cdot4\cdot3\cdot2\cdot1}}}$$

$$+ \frac{\overset{1}{\cancel{5\cdot4\cdot3\cdot2\cdot1}}\times\overset{1}{\cancel{2}}\cdot1}{\underset{3}{\cancel{6}\cdot\cancel{5\cdot4\cdot3\cdot2\cdot1}}}$$

$$- \frac{\overset{1}{\cancel{4\cdot3\cdot2\cdot1}}\times\overset{1}{\cancel{2}}}{\underset{3}{\cancel{6}\cdot\cancel{5\cdot4\cdot3\cdot2\cdot1}}}$$

$$= \frac{5}{15} + \frac{5}{15} - \frac{1}{15} = \frac{9}{15}$$

$$= \frac{3}{5}$$

比と割合・集合・数字パズル

比と割合は、比例定数をおいて方程式を立て、集合は、要素の個数についての公式を利用するのがほとんどである。魔方陣は一定となる和の値から、また覆面算は見えている数値から、他の数値を特定することを考える。

◆比と割合

相当算、分配算等のよび方がある。

例
- A：B＝x：y、B：C＝z：w のとき、A：B：C＝xz：yz：yw となる。
- A：B＝x：y、A＋B＝t のとき、
  $A=\dfrac{x}{x+y}t$ 、$B=\dfrac{y}{x+y}t$

◆集合
⊙集合の要素の個数

要素の個数が有限個である集合を有限集合という。有限集合 X の要素の個数を $n(X)$ と表す。

- $n(A\cup B)$
  $=n(A)+n(B)$
  $-n(A\cap B)$

- $n(\overline{A})=n(U)-n(A)$

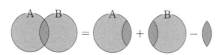

- $n(A\cup B\cup C)=n(A)+n(B)+n(C)-n(A\cap B)-n(B\cap C)-n(C\cap A)+n(A\cap B\cap C)$

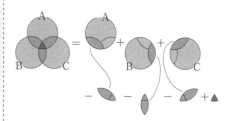

【例題】昨日、7 対 5 の比で赤バラと白バラの花が庭に咲いていた。今日、赤バラが 10 個、白バラが 5 個咲いたので、咲いている花の比は 3 対 2 になった。今日咲いている赤バラと白バラの花の個数の合計として、正しいのはどれか。
(1) 57　(2) 66　(3) 75
(4) 84　(5) 93

【解説】昨日咲いていた赤バラ、白バラは 7：5 なのでそれぞれの個数は $7k$、$5k$ とおける。すると今日咲いている赤バラは $7k+10$ 個、白バラは $5k+5$ 個で 3：2 なので、
$(7k+10):(5k+5)=3:2$

$3(5k+5)=2(7k+10)$
$15k+15=14k+20$
$k=5$

よって、今日咲いている赤いバラと白いバラの花の個数の合計は、
$(7k+10)+(5k+5)=12k+15$
$=12\cdot5+15$
$=75$

よって、答は (3)

◆魔方陣

縦・横・斜めのどの列をとっても列のマスの数字を足すと、その合計が一定になるものを魔方陣という。

例

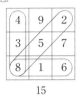
15

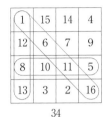
34

【例題】右図の9個のマス目に、1〜9の異なる9個の数字を一つずつ記入して、縦、横、斜めの3つの数字の和

	A	
B	C	D
	E	

がすべて等しくなるようにした。
このとき、1を記入したマス目として、正しくないのはどれか。
(1) A　(2) B　(3) C
(4) D　(5) E
【解説】1〜9を合計した数字は、同数の3列分なので

$$\frac{1+2+3+4+5+6+7+8+9}{3} = 15$$

これより、1を記入した列の残り2マスに記入した数字の和は
　15 − 1 = 14
である。2〜9の異なる2つの数字の和で14となるのは5＋9、6＋8の2通りしかないので、組合せが4つ必要な真ん中のCに1を記入することはできない。
よって、答は（3）

重要ポイント　3×3の魔方陣の場合、真ん中の数字は各列の合計の $\frac{1}{3}$ の数値である。

◆覆面算

虫喰い算等のよび方がある。和・差・積・商によって、特定可能な数値をまず求めておく。残った数値については文字をおいて方程式を立てる。

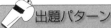出題パターン

次の計算式において、2と3の場所のみ分かっている。計算式が成り立つように2と3以外の数字を入れたとき、A、Bに入る数字の組合せとして正しいのはどれか。

```
         3 Ⓐ
    ×   □□
    ―――――――
        3 3 3
    □□□
  ―――――――
  2 □ Ⓑ 3
```

　　A　B
(1)　7　1
(2)　7　5
(3)　7　8
(4)　9　4
(5)　9　6

答（3）

【解説】
　まず、Aの選択肢の中からAに入る数字を確定する。37 × 9 = 333なので、A = 7は確定する（9では成り立たないことも確認する）。

```
      3 7
  × Ⓐ 9
  ―――――――
    3 3 3
  Ⓐ□□
  ―――――――
  2 □ Ⓑ 3
```

- Ⓐには2が入らないので1とわかる
- 100 < 37 × Ⓐ ≦ 199 かつⒶ≠2、3なので、Ⓐ= 4、5
- Ⓐ= 4のとき、37 × 4 = 148で不適
- Ⓐ= 5のとき、37 × 5 = 185で適である
これより、A = 7、B = 8

04 比と割合・集合・数字パズル

特殊算

図を用いて解く方法もあるが、いちいちのパターンを覚えるよりも、未知数をおいて方程式・連立方程式を立てる方が早く、分かりやすい。計算法を覚えておこう。

◆鶴亀算

　問題の内容によって、和差算、差集め算、過不足算、消去算などのよび方がある。未知数をおいて、2つの条件を用いて連立方程式を立てる。

> 鶴が x 匹、亀が y 匹いるとき、
> ・個体数は $(x + y)$ 匹
> ・足の数は $(2x + 4y)$ 本

◆旅人算

> （道のり）＝（速さ）×（時間）

　道のり、速さ、時間のいずれかを未知数において、条件を用いて方程式を立てる。

⊙通過算

> 　A列車の速さを a(m/s)、長さを x(m)、B列車の速さを b (m/s)、長さを y (m) とする。
> * A列車が w (m) のトンネルを通過するのにかかる時間は $\dfrac{w+x}{a}$ (s)
> * A列車とB列車がすれ違うのにかかる時間は $\dfrac{x + y}{a + b}$ (s)
> * A列車をB列車が追い抜くのにかかる時間は $\dfrac{x + y}{b - a}$ (s)

⊙流水算

> 　静水時の船の速さを a (km/h)、川の流れの速さを f (km/h)、航行距離を x (km) とする。
> * 上りにかかる時間は $\dfrac{x}{a-f}$ (h)
> * 下りにかかる時間は $\dfrac{x}{a+f}$ (h)

◆濃度算

食塩水において、

> 濃度 (%) ＝ $\dfrac{\text{食塩の量}}{\text{食塩水の量}}$ ×100

であることを用いて、食塩水の量と食塩の量で方程式を立てる。食塩以外の水溶液についても同様だが、条件があるときには注意する。

◆仕事算

　仕事の全体量を1と考える。

> 　Aさん1人だと a 日、Bさん1人だと b 日かかる仕事は、
> * Aさんは1日に $\dfrac{1}{a}$
> * Bさんは1日に $\dfrac{1}{b}$
>
> 終えることができるので、2人同時にすると、1日に $\dfrac{1}{a} + \dfrac{1}{b}$ だけ終えることができる。

◆ニュートン算

水の量の問題のときは水槽算、ポンプ算等のよび方がある。

> 1 つの窓口に開場前に並んでいた人が a 人、その後毎分 b 人並び、x 分後に行列が無くなったとき、窓口の処理能力は
>
> $$\frac{a+bx}{x}（人／分）$$
>
> となる。

【例題】水槽に 400L の水が入っている。この水槽に毎分 50L ずつ水を入れていたが、20 分後に誤って底の栓を抜いてしまったため、さらに 20 分後に空になってしまった。

このとき底から流出した水量は毎分何 L か。

【解答】400L 入っていた水槽に毎分 50L ずつ 40 分間水を入れたので全水量は、

$$400 + 50 × 40 = 2400（L）$$

これが 20 分で空になったので、

$$\frac{2400}{20} = 120（L）$$

よって、毎分 120（L）の速さで流出したことになる。

◆その他の特殊算

⊙植木算

x（m）の直線の道に、端から端まで y（m）間隔で木を植えるとき、必要な木は

$$\frac{x}{y} + 1（本）$$

となる。

⊙年令算

現在 a 歳の人は n 年後は $a + n$ 歳となる。

⊙平均算

a_1、a_2、……、a_n の n 個の値の平均は $\dfrac{a_1 + a_2 + \cdots\cdots + a_n}{n}$ となる。

出題パターン

A、B、C の 3 人が、学校から駅までの所要時間を、同じ道路を使って異なる交通手段により比べた。バイクを使った A は自転車を使った B より時速 5km 速く走り、B は徒歩の C より時速 4km 速く走り、A は B より 5 分早く、B は C より 10 分早く駅に着いた。このとき、学校から駅までの道のりとして、正しいのはどれか。ただし、3 人の速度は一定で、途中で止まることはなかった。

(1) 1km　　(2) 1.5km
(3) 2km　　(4) 2.5km
(5) 3km

答（4）

【解説】

　C の速さを v（km/h）、所要時間を t（h）とする。B の速さは C より 4km/h 速いので $v + 4$（km/h）、B の所要時間は C より

10（分）$= \dfrac{1}{6}$（h）短いので $t - \dfrac{1}{6}$（h）

である。

　A の速さは C より $4 + 5 = 9$（km/h）速いので $v + 9$（km/h）、A の所要時間は C より $5 + 10$（分）$= \dfrac{1}{4}$（h）短いので、$t - \dfrac{1}{4}$（h）である。これより道のりで式を立てると、

$$vt = \left(v + 4\right)\left(t - \frac{1}{6}\right)$$
$$= \left(v + 9\right)\left(t - \frac{1}{4}\right)$$

それぞれ計算すると、

$$\frac{-v + 24t}{6} = \frac{4}{6} \cdots\cdots ①$$

$$\frac{-v + 36t}{4} = \frac{9}{4} \cdots\cdots ②$$

①、②より、

$$t = \frac{5}{12}$$

①に代入して $v = 6$

よって、道のりは $vt = 2.5$（km）

図形把握（空間把握）

レッスン 01

毎回必ず出題され、最も多く出題される単元である。軌跡、断面図、展開図、投影図、拡大・縮小、一筆書きが主な出題と考えられる。

◆軌跡

点Pが与えられた条件に従って動くとき、点Pが描く図形（直線、円など）を軌跡とよぶ。

・1定点Aからの距離が常に等しい点Pの軌跡は、点Aを中心とする円である。

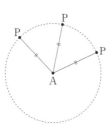

・2定点A、Bからの距離が常に等しい点Pの軌跡は、線分ABの垂直二等分線である。

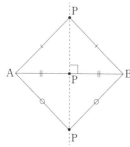

・2定点A、Bに対し、∠APBが常に一定である点Pの軌跡は、弧ABである。

特に∠APB＝90°のときは半円となる。

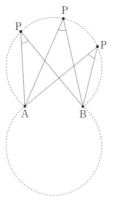

・1定直線lからの距離が常に等しい点Pの軌跡はlと平行な直線である。

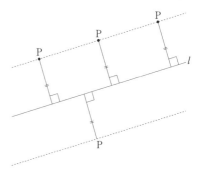

・交差する2定直線l、mからの距離が常に等しい点Pの軌跡は、lとmのなす角の二等分線である。

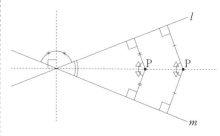

・2定点A、Bからの距離の和が常に一定である点Pの軌跡は、（点A、Bを焦点とする）楕円である。

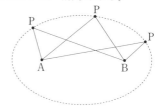

- 1定点Aと1定直線*l*からの距離が常に等しい点Pの軌跡は、（Aを焦点、*l*を準線とする）放物線である。

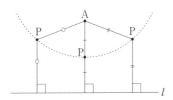

【例題】次の図のように、直線上に半径1の円Aと半径4の半円Bが接しておかれている。円Aが半円Bの周をすべらずに転がって反対側で再び直線に接したときに止まる。このとき直線との接点アが描く軌跡の形として、正しいのはどれか。

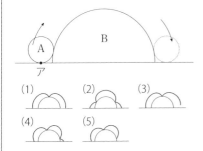

(1)　　(2)　　(3)

(4)　　(5)

【解説】まず、大円の外側に小円をすべらずに転がしたとき、半径比4：1だと小円上の1点は大円と4回接する次のような曲線を描く。

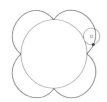

この問題は大円Bが直線上に置かれた半円なので、仮に円と考え、小円A上の点アが大円に接するところまで逆回転させる。すると、最初の位置における大円Bと小円Aの接点イは直線に接することになる。

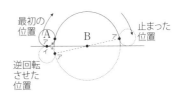

このとき、逆回転させた位置と止まった位置は大円の中心に関して点対称なので、点アは大円Bと接している。よって、答は（5）である。

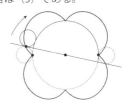

◆断面図

図の立方体 ABCD － EFGH において、点I、J、K、L、M、Nは辺の中点とするとき、

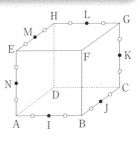

切断面について、以下のことがいえる。

- △ ACH は正三角形
- 四角形 ABGH は長方形
- 四角形 ACLM は等脚台形
- 六角形 IJKLMN は正六角形

【例題】立方体の8つの頂点から3つの頂点を選び、それらを線分で結んでできる三角形の種類について、図の集合で空集合となるのはどれか。

(1) ア、イ
(2) ア、エ
(3) イ、ウ
(4) イ、オ
(5) ウ、エ

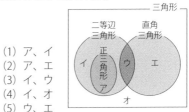

【解説】図のように A～Hをおくと、できる三角形の種類は

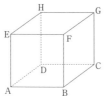

直角二等辺三角形
（△ABC など）つまりウ。

直角三角形
（△ABG など）つまりエ。

正三角形
（△ACH など）つまりア。

　以上の3種類なので、空集合はイとオ。よって、答は（4）である。

◆展開図
・円錐　→　おうぎ形と円

・円柱　→　長方形と円2つ

・四角錐　→　三角形4つと四角形1つ

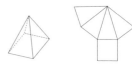

・三角柱　→　長方形と三角形2つ

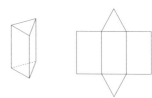

◆投影図

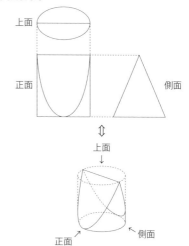

上面

正面　　　　　　　　　側面

⇕

上面
↓

正面→　　　　　←側面

◆拡大・縮小
〔横方向へ拡大〕

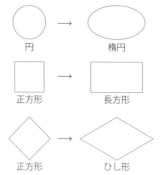

円　　→　　楕円

正方形　　→　　長方形

正方形　　→　　ひし形

【例題】 横方向にのみ伸ばすことができる布がある。この布に正方形を描いたあと、伸ばしてできる四角形の種類について、図の集合で空集合となるのはどれか。

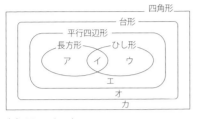

(1) ア、イ、ウ
(2) イ、エ
(3) イ、エ、オ、カ
(4) イ、オ、カ
(5) エ、オ、カ

【解説】 拡大・縮小において、長さ・角度は変わるが、平行であることは変わらない。

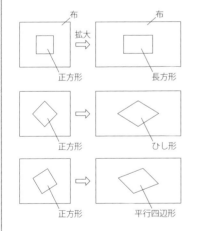

よって、正方形を拡大した四角形でできるのは、長方形、ひし形、平行四辺形のみであり、空集合はイ、オ、カである。よって、答は（4）である。

◆一筆書き

集まる辺の数が偶数本である頂点を偶数点、奇数本である頂点を奇数点とよぶ。

重要ポイント 一筆書きをするとき、奇数点は**始点**か**終点**にしかなれない。すなわち、図形が一筆書きできるとき、奇数点の個数は2個か0個である。
右図は奇数点が2個なので、一筆書きできる。

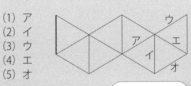

奇数点　　　　奇数点

出題パターン

次の図は正八面体の展開図である。この正八面体において、太線の辺と直交する辺として、正しいのはどれか。

(1) ア
(2) イ
(3) ウ
(4) エ
(5) オ

答（5）

【解説】

正八面体 ABCDEF において、辺 AB と直交する辺は AD と BF である。そこで展開図における太線を辺 AB とし、各頂に A～F をつける。
図より、ア～オのうち、辺 AD か BF にあてはまるのは、オである。

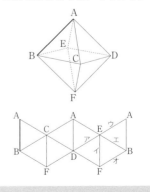

重要度 ★★★

条件と表（対応表）

出題頻度の高い単元である。発言者と発言内容など、与えられた条件で特定可能な対応表を作り、残った空欄が特定可能かどうか考えていく。

◆**基本的な解き方（発言表の場合）**

発言者と発言内容の対応表を作成し、与えられた条件を表に記入する。

- 発言内容に嘘があるときは、表から矛盾を見つける。
- 発言内容に嘘がないときは、表の空欄のうち特定可能な欄を特定する。不可能な欄については数パターンの表を作成、設問と照らし合わせて正答を導く。

例 「Aさんは赤は好きだが黒は嫌い」
「Bさんは黒は好きだが青は嫌い」
「Cさんは赤も青も好き」

これを表にすると、確実に言えることは下の表のようになる。空欄は確実にはいえない。

好きな色＼人	A	B	C
赤	○		○
黒	×	○	
青		×	○

【例題】ある企業で新規に採用されたA、B、Cの3人が座っている会議室のテーブル上に、担当者がそれぞれの前に所属と氏名が記入された名札を置いた。3人とも他の2人の名札を見ることができたが、自分の名札は見えなかった。A～Cの3人は、新規採用者は全部で6人であること、新規採用者の配属先は甲課に1人、乙課に2人、丙課に3人であることを知らされた。新規採用者がどこに配属されるかは知らされなかったが、Aは

自分の配属先は2つの課のいずれかだと分かり、B及びCは自分の配属先について全く分からなかった。このとき、A～Cが配属される課の組み合わせとして、最も妥当なのはどれか。

	A	B	C
(1)	甲	乙	乙
(2)	甲	丙	丙
(3)	乙	丙	丙
(4)	丙	乙	乙
(5)	丙	丙	丙

【解説】BとCの両方が丙課である場合、Aは自分の配属先が2つの課のいずれかだとは特定できない。よって、(2)、(3)、(5)は誤り。また、Aが甲課だった場合、甲課に配属されるのは1人なので、BとCは自分たちが甲課ではないことが分かる。よって、(1)も誤りである。

答 (4)

【例題】祭り見物に行ったA～Eの5人が、屋台でそれぞれクレープ、フライドポテト、ポップコーン、アメリカンドッグの4種類のうち2種類を買った。各人が5人の買った食べ物について次のように述べているとき、確実に言えることとして、最も妥当なのはどれか。

A：「私を含め3人だけがクレープを買った」
B：「私はフライドポテトを買った。フライドポテトとポップコーンの両方を買った人はいない」
C：「私はフライドポテトを買った。私とAは同じ食べ物を買っていない」
D：「私はポップコーンを買った」
E：「私を含めて3人だけがアメリカンドッグを買った」
(1) Aはフライドポテトを買った。

(2) B はクレープを買った。
(3) C はポップコーンを買った。
(4) D はクレープを買った。
(5) E はクレープを買った。

【解説】5 人の発言と条件から、確実に言えることの表を作る。まず、

- 5 人とも 2 種類を買っている。
- フライドポテトとポップコーンの両方を買った人はいない。
- A と C は同じ食べ物を買っていない。

また、A はクレープ、C はフライドポテトを買ったことにより、A はクレープとポップコーン、C はフライドポテトとアメリカンドッグを買ったと特定できる。さらに、クレープとアメリカンドッグを買った人がそれぞれ 3 人いることより、E が買ったものは、アメリカンドッグとクレープと特定できる。

以上より、下記の発言表ができる。空欄は確実にはいえない。

	A	B	C	D	E
クレープ	○		×		○
フライドポテト	×	○	○	×	×
ポップコーン	○	×	×	○	×
アメリカンドッグ	×		○		○

(○は買った　×は買わなかった)

これより各設問を考える。
(1) A はフライドポテトを買っていない、よって誤り。
(2) B はクレープを買ったかどうか分からない、よって誤り。
(3) C はポップコーンを買っていない、よって誤り。
(4) D はクレープを買ったかどうか分からない、よって誤り。
(5) E はクレープを買っている、よって正しい。

答（5）

出題パターン

A ～ E の 5 人が下記の順番で次のような発言をした。A は本当のことを言っているのがわかっているが、残りの 4 人の

発言内容は本当か嘘かわからない。この中で嘘をついているのは誰か。
A（男）「5 人のうちの 3 人以上は本当のことを言っている」
B（女）「私以外の 4 人のうち 2 人は嘘をついている」
C（男）「女性は本当のことを言っていない」
D（女）「私より前に発言した人のなかには嘘をついている人はいない」
E（男）「私は本当のことを言っている」

(1) C
(2) B と D
(3) B と E
(4) C と D
(5) E

答（2）

【解説】

まず、5 人の発言がすべて正しいとして表を作る。

対象者＼発言者	A	B	C	D	E	
A	○					○は3以上
B			×			×は2以上
C		×		×		
D	○	○	○			
E					○	

(○は本当、×は嘘、空欄は不明)

すると、B に対する C と D の発言が矛盾するので、C と D の少なくとも一方が嘘をついていることになる。
①C が嘘で、D が本当のとき：D は C が本当だと言っているので矛盾する。
②C が本当で、D が嘘のとき：条件から A は本当なので、B が嘘となる。また、A の発言から E は本当。これは B、E の発言と矛盾しない。
③C も D も嘘のとき：C は D が本当だと言ったことになるので矛盾する。
以上より、成立するのは②のみで A ○、B ×、C ○、D ×、E ○となり、嘘をついているのは B と D となる。

重要度 ★★☆

レッスン **03** 試合

主にトーナメント戦とリーグ戦がある。トーナメント戦では敗者復活等の特別ルールの有無、リーグ戦では勝ち点等の順位の決め方の有無に注意する。

◆リーグ戦（総当り戦）

- 1つのチームが戦う試合数と、そのチームの勝ち数、負け数、引き分け数の合計は必ず等しい。このことと、与えられた条件から対戦表を特定していく。
- 順位の決め方が勝敗ではなく、勝ち点や得失点差等の場合があるので注意する。

	A	B	C	D	E	勝　敗
A		○	○	○	△	3勝1分
B	×		×	△	×	3敗1分
C	×	○		×	○	2勝2敗
D	×	△	○		○	2勝1敗1分
E	△	○	×	×		1勝2敗1分

【例題】5つの野球チームA〜Eが1回戦のリーグ戦を行ったところ、引き分けはなく、AとBはともに3勝1敗で同率首位であり、Cは1勝3敗であった。DはEよりも下位であったが、DとEの対戦ではDが勝っている。以上のことから確実に言えるのはどれか。

(1) AはBに勝った。
(2) BはEに負けた。
(3) CはDに負けた。
(4) DはAに勝った。
(5) EはCに勝った。

【解説】まず5チームのリーグ戦なので試合数は、

$$_5C_2 = \frac{5 \cdot 4}{2 \cdot 1} = 10（試合）$$

である。また、引き分けがないので、5チーム全体での勝ち数、負け数の合計はいずれも10である。

「A、Bはともに3勝1敗であり、Cが1勝3敗である」という条件から、A、B、Cの勝ち数の合計は7なので、D、Eの勝ち数の合計は3である。

さらに、DはEに勝ってDはEよりも下位であることより、Dは1勝、Eは2勝である。

以上から、下記の対戦表が確定する。

	A	B	C	D	E	勝　敗
A			○	○		3勝1敗
B			○	○		3勝1敗
C	×	×		○	×	1勝3敗
D	×	×	×		○	1勝3敗
E			○	×		2勝2敗

空欄は確実にはいえない。

ここから各設問について考える。

(1) AがBに勝ったかどうか分からない、よって誤り。
(2) BがEに負けたかどうか分からない、よって誤り。
(3) CはDに勝っている、よって誤り。
(4) DはAに負けている、よって誤り。
(5) EはCに勝っている、よって正しい。

答　(5)

重要ポイント n チームでリーグ戦を行ったとき、総試合数は $_nC_2 = \dfrac{n(n-1)}{2}$ 試合となり、1 つのチームが戦う試合数は $n-1$ 試合となる。

◆トーナメント戦（勝ち抜き戦）

- 1 位以外の順位の決め方には、準決勝で負けた 2 チームで 3 位決定戦を行うか否かや、敗者復活トーナメントなどの特殊なルールが与えられる場合がある。
- トーナメント表にチーム名が記入されていない場合は、与えられた条件から特定していく。

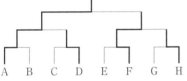

A　B　C　D　E　F　G　H

ワン・ポイント n チームでトーナメント戦を行ったとき、敗者復活がなければ、総試合数は $n-1$ 試合となる。

＋アルファ 基本的にトーナメント戦はリーグ戦より易しい問題が多く、近年はあまり出題されない。特殊なルールが示されても、落ち着いて従えばよい。

出題パターン

　A、B、C、D の 4 チームで 1 試合ずつの総当たり戦の試合を行い、勝率の最も高いチームが優勝となる。試合結果は、勝ち、負け、引き分けのいずれかであり、勝率は（勝ち数）÷（勝ち数＋負け数）で計算し、引き分けは計算には入らない。次のことが分かっているとき、確実に言えるのはどれか。

ア　A は C にだけ勝った。
イ　B は 2 敗した。
ウ　C は 1 勝 1 敗 1 分けだった。
エ　D は 1 つも負けなかった。
オ　2 試合引き分けしたチームが 1 つだけある。

(1) 2 敗したチームが 2 つある。
(2) 2 勝したチームはない。
(3) 勝率 5 割のチームは C だけである。
(4) C は A より勝率が高い。
(5) D は 2 勝して優勝した。

答 (2)

【解説】
　まず、条件ア～エより、対戦表は次のようになる。

	A	B	C	D	勝　敗
A			○		1勝
B			×		2敗
C	×	○		△	1勝1敗1分
D			△		0敗

○は勝ち　×は負け　△は引き分け

　条件オより、2 分けできるチームは A か D であるが、A を 2 分けとすると、D も 2 分けになってしまい、条件に反する。よって 2 分けしたチームは D のみとなり、対戦表が確定する。

	A	B	C	D	勝　敗	勝　率
A		×	○	△	1勝1敗1分	5割
B	○		×	×	1勝2敗	3割3分3厘
C	×	○		△	1勝1敗1分	5割
D	△	○	△		1勝2分	10割

表より各設問を検証する。

重要度
★★★

位置関係と順序

（レッスン 04）

出題頻度の高い単元である。位置関係は一列、並列、円形、平面のパターンが考えられ、与えられた条件から特定可能ないくつかのパーツを作り、それらを組み合わせていく。順序は位置関係の応用で考えられる。

◆一列

条件から特定できるパーツを考え、位置を特定する。

例

（5人が一列に並ぶ）

に対し、パーツが
A －○－○－ B（AとBの間に2人いる）
と、C －○－ D（CとDの間に1人いる）
である場合、位置関係は、

C	A	D		B

または、

A		C	B	D

となる。

◆並列

例

（6人が3人ずつ2列に並ぶ）に対し、パーツがA －○－ B（AとBの間に1人いる）と、

C
｜
D

（Cの後ろはD）
である場合、位置関係は、

または、

	C	
A	D	B

となる。

◆円形

例

（6人が円形に並ぶ）
に対し、パーツが

A
□ ○ □
B

（AとBは向かい合っている）と、

C
□ ○ □
D

（Cの1人おいて左がD）
の場合、
位置関係は、

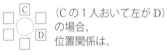

または、

となる。

◆平面

例

　北
西—┼—東
　南

に対し、パーツが

C
｜
A － B

（Aの北にC、Aの東にB）

D － B　（Dの東にB）

C
｜
D － A － B　または、

C
｜
A － D － B　となる。

【例題】1～5階が居住用である5階建てのマンションにA～Eの5人が住んでおり、下記のことが分かっている。このとき、確実に言えるのはどれか。

ア　Aの住む階の2つ以上上の階にEが住んでいる。
イ　Bの住む階の1つ上の階には他の4人は住んでいない。
ウ　Cの住む階の1つ上の階と1つ下の階には、いずれも他の4人のうちの誰かが住んでいる。
エ　Dは他の4人の誰よりも下の階に住んでいる。
オ　Eの住む階と同じ階には他の4人は住んでいない。

(1) 4階にはA～Eの5人は誰も住んでいない。
(2) Aの住む階と同じ階には他の4人は誰も住んでいない。
(3) CはAの住む階より上の階に住んでいる。
(4) Dの住む階の1つ上の階には他の4人は誰も住んでいない。
(5) A～Eの5人のうちの誰か3人が同じ階に住んでいる。

【解説】条件から考えられるパーツは下記のとおりである。

ア	イ	ウ	エ
E | ○ | A	× | B	◎ | C | ◎	A·B·C·E | D

オ
×－E－×

◎：人がいる
○：人がいるか不明
×：人がいない

まず、エより、最も下の階のDを2階と仮定する。さらに、アより、Aは3階と仮定するとEは5階となり、イより、Bは3階で4階は空となるが、このときCは3階となりウが成り立たない。よって、Dは1階と特定できる。

次にアより、上の階のEを4階と仮定するとAは2階となり、イとオよりBは2階となるがウが成り立たない。よってEは5階と特定できる。

以上より、位置関係は下図のいずれかである。

5階	E		5階	E
4階			4階	
3階	B		3階	A、B
2階	A、C		2階	C
1階	D		1階	D

これより各設問を考える。
(1) 4階には誰もいない、よって正しい。
(2) Aと同じ階にはCかBがいる、よって誤り。
(3) CはAより上にいない、よって誤り。
(4) Dの1つ上にはAかCがいる、よって誤り。
(5) 3人がいる階はない、よって誤り。

答　(1)

◆順序

位置関係における一列・並列の場合と同様に、与えられた条件によって特定できるいくつかのパーツを作り、それを組み合わせていく。マラソンをした場合の5人の順序を、同着がないとして考えてみる。

⊙ゴール地点のみの条件

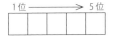

に対し、パーツが上位から、
C→○→○→D（Cの3人後ろにD）
とA→○→B（Aの2人後ろにB）なら、
順序関係は、

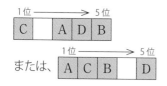

または、

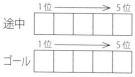

◉途中（折り返し地点）とゴール地点の条件

途中

1位 → 5位

ゴール

1位 → 5位

に対し、パーツが上位から、

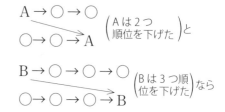

順序関係は、

途中 | 1位 → 5位 |
|---|
| A | B | | | |

ゴール | 1位 → 5位 |
|---|
| | | A | B | |

または

途中 | 1位 → 5位 |
|---|
| B | | A | | |

ゴール | 1位 → 5位 |
|---|
| | | | B | A |

【例題】A、B、C、D、Eの5校で往復の駅伝大会が行われた。往路は昨日終了し、今日は復路が前日の往路の順位に従ってタイム差でスタートした。復路が終了し順位が決まったが、各校の復路は次のようであった。このとき、確実に言えるのはどれか。ただし、復路でゴールした順位が最終順位となり、復路において一度ある学校を抜いた場合には、再度同じ学校に抜き返されなかったものとする。

ア　A校は一度も他校に抜かれず、他校を抜くこともなかった。
イ　B校は3校だけに抜かれてしまったが、最下位にはならなかった。
ウ　C校は1校だけに抜かれたが、別の1校を抜いた。
エ　D校は2校だけを抜き、どこにも抜かれていない。
オ　E校は1校だけを抜き、どこにも抜かれていない。

(1) A校が優勝した。
(2) B校の往路の順位は2位だった。
(3) C校が復路で抜かれたのはD校である。
(4) D校は往路、復路ともA校より下位だった。
(5) E校が復路で抜いたのはC校である。

【解説】パーツは下記のとおり。なお、斜線は順位の上下変動（抜いた、抜かれた）。

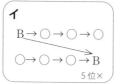

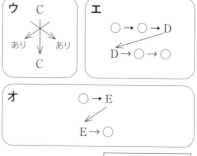

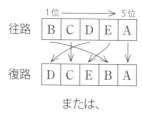

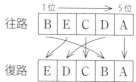

上は往路　下は復路

まず、イより、Bは往路1位、復路4位が特定でき、さらにアより、Aは往路5位、復路5位も特定できる。

よって順序関係は次の図のいずれかとなる。

往路 | 1位 → 5位 |
|---|
| B | C | D | E | A |

復路 | D | C | E | B | A |

または、

往路 | 1位 → 5位 |
|---|
| B | E | C | D | A |

復路 | E | D | C | B | A |

これより各設問を考える。

(1) Aは5位である、よって誤り。

(2) Bは往路1位である、よって誤り。

(3) Cが抜かれたのはDである、よって正しい。

(4) Dは往路、復路ともAより上位である、よって誤り。

(5) Eが抜いたのはBである、よって誤り。

答　**(3)**

出題パターン

A、B、C、D、Eの5人の位置関係が次の①～④の通りであるとき、確実に言えるのはどれか。必要ならば、$\sqrt{2} = 1.4$、$\sqrt{3} = 1.7$、$\sqrt{10} = 3.2$ と考えてよい。

① Aから見て、Bは真北に、Cは真東に、Dは真西に、Eは真南に位置する。

② AからBまでと、AからCまでは同じ距離である。

③ BからDまでの距離は、BからAまでの距離の2倍である。

④ BとDを結んだ線の延長は、CとEを結んだ線の延長と交わることはない。

(1) AからDまでの距離は、AからEまでの距離の3倍である。

(2) BとDを結んだ線と、BとCを結んだ線は直交している。

(3) CからAまでの距離は、CからBまでの距離の半分である。

(4) DからEまでの距離は、DからBまでの距離より長い。

(5) Eから見て、Cは45°の角度の北東に位置する。

答（1）

【解説】

まず $\overset{N}{\underset{}{\text{┼}}}$ として、パーツは

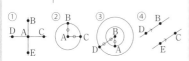

①、②より△ABCは∠A = 90°の直角二等辺三角形である。

①、③より△ABDは∠A = 90°、∠B = 60°、∠D = 30°の三角定規形の直角三角形であり、さらに④より、△AECも∠A = 90°、∠E = 60°、∠C = 30°の三角定規形の直角三角形である。

以上より、A～Eの位置関係は図のように確定する。

仮に AB = 1 とする。

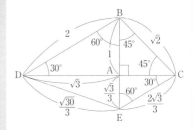

DEは、△ADEにおいて三平方の定理より、

$$DE = \sqrt{AD^2 + AE^2} = \sqrt{3 + \frac{1}{3}}$$

$$= \sqrt{\frac{10}{3}} = \frac{\sqrt{30}}{3} となる。$$

これより、各設問を考える。

(1) $AD = \sqrt{3}$、$AE = \dfrac{\sqrt{3}}{3}$ なので、$3AE = AD$ が成り立つ。よって、正しい。

(2) ∠DBC = 60° + 45° = 105° よって、誤り。

(3) $CA = 1$、$CB = \sqrt{2} = 1.4$ なので、$\dfrac{1}{2}$ CB ≒ CA である。よって、誤り。

(4) $DE = \dfrac{\sqrt{30}}{3} = \dfrac{1.7 \times 3.2}{3} \fallingdotseq 1.8$ DB = 2なので、DE < DBである。よって、誤り。

(5) ∠AEC = 60° である。よって、誤り。

重要度
★★★

レッスン
05

命題・暗号

命題では、与えられた命題の対偶をすべて作り、つながりを考える。暗号は、与えられた例の文字数と、暗号の文字数に注目する。

◆**命題と条件**

正しいか、誤りであるか、明確に判断できる事柄を命題とよび、主に文字を含む文章や式で文字の値を決めると命題となるものを条件とよぶ。

多くの命題は2つの条件 p、q を用いて「p である、ならば、q である」という形をしている。これを単に「$p \Rightarrow q$」と表す。このとき p を仮定、q を結論とよぶ。

◆**命題の真偽と真理集合**

条件 p をみたすものを要素とする集合 P を、条件 p の真理集合とよぶ。

条件 p、q の真理集合 P、Q に対し、P⊂Q が成り立つとき、命題 $p \Rightarrow q$ は真であるといい、成り立たないとき命題 $p \Rightarrow q$ は偽であるという。

また、命題が偽となる具体例を反例とよぶ。

• $p \Rightarrow q$ が真のとき（P、Q の図）真は100%成立しないとダメ

• $p \Rightarrow q$ が偽のとき（P、Q の図）偽は1つでも反例があればOK

反例

◆**必要条件・十分条件**

条件 p、q に対し、命題 $p \Rightarrow q$ が真であるとき

• p は q であるための十分条件である
• q は p であるための必要条件である

という。また、命題 $p \Rightarrow q$、$q \Rightarrow p$ がともに真であるとき、

• p は q であるための ⎫ 必要十分条件
• q は p であるための ⎭ である。

といい、p と q は同値であるともいう。このとき $p \Leftrightarrow q$ と表す。

◆**条件の否定**

条件 p に対し、「p でない」という条件を p の否定といい $\bar{p}$ と表す。このとき、条件 $\bar{p}$ の真理集合は $\bar{P}$（Pの補集合）となる。

＜主な否定＞
• p かつ（∩）q ⟷ $\bar{p}$ または（∪）$\bar{q}$
• すべての〜 ⟷ ある特定の（少なくとも1つ）〜でない
• $\geqq$ ⟷ $<$
• $=$ ⟷ $\neq$

◆**逆・裏・対偶**

条件 p、q に対し、対偶の関係にある2つの命題の真偽は必ず一致し、偽であるときの反例も一致する。

逆・裏の関係にある2つの命題の真偽は一致することもしないこともある。

【例題】あるクラスで国語、数学、理科、社会、英語について、得意かどうかのアンケートを実施したところ、次のア〜ウのことが分かった。このとき、確実に言えることとして、最も妥当なのはどれか。

ア　英語が得意でない人は、国語が得意である。
イ　数学が得意な人は、社会が得意かつ国語が得意でない。
ウ　社会または英語が得意な人は、理科が得意でない。

(1) 英語が得意な人は国語が得意でない。
(2) 国語が得意な人は理科が得意でない。
(3) 数学が得意な人は理科が得意である。
(4) 理科が得意な人は数学が得意でない。
(5) 社会が得意な人は数学が得意である。

【解説】
　国語、数学、理科、社会、英語が得意であるという条件を、それぞれ、国、数、理、社、英と表し、その否定、つまり得意でないという条件をそれぞれ、国、数、理、社、英と表す。

ア：英⇒国、対偶は、国⇒英
イ：数⇒社∩国、対偶は、社∪国⇒数
ウ：社∪英⇒理、対偶は、理⇒社∩英
　これより各設問を考える。
(1) 英⇒国はウの次がつながらない、よって誤り。
(2) 国⇒理はイの対偶の次がつながらない、よって誤り。
(3) 数⇒理はイとウがつながり数⇒理となる、よって誤り。
(4) 理⇒数はウの対偶とイの対偶がつながる、よって正しい。
(5) 社⇒数はウの次がつながらない、よって誤り。

答（4）

◆暗号
　与えられた単語に対する暗号の文字数（記号数）と、単語の平仮名、ローマ字、漢字での文字数の対応から単語の字体を特定し、五十音・アルファベット順などの規則性から暗号を解読する。

例

	11	10	9	8	7	6	5	4	3	2	1	
ん	わ	ら	や	ま	は	な	た	さ	か	あ	a
	り		み	ひ	に	ち	し	き	い	b
	る	ゆ	む	ふ	ぬ	つ	す	く	う	c
	れ		め	へ	ね	て	せ	け	え	d
を	ろ	よ	も	ほ	の	と	そ	こ	お	e

上の暗号表を用いると、
桜　←→ 3a2c9a（a3c2a9）
横浜 ←→ 8e2e6a7a（e8e2a6a7）
となる。縦横どちらを先にするかは、取り決めによる。

🔔出題パターン

　「日本」をある規則に従って記号で表すと、「にほん」と読む場合は「●○○◎●」、「にっぽん」と読む場合は「●○××◎●」になり、「富士山（ふじさん）」は「×○×◎●○」になる。これに従って「桜（さくら）」を記号で表したものとして、最も妥当なのはどれか。

(1)「●○×◎●○」
(2)「●○×○×○」
(3)「●○○●×○」
(4)「●○○○×○」
(5)「●○○○●○」

答（2）

【解説】
　まず、この記号は読み方で変わるので、漢字対応ではない。また、かなの文字数と記号の数も対応していない。ローマ字表記であればちょうど対応するので、アルファベットとの対応を考える。
　N I H O N
　● ○ ◎ ○ ●
　N I P P O N
　● ○ × × ◎ ●
　F U J I S A N
　× ○ × ◎ ● ○ ●
　つまり、◎は H、I、O、○は A、U、●は N、S、×は F、J、P と対応している。ここから、「SAKURA」は「●○?○?○」と推測できる。

レッスン 01 表

毎回必ず出題される単元である。指数・構成比のみであるか、実数（全体の数値・基準時の数値）が与えられているかに注意する。

◆単純集計表

一つの標識に関して、度数（データの個数）を記入した表を単純集計表とよぶ。特に、統計資料を階級（小さな区間）に分けて、各階級に含まれる度数を記入した表を度数分布表とよぶ。このとき、各階級の中央の値を階級値という。

> **用語** **標識**：統計単位の性質として与えられる年齢、職業などの特性のこと。

◆相対度数（構成比）

度数全体に対する、各階級の度数の占める割合を相対度数とよぶ。相対度数の総和は1となる。

◆累積度数

度数を階級毎に分けて記入する代わりに、度数分布表でデータの値が小さい順に各階級の度数を加えた値を累積度数とよぶ。

例 あるクラスの体重の度数分布表			
階級 (kg)	度数	相対度数	累積度数
40以上45未満	1	0.05	1
45以上50未満	4	0.2	5
50以上55未満	6	0.3	11
55以上60未満	7	0.35	18
60以上65未満	2	0.1	20
計	20	1	20

◆クロス集計表

二つ以上の標識に関して、度数を記入した表をクロス集計表とよぶ。

例 あるクラスの男女の睡眠時間			
時間	〜6未満	6〜8未満	8以上	合計
男	5	10	1	16
女	6	12	0	18
合計	11	22	1	34

◆対前年比

一つの標識において、前年のデータをx_1、当年のデータをx_2としたとき、対前年比（%）は、

$$\frac{x_2}{x_1} \times 100 \, (\%)$$

で求められる。

◆対前年増加・減少率

一つの標識において、前年のデータをx_1、当年のデータをx_2としたとき、対前年増加率（%）は、

$$\frac{x_2 - x_1}{x_1} \times 100 \, (\%)$$

で求められる。また、対前年減少率(%)は、

$$\frac{x_1 - x_2}{x_1} \times 100 \, (\%)$$

で求められる。

◆指数

一つの標識において、異なる時点間におけるデータを比較するために、基準となる時点（基準時）を100として、他の時点でのデータを相対的に表した値を指数とよぶ。

> 例　1月のデータ x_1 を基準時としたとき、
>
> 2月のデータ x_2 の指数は $\dfrac{x_2}{x_1} \times 100$
>
> 3月のデータ x_3 の指数は $\dfrac{x_3}{x_1} \times 100$

◆代表値

　表やグラフから、データの特徴を表す数値を代表値とよぶ。代表値には、平均値、中央値（メジアン）、最頻値（モード）などがある。

⊙平均値

　平均値は $\bar{x}$ と表す。

- n 個のデータ x_1、x_2、……、x_n があるとき：

$$\bar{x} = \frac{1}{n}\,(x_1 + x_2 + \cdots\cdots + x_n)$$

- 度数分布表のみで、個々のデータがないとき：
  階級値 x_1、x_2、……、x_k の度数をそれぞれ f_1、f_2、……、f_k とし、データの大きさを n とすると、

$$\bar{x} = \frac{1}{n}\,(x_1 f_1 + x_2 f_2 + \cdots\cdots + x_k f_k)$$

 ワン・ポイント　平均値は必ず最小値と最大値の間にある！

⊙中央値（メジアン）

- 個々のデータがあるとき：データを小さい順に並べたとき中央にくる値。ただし、データが偶数個のときは、中央の二つのデータの平均値。
- 度数分布表のみで、個々のデータがないとき：中央にくる値がある階級の階級値。
- 四分位数：データを小さい順に並べたとき中央値を第2四分位数とよび、Q_2 と表す。このとき、Q_2 より小さいデータの中央値を第1四分位数とよ

び Q_1 と表す。同様に、Q_2 より大きいデータの中央値を第3四分位数とよび、Q_3 と表す。

⊙最頻値（モード）

- 度数分布表がないとき：データの値のうち最も個数の多い値。
- 度数分布表があるとき：度数が最も大きい階級の階級値。

> 例　下のデータは10人の小テストの結果を得点の低い順に並べたものである。
>
> > 3、4、5、6、6、7、8、8、8、10（点）
>
> 　このデータの中央値は、10人のデータなので低い方から5番目と6番目のデータの平均値である。よって、
>
> $$\frac{6+7}{2} = 6.5\,（点）$$ であり、
>
> 　最頻値は、最も個数の多い値なので、8（点）である。

> 例　下の度数分布表はあるクラス40人の身長である。
>
> | 身長（cm） | 度数（人） |
> |---|---|
> | 130 以上 140 未満 | 2 |
> | 140 以上 150 未満 | 8 |
> | 150 以上 160 未満 | 12 |
> | 160 以上 170 未満 | 15 |
> | 170 以上 180 未満 | 3 |
> | 計 | 40 |
>
> 　まず、中央値は、40人のクラスなので小さい方から20番目のデータが属する階級の階級値と、21番目のデータが属する階級の階級値の平均値である。いずれも150以上160未満の階級に属しているので中央値は155（cm）である。最頻値は最も度数の大きい階級の階級値なので165（cm）である。

01
表

285

【例題】次の表は、世界の航空旅客輸送の旅客数の推移を示したものである。この表からいえることとして、最も妥当なのはどれか。

※ 2014 年迄は ICAO、2015 － 2020 年は IATA 発表値。2021 及び 2022 年は IATA 発表 RPK の伸び率からの推算。

世界の航空旅客輸送の旅客数　　(単位：百万人)

年	北米	欧州	アジア / 太平洋	その他	世界合計	年	北米	欧州	アジア / 太平洋	その他	世界合計
2011	801	768	843	392	2,804	2017	942	1,075	1,486	591	4,094
2012	810	799	901	426	2,936	2018	989	1,147	1,623	618	4,378
2013	815	840	1,031	462	3,148	2019	1,029	1,191	1,684	639	4,543
2014	838	872	1,107	486	3,303	2020	402	390	781	235	1,807
2015	883	935	1,214	536	3,568	2021	703	497	681	322	2,203
2016	911	992	1,341	566	3,810	2022	1,045	1,048	891	697	3,681

(1) 2019 年までの旅客数の世界合計は毎年増加しており、その対前年増加率は 4%以上である。その増加率が最も大きかった年は 2016 年で、最も小さかった年は 2012 年である。

(2) 北米の 2011 年から 2015 年までの 5 年間の増加率は 5%未満で、2016 年から 2019 年までの 4 年間の増加率は 10%未満である。

(3) アジア / 太平洋で最も旅客数が多かった年の旅客数は、2019 年までの間で最も旅客数が少なかった年の 2.5 倍以上である。

(4) 2020 年で前年からの旅客数の減少率が最も小さかったのは北米である。北米の 2021 年の旅客数は前年比 180%以上、2022 年の旅客数は前年比 150%以上である。

(5) 2022 年の旅客数を旅客数が最も多かった年と比べると、欧州は 80%台まで回復したが、アジア / 太平洋は 50%台に止まっている。

【解説】表の数値は実数なので計算が可能である。そこで、各設問について考える。

(1) 世界合計の対前年増加率は、

2012 年は、$\dfrac{2,936 - 2,804}{2,804} \times 100 \fallingdotseq 4.7\%$

2013 年は、$\dfrac{3,148 - 2,936}{2,936} \times 100 \fallingdotseq 7.2\%$

2014 年は、$\dfrac{3,303 - 3,148}{3,148} \times 100 \fallingdotseq 4.9\%$

2015 年は、$\dfrac{3,568 - 3,303}{3,303} \times 100 \fallingdotseq 8.0\%$

2016 年は、$\dfrac{3,810 - 3,568}{3,568} \times 100 \fallingdotseq 6.8\%$

であるから、増加率が最も大きかった年は 2016 年ではない。よって、誤り。

(2) 北米の 2011 年から 2015 年までの 5 年間の増加率は、$\dfrac{883 - 801}{801} \times 100 \fallingdotseq$ 10.2%であるから、5%未満ではない。よって、誤り。

(3) アジア / 太平洋で最も旅客数が多かった年は、2019 年の 1,684 百万人である。2019 年までの間で最も旅客数が少なかった年は、2011 年の 843 百万人で、その 2.5 倍は 843 × 2.5 ≒ 2,108 百万人であるから、2.5 倍以上ではない。よって、誤り。

(4) 2020 年の対前年減少率は、北米が $\dfrac{1,029 - 402}{1,029} \times 100 \fallingdotseq 60.9\%$、アジア / 太平洋は $\dfrac{1,684 - 781}{1,684} \times 100 \fallingdotseq 53.6\%$ であり、最も小さかったのは北米ではない。よって、誤り。

(5) 旅客数の最も大きかった年に対する 2022 年の比は、欧州の 2019 年は $\dfrac{1,048}{1,191} \times 100 \fallingdotseq 88.0\%$、アジア / 太平洋の 2019 年は $\dfrac{891}{1,684} \times 100 \fallingdotseq 52.9\%$ であるから、欧州は 80%台、アジア / 太平洋は 50%台である。よって、正しい。

答（5）

出題パターン

次の表は我が国の媒体別広告費の推移を示したものである。この表からいえることとして、最も妥当なのはどれか。

媒体別広告費

(単位：億円)

年次	総広告費①	マスコミ四媒体②					プロモーションメディア③	インターネット
			新聞	雑誌	ラジオ	テレビメディア		
2010 年	58,427	27,749	6,396	2,733	1,299	17,321	22,147	7,747
2015 年	61,710	28,699	5,679	2,443	1,254	19,323	21,417	11,594
2019 年	69,381	26,094	4,547	1,675	1,260	18,612	22,239	21,048
2020 年	61,594	22,536	3,688	1,223	1,066	16,559	16,768	22,290
2021 年	67,998	24,538	3,815	1,224	1,106	18,393	16,408	27,052

① 2019 年からは、「物販系 EC プラットフォーム広告費」と「イベント領域」を追加し、広告市場の推定を行っている。
② 2010 年は衛星メディア関連を除く。
③プロモーションメディアとは、屋外、交通、折込、ダイレクト・メール、フリーペーパー・フリーマガジン・電話帳、店頭販促物、イベント・展示・映像などである。

(1) 2020 年の総広告費は 2019 年より 20％以上減少したが、2021 年の総広告費は 2020 年より 20％以上増加した。
(2) 2010 年と 2021 年とを比較した場合、新聞、雑誌、ラジオ、テレビメディアの中で減少率及び減少額が最も大きかったのは、いずれも新聞である。
(3) インターネットの広告費は、2010 年にはマスコミ四媒体の広告費の 30％未満であったが、2021 年にはマスコミ四媒体の広告費の 110％以上になっている。
(4) 2019 年のプロモーションメディアの広告費は、総広告費の 30％以上であったが、2021 年には約 6 千億円減少し、2021 年の総広告費の 20％未満になっている。
(5) 新聞、雑誌、ラジオ、テレビメディアにおける広告費が最も高い年次と最も低い年次とを比較したとき、増減率が最も小さい媒体は、ラジオである。

答（3）

01
表

【解説】

表の数値は実数なので計算が可能であるが、数値が大きいから十億の位で四捨五入し単位を百億とする。そこで各記述について考える。
(1)2020 年の総広告費の対前年減少率は、$\frac{694 - 616}{694} \times 100 ≒ 11.2％$であるから、20％未満である。よって、誤り。
(2)2010 年と 2021 年とを比較した場合の広告費は、新聞が半減まではしていないが、雑誌は半減より更に減少しているから、減少率は計算するまでもなく新聞が最も大きくはない。よって、誤り。
(3)マスコミ四媒体に対するインターネットの比は、2010 年は $\frac{77}{277} \times 100 ≒ 27.8％$であるから 30％未満であり、

2021 年は $\frac{271}{245} \times 100 ≒ 110.6％$であるから 110％以上である。よって、正しい。
(4)総広告費に対するプロモーションメディアの比は、2019 年は $\frac{222}{694} \times 100 ≒ 32.0％$であるが、2021 年は $\frac{164}{680} \times 100 ≒ 24.1％$であり 20％以上である。よって、誤り。
(5)広告費が最も高い年次に対する最も低い年次の減少率は、ラジオが $\frac{13 - 11}{13} \times 100 ≒ 15.4％$、テレビメディアは $\frac{193 - 166}{193} \times 100 ≒ 14.0％$であるから、最も小さい媒体はラジオではない。よって、誤り。

レッスン **02** # グラフ

ほぼ毎回出題される単元である。数値・比率が与えられているか、グラフの目盛で読み取るかに注意する。

◆**棒グラフ**

縦軸にデータ量をとり、棒の高さでデータの大小を表したグラフ。データの大小を比較する際に用いる。

◆**折れ線グラフ**

縦軸にデータ量を、横軸に月や年などの時間をとり、それぞれのデータを折れ線で結んだグラフ。データの増減をみる際に用いる。

◆**帯グラフ**

長さをそろえた横棒を縦に並べて、棒の中に構成比ごとの仕切りを入れたグラフ。構成比の比較をする際に用いる。

◆**円グラフ**

円を全体とし、円の中の構成比を、おうぎ形の面積で表すように仕切りを入れたグラフ。構成比を表す際に用いる。

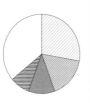

◆**ヒストグラム**

度数分布表において、度数を縦軸、階級を横とし、各階級の度数を長方形の面積として表したグラフ。データの散らばり具合をみる際に用いる。

◆**箱ひげ図**

箱の上下にひげが付いた形のグラフ。ひげの上端が最大値、下端が最小値、箱の上辺が Q_3、中辺が Q_2、底辺が Q_1 を表し、箱の部分にデータの約50％が集まっている。データの散らばり具合を比較する際に用いる。

◆**散布図**

2つの変量をそれぞれ縦軸、横軸にとり、対応するデータを点で表したグラフ。2つの変量の関係（相関）をみる際に用いる。

◆**三角グラフ**

3つの変量をそれぞれ三角形の3辺にとり、対応するデータを点で表したグラフ。3つの構成要素の比率を表す際に用いる。

◆**レーダーチャート**

データの項目数に応じて正多角形を作り、中心から各頂点に引いた線上にデータを点で表し、それらを線で結んだグラフ。複数のデータを総合した全体の傾向をみる際に用いる。

ワン・ポイント グラフは表を視覚的に理解するための表現手段である。よって、数値、比率が与えられていれば、解き方は表と同じである。また、選択肢に資料にないことが入っている場合は、必ず誤りである。

🔔 出題パターン

次のグラフは、我が国のA〜D県の製造品出荷額とその内訳（上位5品目）を示したものである。このグラフからいえるア〜ウの記述の正誤の組合せとして、最も妥当なのはどれか。

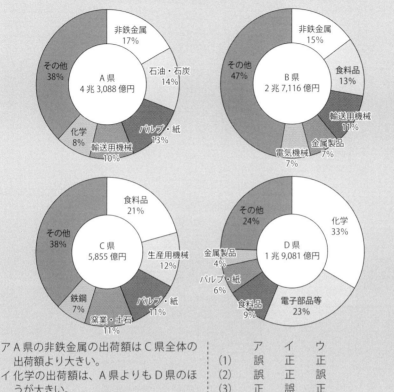

ア A県の非鉄金属の出荷額はC県全体の出荷額より大きい。
イ 化学の出荷額は、A県よりもD県のほうが大きい。
ウ D県の食料品の出荷額はB県の食料品の出荷額の50%以上である。

	ア	イ	ウ
(1)	誤	正	正
(2)	誤	正	誤
(3)	正	誤	正
(4)	正	正	誤
(5)	正	誤	誤

答 (4)

【解説】

グラフの数値は構成比であるが、円の中央の数値は実数なので計算が可能である。ただし、数値が大きいから十億の位で四捨五入し単位を百億とする。これより、各記述について考える。

ア A県の非鉄金属は 431 × 17% ≒ 73.3 百億円であり、C県全体は 59 百億円であるから、A県の非鉄金属の方が大きい。よって、正しい。

イ 化学について、A県は 431 × 8% ≒ 34.5 百億円であり、D県は 191 × 33% ≒ 63.0 百億円であるから、D県の方が大きい。よって、正しい。

ウ 食料品について、D県は 191 × 9% ≒ 17.2 百億円であり、B県の50%は 271 × 13% × 50% ≒ 17.6 百億円であるから、B県の50%未満である。よって、誤り。

以上より、アイウの正誤の組合せとして、正しいのは、正正誤の(4)である。

練習問題

No.1 次の 2 つの整数の最大公約数として、正しいのはどれか。

4836　5394

(1) 2　　(2) 3　　(3) 6　　(4) 62　　(5) 186

正答：(5)

ユークリッドの互除法を用いる。

$5394 = 4836 \times 1 + 558$

$4836 = 558 \times 8 + 372$

$558 = 372 \times 1 + 186$

$372 = 186 \times 2$

よって、最大公約数は 186 である。

No.2 すべての辺の長さが 1 である四角錐の体積として、正しいのはどれか。

(1) $\dfrac{\sqrt{2}}{6}$　　(2) $\dfrac{1}{3}$　　(3) $\dfrac{\sqrt{2}}{3}$　　(4) $\dfrac{\sqrt{2}}{2}$　　(5) $\sqrt{2}$

正答：(1)

図のように点をおく。まず、底面の四角形 ABCD は一辺の長さが 1 の正方形なので、面積は $1^2 = 1$ である。

次に高さ OH を求める。底面の正方形の対角線から、

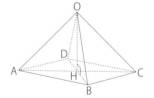

$AC = \sqrt{2}$、すると $AH = \dfrac{\sqrt{2}}{2}$、$OA = 1$ なので、三平方の定理から、

$OH = \sqrt{1^2 - \left(\dfrac{\sqrt{2}}{2}\right)^2} = \dfrac{\sqrt{2}}{2}$ となる。

よって、求める体積は

$\dfrac{1}{3} \cdot 1 \cdot \dfrac{\sqrt{2}}{2} = \dfrac{\sqrt{2}}{6}$

No.3 A、B の 2 人がゲームの決勝戦をする。1 ゲームあたりの A、B の勝率はどちらも $\dfrac{1}{2}$ である。3 ゲーム先取で優勝としたとき、A が優勝する確率として、正しいのはどれか。

(1) $\dfrac{1}{8}$　　(2) $\dfrac{3}{16}$　　(3) $\dfrac{1}{2}$　　(4) $\dfrac{5}{8}$　　(5) $\dfrac{11}{16}$

正答：(3)

　A が優勝するのは、3 連勝、3 勝 1 敗、3 勝 2 敗がある。

① 3 連勝のとき、　$\left(\dfrac{1}{2}\right)^3 = \dfrac{1}{8}$ である。

② 3 勝 1 敗のとき、3 ゲーム目までを 2 勝 1 敗で 4 ゲーム目に勝つので、

　　$_3C_1 \left(\dfrac{1}{2}\right)^2 \left(\dfrac{1}{2}\right) \times \dfrac{1}{2} = \dfrac{3}{16}$ である。

③ 3 勝 2 敗のとき、4 ゲーム目までを 2 勝 2 敗で 5 ゲーム目に勝つので、

　　$_4C_2 \left(\dfrac{1}{2}\right)^2 \left(\dfrac{1}{2}\right)^2 \times \dfrac{1}{2} = \dfrac{3}{16}$ である。

　よって、①～③すべて互いに排反なので、求める確率は、

　　$\dfrac{1}{8} + \dfrac{3}{16} + \dfrac{3}{16} = \dfrac{1}{2}$

No.4 5%の食塩水 A150g に、食塩水 B を加えたら、10%の食塩水が 200g できた。このとき食塩水 B の濃度として、正しいのはどれか。

(1) 10%　　(2) 15%　　(3) 20%　　(4) 25%　　(5) 30%

正答：(4)

　まず、食塩水 B の量は $200 - 150 = 50$（g）であり、濃度を x %とすると、食塩の量は $50 \times \dfrac{x}{100}$（g）である。また、食塩水 A の食塩の量は $150 \times \dfrac{5}{100}$（g）、できた食塩水の食塩の量は $200 \times \dfrac{10}{100}$（g）である。

　よって、$50 \times \dfrac{x}{100} + 150 \times \dfrac{5}{100} = 200 \times \dfrac{10}{100}$

$$\dfrac{1}{2}x + \dfrac{15}{2} = 20$$
$$x + 15 = 40$$
$$x = 25 \,(\%)$$

練習問題

No.5 40人のクラスで、電車通学している生徒は35人、バス通学している生徒は29人いる。このとき、電車とバスの両方を通学に利用している生徒数の最大値と最小値として、正しいのはどれか。

	最小値	最大値
(1)	0	29
(2)	0	35
(3)	24	29
(4)	24	35
(5)	29	35

正答：(3)

全体集合 U をクラスの 40 人、集合 A を電車通学している 35 人、集合 B をバス通学している 29 人として、求める電車とバスの両方を利用している生徒数を、

$n(A \cap B) = x$（人）とする。

$n(\overline{A \cup B}) = 40 - (35 + 29 - x)$

$\qquad\qquad\quad = x - 24$

各部分集合の要素の個数は負でないので、

$x \geqq 0$ かつ $35 - x \geqq 0$ かつ $29 - x \geqq 0$ かつ $x - 24 \geqq 0$

つまり $24 \leqq x \leqq 29$

よって、最小値 24、最大値 29

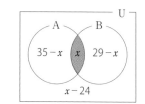

No.6 一辺の長さ 1 の立方体 64 個を積み重ねて固定し、一辺の長さ 4 の立方体を作った。この立方体を、図の 3 頂点 A、B、C を通る平面で切断したとき、もとの一辺の長さ 1 の立方体で、切断されたものの個数として、正しいのはどれか。

(1) 9 個

(2) 12 個

(3) 16 個

(4) 19 個

(5) 30 個

正答：(3)

切断面に現れる図形は正三角形であり、この正三角形の各辺の 4 等分点と、もとの一辺の長さ 1 の立方体の頂点は一致している。よって切断面には、各辺の 4 等分点どうしを、各辺と平行に結んだ模様が現れる。

このとき、模様の小さな正三角形の個数が、求める切断された一辺の長さ 1 の立方体の個数となるので、図で数えて 16 個となる。

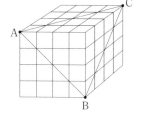
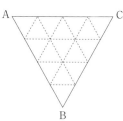

No.7 A～Eの5人にアメリカ、フランス、イタリア、スペイン、イギリスへの渡航経験を聞いたところ、どの国もちょうど3人が渡航していた。各人が5人の渡航先について次のように述べているとき、確実に言えることとして最も妥当なのは、（1）～（5）のうちどれか。

A　「私はアメリカを含め4か国に行ったことがある」

B　「私が行ったことがあるのはフランスのみ」

C　「私はイタリア、フランス、スペインに行ったことがある。フランスとスペインの両方に行ったことがあるのは私だけ」

D　「私はイタリアとフランスに行ったことがある」

E　「私はイギリスを含め3か国に行ったことがある。イギリスとアメリカの一方にだけ行ったことがある人はいない」

（1）　Cは5か国すべてに行ったことがある。

（2）　ちょうど4か国に行ったことがある人は2人である。

（3）　Aはフランスに行ったことがある。

（4）　Eはスペインに行ったことがある。

（5）　Dはアメリカに行ったことがある。

正答：（4）

　まずBの渡航先は与えられている。問題より、どの国もちょうど3人が渡航しているので、B、C、Dがフランスに行ったことからA、Eは行っていない。これでAの行った4か国は、アメリカ、イタリア、スペイン、イギリスと特定できる。

　するとA、C、Dがイタリアに行ったのでEは行っていない。また、フランスとスペインに行ったのはCのみで、Dはスペインに行っていないから、スペインに行ったのはA、C、Eとなる。そしてEはイギリスに行ったので、アメリカにも行ったことがある。

　以上より、右のような発言表ができる。

　これより各設問を考える。

（1）× 　Cは5か国に行ったかどうか分からない。

（2）× 　ちょうど4か国に行ったと特定できるのはAだけである。

（3）× 　Aはフランスに行っていない。

（4）○ 　Eはスペインに行っている。

（5）× 　Dはアメリカに行ったかどうか分からない。

	A	B	C	D	E
アメリカ	○	×			○
フランス	×	○	○	○	×
イタリア	○	×	○	○	×
スペイン	○	×	○	×	○
イギリス	○	×			○

（○は行ったことあり　×は行ったことなし）

No.8 A～Fの6チームでソフトボールのリーグ戦を行ったところ、引き分けの試合はなく、1位・6位までの順位が確定した。各試合の結果について、次のことが分かっているとき、確実に言えるのは（1）～（5）のうちどれか。

AはBに勝ったがEに負けた。
BはDに勝ったがEに負けた。
CはAにもFにも負けた。
DはAにもCにも負けた。
EはCにもFにも勝った。
FはAに負けたがBに勝った。

（1）　Aは1位であった。
（2）　Bは4位であった。
（3）　Dは5位であった。
（4）　Eは2位であった。
（5）　Fは3位であった。

正答：（5）

まず6チームのリーグ戦なので試合数は、$_6C_2 = \dfrac{6 \cdot 5}{2 \cdot 1} = 15$（試合）である。

また、引き分けがなく、1位～6位まで順位が決まったので、1位は5勝、2位は4勝1敗、3位は3勝2敗、4位は2勝3敗、5位は1勝4敗、6位は5敗である。

次に、与えられた条件のみで対戦表を作る。

この時点で4勝1敗のAは2位であり、5勝の1位になれるのはEのみ、5敗の6位になれるのはDのみ。すると、FはDに勝ち3勝2敗となるので3位となる。

これより各設問を考える。

（1）　× 　Aは2位である。
（2）　× 　Bの順位は分からない。
（3）　× 　Dは6位である。
（4）　× 　Eは1位である。
（5）　○ 　Fは3位である。

	A	B	C	D	E	F	この時点の勝敗
A		○	○	○	×	○	4勝1敗
B	×			○	×	×	1勝3敗
C	×			○	×	×	1勝3敗
D	×	×	×				0勝3敗
E	○	○	○			○	4勝0敗
F	×	○	○		×		2勝2敗

No.9 ある街にＡ～Ｆの６人が住んでおり、それぞれの家の方角について下記のことが分かっている。このとき、確実に言えるのは（1）～（5）のうちどれか。

　ア　Ａの家の真南にＢの家、更にその真南にＣの家があり、その距離は等しい。
　イ　Ｄの家の真南にＥの家、更にその真西にＢの家があり、その距離は等しい。
　ウ　Ｆの家の北西にＢの家、更にその北東にＤの家があり、その距離は等しい。

（1）　Ａの家はＤの家の真西にある。
（2）　Ｅの家はＦの家の真北にある。
（3）　Ｃの家はＦの家の真西にある。
（4）　Ａの家はＥの家の北西にある。
（5）　Ｅの家はＣの家の北東にある。

正答：（2）

ＢとＤに注目してこれらを組み合わせると、位置関係は図のようになる。

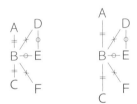

　これより各設問を考える。

（1）　×　ＡとＤの方角は分からない。
（2）　○　△ BDE が∠Ｅ＝ 90°の直角二等辺三角形となるので、これと合同な△ BFE も同じであり、Ｅの家はＦの家の真北にある。
（3）　×　ＣとＦの方角は分からない。
（4）　×　ＡとＥの方角は分からない。
（5）　×　ＥとＣの方角は分からない。

No.10 A～Gの7人がマラソンを行った。ゴール地点において下記のことが分かっている。このとき確実に言えるのは（1）～（5）のうちどれか。

　ア　AはBより先にゴールし、AとBの間に1人以上がゴールした。
　イ　BはGより先にゴールし、BとGの間に2人以上がゴールした。
　ウ　CはFより先にゴールし、CとFの間に1人がゴールした。
　エ　Dの次にEがゴールした。

（1）　Gは7位であった。
（2）　Cは1位であった。
（3）　Aは2位であった。
（4）　Eは5位であった。
（5）　Bは3位であった。

正答：（1）

　パーツは、先にゴールした順に、
　　A→○→？→B　　　B→○→○→？→G　　　C→○→F　　　D→E
　　　ア　　　　　　　　　　イ　　　　　　　　ウ　　　　　エ

　まずCとFの間にゴールした1人はD、Eではないので、A、B、Gのいずれかとなるが、Gだとすると、A→○→B→○→C→G→Fとなり、エが成り立たないのでGではない。よって、順序関係は次のいずれかである。
　　C→A→F→B→D→E→G
　　1位 ――――――――→7位
　　A→C→B→F→D→E→G

　これより各設問を考える。
（1）　○　　Gは7位である。
（2）　×　　Cの順位は分からない。
（3）　×　　Aの順位は分からない。
（4）　×　　Eは6位である。
（5）　×　　Bの順位は分からない。

No.11 諺「転がる石に苔生さず」が正しいとする。このとき確実に言えるのはどれか。
（1）「転がらない石にも苔は生さない」
（2）「転がらない石には苔が生す」
（3）「苔が生すのは転がらない石である」
（4）「苔が生さないのは転がる石である」
（5）「苔が生さないのは転がらない石である」

正答：（3）

　命題「転がる石⇒苔生さず」が真であるならば、その対偶の命題は、「苔生さず⇒転がる石」つまり、「苔生す⇒転がらない石」も真となる。よって確実に正しいのは、「苔が生すのは転がらない石である」。

No.12　右の表は、日本人の平均寿命について、平成2年から令和4年までの推移を示したものである。この表から言えることとして、最も妥当なものは（1）〜（5）のうちどれか。

(1) 男女共、平均寿命は平成2年以降毎年伸びている。

(2) 平成2年に対する令和4年の平均寿命の伸び率は、女の方が男を上回っている。

(3) 平成22年に対する令和4年の平均寿命の伸び率は、男の方が女を上回っている。

(4) 平成30年から令和4年にかけて、男女の平均寿命の差は毎年縮まっている。

(5) 令和4年において70歳の男は、平均してあと11.05年生きる。

日本人の平均寿命

（単位　年）

年次	男	女
平成2年	75.92	81.90
7	76.38	82.85
12	77.72	84.60
17	78.56	85.52
22	79.55	86.30
27	80.75	86.99
28	80.98	87.14
29	81.09	87.26
30	81.25	87.32
令和元年	81.41	87.45
2	81.56	87.71
3	81.47	87.57
4	81.05	87.09

平均寿命とは0歳の平均余命。平成28〜30年、令和元、3〜4年は簡易生命表による。資料:厚生労働省「生命表」「簡易生命表」

正答：（3）

前半部分は年次の飛んだ実数が記入された表なので年次の飛んでいない部分は計算可能である。そこで各設問を考える。

(1) 平成2年から平成27年は年次が飛んでいるので、平均寿命が毎年伸びているのか分からない。よって誤り。

(2) 平成2年に対する令和4年の平均寿命の伸び率は、
　　男は、$81.05 \div 75.92 \times 100 \fallingdotseq 106.8\%$
　　女は、$87.09 \div 81.90 \times 100 \fallingdotseq 106.3\%$
　　であり、女の方が男を下回っている。よって誤り。

(3) 平成22年に対する令和4年の平均寿命の伸び率は、
　　男は、$81.05 \div 79.55 \times 100 \fallingdotseq 101.9\%$
　　女は、$87.09 \div 86.30 \times 100 \fallingdotseq 100.9\%$
　　であり、男の方が女を上回っている。よって正しい。

(4) 男女の平均寿命の差は、
　　平成30年は、$87.32 - 81.25 = 6.07$
　　令和元年は、$87.45 - 81.41 = 6.04$
　　令和2年は、$87.71 - 81.56 = 6.15$
　　であり、令和元年から令和2年で拡がっている。よって誤り。

(5) 平均寿命は0歳の平均余命であって、70歳の平均余命は分からない。よって誤り。

No.13 次の図は、我が国における技術貿易について、平成 20 年度から令和 4 年度までの推移を示したものである。この図から言えることとして、最も妥当なのはどれか。

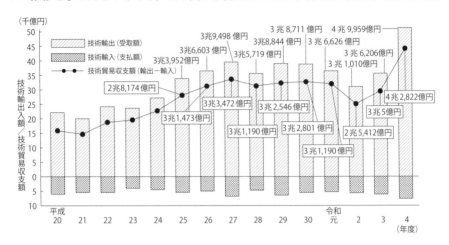

(1) 令和 2 年度に技術貿易収支額が減少したのは、コロナ禍で物流が滞ったためである。
(2) 令和 4 年度の技術輸入は、平成 27 年度のそれを上回っている。
(3) 令和 4 年度の技術輸出は、平成 24 年度のそれの 2 倍を上回っている。
(4) 技術貿易収支額の対前年増加率がマイナスなのは、平成 21 年度のみである。
(5) 技術貿易収支額の令和 4 年度における対前年増加率は、50％を上回っている。

正答：(2)

　図の中に実数が記入されているのは平成 25 ～令和 4 年度のみなので、その他の年度はグラフの目盛りを読み取る。そこで各設問を考える。

(1) ×　図に書かれていないことは、判断できない。
(2) ○　令和 4 年度の技術輸入は、
　　　　4 兆 9,959 億円－ 4 兆 2,822 億円＝ 7,137 億円
　　　　平成 27 年度の技術輸入は、
　　　　3 兆 9,498 億円－ 3 兆 3,472 億円＝ 6,026 億円
　　　　であり、令和 4 年度が上回っている。
(3) ×　平成 24 年度の技術輸出は、2.5 兆円より多いので、その 2 倍は 5 兆円より多いため、令和 4 年度の 4 兆 9,959 億円は下回っている。
(4) ×　技術貿易収支額の対前年増加率は折れ線グラフの傾きであり、傾きが負の年度には平成 21、28、令和元、2 年度がある。
(5) ×　令和 4 年度における技術貿易収支額の対前年増加率は、
　　　　$\dfrac{42,822 - 30,005}{30,005} \times 100 \fallingdotseq 42.7\%$ なので、50％を下回っている。

警察官Ⅰ類・A合格テキスト さくいん

さくいん

さくいん

本書の正誤情報等は、下記のアドレスでご確認ください。
http://www.s-henshu.info/pdgt2409/

上記掲載以外の箇所で正誤についてお気づきの場合は、**書名・発行日・質問事項**（該当ページ・行数・問題番号などと誤りだと思う理由）・**氏名・連絡先**を明記のうえ、お問い合わせください。

・web からのお問い合わせ：上記アドレス内【正誤情報】へ
・郵便または FAX でのお問い合わせ：下記住所または FAX 番号へ
※**電話でのお問い合わせはお受けできません。**

[宛先] コンデックス情報研究所
「警察官 I 類・A 合格テキスト '26 年版」係

住　　所：〒 359-0042　所沢市並木 3-1-9
FAX 番号：04-2995-4362　（10:00 ～ 17:00　土日祝日を除く）

※**本書の正誤以外に関するご質問にはお答えいたしかねます。**また、受験指導などは行っておりません。
※ご質問の受付期限は、2025 年 10 月までに実施される各試験日の 10 日前必着といたします。
※回答日時の指定はできません。また、ご質問の内容によっては回答まで 10 日前後お時間をいただく場合があります。
あらかじめご了承ください。

■**編著：コンデックス情報研究所**
　1990 年 6 月設立。法律・福祉・技術・教育分野において、書籍の企画・執筆・編集、大学および通信教育機関との共同教材開発を行っている研究者・実務家・編集者のグループ。
■**表紙デザイン：上筋英彌（アップライン株式会社）**

警察官 I 類・A 合格テキスト '26年版

2024年11月20日発行

編　著　コンデックス情報研究所

発行者　深見公子

発行所　成美堂出版
　　　　〒162-8445　東京都新宿区新小川町1-7
　　　　電話(03)5206-8151　FAX(03)5206-8159

印　刷　大盛印刷株式会社

©SEIBIDO SHUPPAN 2024　PRINTED IN JAPAN
ISBN978-4-415-23899-9
落丁・乱丁などの不良本はお取り替えします
定価は表紙に表示してあります